COSMOPOLIS®

Čokoládový klub

Carole Matthewsová

Carole Matthewsová

Čokoládový klub

Vydala GRADA Slovakia s.r.o. pod značkou Cosmopolis
Moskovská 29, 811 08 Bratislava 1
www.grada.sk
Tel.: +421 2 556 451 89
ako svoju 125. publikáciu

Z anglického originálu *The Chocolate Lovers´Club*,
vydaného vydavateľstvom Sphere, an imprint of Little, Brown Book Group v roku 2007,
preložila do slovenčiny Andrea Vargovčíková.
Jazyková redakcia Anetta Letková
Spracovanie obálky Zuzana Ondrovičová
Grafická úprava a sadzba Zuzana Ondrovičová
Zodpovedná redaktorka Natália Kuľková

Vydanie 1., 2022
Počet strán 336
Tlač FINIDR, s.r.o.

ISBN 978-80-8090-306-0 (ePub)
ISBN 978-80-8090-305-3 (pdf)
ISBN 978-80-8090-304-6 (print)

Poďakovanie

Táto kniha si vyžadovala vskutku náročný prieskum – toľko čokolády a tak málo času! Som nesmierne vďačná ľuďom, ktorí mi pomohli a ktorých zásluhou prešla moja vášeň k čokoláde do ozajstnej závislosti. Ďakujem Lucy a Barrymu Colensovcom a tímu výrobcu čokolády Thorntons – zvlášť Paulovi Halesovi – za informácie a neutíchajúce nadšenie.

Ďakujem Sue Castlesmithovej z Hayley Conference Centres za víkend, ktorý sa celý krútil okolo čokolády. Účinkami sa takmer vyrovnal averzívnej terapii. Ďakujem mame za to, že do toho šla so mnou. Vďaka patrí aj Davine McCallovej za dévedéčka so skvelými cvikmi, ktoré mi veľmi pomohli vyvážiť spotrebu toľkých kalórií. A ďakujem aj drahému Kevovi za to, že mi ochotne a nadšene pomáhal zjesť všetku čokoládu.

1. kapitola

„No daj ešte," dožadujem sa.

Veľavravne sa na mňa pozrie. „Určite?"

„Zvládnem to."

„Môžeš sa predávkovať," varuje ma. „Dokonca aj ty, ostrieľaná konzumentka."

„To sotva."

Mojím najlepším liekom v obdobiach krízy je madagaskarská plantážna čokoláda. Vylieči všetko. Naozaj všetko, verte mi. Vďaka nej sa človek vystrábi zo všetkého – od zlomeného srdca po bolesť hlavy – a oboje som veru nejeden raz zažila.

„No tak, chlapče, neokúňaj sa," nabádam ho vážne. Môj díler mi konečne podá vytúženú drogu. Vzdychnem od úľavy. Čokoláda. Mňam. Mňam. *Mňam!* Nádherne, rozkošne krémová, sladká, lahodná čokoláda. Nikdy sa jej nepresýtim.

Už po prvom kúsku sa mi v tele rozlieva teplo a tíši bolesť. V istých obdobiach je čokoláda naozaj odpoveďou na všetky modlitby.

„Už je ti lepšie?"

„Bude," usmejem sa nasilu.

„Čo nevidieť budú tu a potom budeš v pohode, uvidíš."

„Viem. Ďakujem, Clive. Si môj záchranca."

„K tvojim službám, moja milá." Dramaticky si tľapneme do dlaní. Nuž, je to gej, dá sa to pochopiť.

Vezmem si zásoby lahodnej útechy a usadím sa na pohovke v kúte. Únava zo mňa pomaly opadáva a pri hlbokých nádychoch omamnej vanilkovej vône sa mi už vyjasňuje aj myseľ.

So svojou vášňou nie som sama. Kdeže. Som súčasťou malej, ale dokonale utvorenej sekty, ktorú sme pomenovali Čokoládový klub. Našu partiu tvoria štyria previnilci, ktorí sa tu v Čokoládovom nebi stretávajú tak často, ako sa dá. Tento brloh čokoholičiek, učupený v zastrčenej dláždenej uličke v elegantnej londýnskej štvrti, je raj závisláčok. Nepoviem vám však kde, pretože potom by to už nebolo moje tajomstvo a do nášho obľúbeného podniku by sa nahrnuli zástupy žien prahnúcich po tejto dobrote a pokazili by jeho atmosféru. Viete, ako to chodí. Objavíte skvelú dovolenkovú destináciu – nekonečné osamelé pláže s bielym pieskom, malé reštaurácie s dostatkom súkromia a skvelé nočné kluby –, každému o nej nadšene vykladáte a na ďalší rok sa do nej vovalia ľudia, ktorí prileteli nízkonákladovými linkami, na pláži sa tlačí telo na telo v korálikových sarongoch z Matalanu a decibely búšia všade, kam sa pohnete. Všetky útulné reštaurácie začnú ponúkať klobásy a hranolčeky a nočné kluby zasa nápoje za polovičnú cenu a penu vyrábanú strojovo. Čokoládové nebo teda ešte dlho ostane obľúbeným miestom iba hŕstky vyvolených.

Zaklоním hlavu, hodím si do úst ďalší kúsok božskej čokolády a blažene vzdychnem.

Som Lucy Lombardová a môžem sa považovať za zakladateľku nášho klubu, pretože som tá šťastná, ktorá Čokoládové nebo objavila. Dnes sme narýchlo zvolali stretnutie. Ak jedna z nás pošle členkám klubu esemesku v tvare „čokoládová pohotovosť", ak sa dá, všetko zanecháme a utekáme do svojej svätyne. Ako keby ste kardiológovi, ktorý má službu pri telefóne, povedali, že jeho pacientovi zlyháva srdce. Tentoraz som stretnutie zvolala ja. Počkajte, až poviem najlepším kamarátkam, čo sa stalo – neuveria tomu. Alebo možno áno.

Prvá dorazí Autumn. Preženie sa dverami vo chvíli, keď dojedám posledný kúsok čokolády. „Čo sa stalo?" vydýchne. Autumn Fieldingová je typ človeka, ktorý sa stará o všetkých.

„Marcus. Už zasa," vysvetlím. Marcus by mal byť môj milovaný frajer – ale o ňom neskôr.

Súcitne tľoskne jazykom.

Kedysi dávno som sem chodievala sama a vždy som sa utiahla do kúta. Nerada jem pred ľuďmi a priam neznášam, keď ma pozorujú pri vychutnávaní si čokolády. Zrejme ani feťáci neznesú, keď ich niekto sleduje, ako šnupú kokaín alebo si pichajú heroín. Dívať sa na niekoho, ako sa oddáva svojej úchylke, je pomerne obscénne. (Ak tou úchylkou nie je práve to, že vás niekto pozoruje.) Sliny mi pritom síce určite netečú, no mám pocit, že tak vyzerám. Isto so mnou súhlasíte, že najlepšie sa slintá v súkromí.

Autumn som spoznala počas jednej takejto návštevy. Jediné voľné miesto bolo vedľa mňa, a tak si ku mne prisadla a okamžite sme sa dali do reči. Pochybujem, že sa nájde človek, ktorý ju nemá rád – ak vám neprekážajú ľudia, ktorí sú od prírody milí. Drahí rodičia, na niečo vás musím upozorniť. Ak sa chystáte dať svojej dcére meno Autumn, počítajte s tým, že keď vyrastie, bude mať zvlnené ryšavé pramene a bude voliť Stranu zelených – presne ako táto.

Autumn zbožňuje najmä horkú čokoládu. V psychológii čokolády – určite existuje aj taká – to môže naznačovať, že skrýva svoju temnú stránku. Autumn si vychutnáva čokoládu pomaly – rozláme ju na množstvo drobných kúskov, vďaka čomu potom nemá zlé svedomie voči chudobným ľuďom. Vyhovie svojej túžbe po čokoláde, no zároveň ju z toho kvári pocit viny. My ostatné trpíme pre množstvo prijatých kalórií, ktoré sa nám protivne usádzajú na bokoch.

Autumn sa umára pre hladujúce deti, ktoré musia vyžiť z misky ryže na deň, nieto aby mysleli na čokoládu. Ja sa hladujúcimi deťmi netrápim – vôbec si ich nepredstavujem, pretože, ak mám byť úprimná, mám dosť svojich starostí.

„Musíme si dať horúcu čokoládu, nech nám zdvihne náladu," vyhlási Autumn a odmotáva si popritom šál – nepochybne ho ručne plietla nejaká mexická pubertiačka, ktorá si takto v akomsi špinavom slume zarobí libru ročne. Musím zjesť viac čokolády, aby som sa cítila lepšie.

„Clive!" zavolám na nášho kamaráta a dodávateľa, ktorý postáva za pultom. „Čoskoro prídu ostatné dievčatá. Pripravíš nám, prosím, horúcu čokoládu?"

„Jasné," odvetí a pustí sa do práce.

Vzápätí sa ukáže Nadia. Podíde ku mne, objíme ma a uprene sa mi zadíva do očí. „Nie je pre teba dosť dobrý."

„Viem." Všetky to vieme. Nemusí sa ani pýtať na príčinu mojej krízy. Vždy je ňou Marcus. „Práve som objednala horúcu čokoládu."

„Skvelé."

Nadia Stonová je ďalšia osoba, ktorá sa k nám dvom pridala, a tak sme vytvorili partiu. Jedného dňa napoludnie prišla do Čokoládového neba vystresovaná a so slzami na krajíčku. U Clivovho obchodného a životného partnera Tristana si objednala množstvo dobrôt, no vyberala ich skôr v zhone než podľa chuti. S Autumn sme jej veľmi dobre rozumeli, samy sme zažili takýto stav aspoň milión ráz. Bolo teda nanajvýš správne, že sme ju občas vzali pod ochranné krídla.

V tom čase sme sa s Autumn stretávali aspoň raz týždenne – dvakrát, ak si to vyžadovala úroveň nášho stresu. Teraz sa už nestretávame tak pravidelne.

Nadia je z nás jediná, ktorá má dieťa – rozmaznaného trojročného krpca. Také sú asi všetky deti, však? Jej syn sa volá Lewis a noc čo noc nedoprial mame poriadny spánok, čo bol hlavný dôvod jej sĺz. Už sa to však zlepšilo. Lewis teraz prespí dosť dlho na to, aby jeho mama dokázala fungovať aj v skutočnom svete.

Nadia si s výberom čokolády nerobí ťažkú hlavu. Tvrdí síce, že čokoláda je jej jediná úľava, no akoby ju vždy zhltla bez toho, aby si ju naozaj vychutnala. To je podľa mňa doslova rúhanie. Ak ste si už vypestovali nejakú závislosť, mali by ste si ju vedieť užiť. Nadia sa čokoládou najmä utešuje – asi ako deväťdesiatdeväť percent žien. Podobne ako ja nosí veľkosť šiat tridsaťosem, no vojde sa do nej len tak-tak. Obviňuje z toho tehotenstvo, po ktorom sa už nevrátila k pôvodnej postave. Ja si však myslím, že za to môže aj to, že synovi kradne čokoládu. Priznáva sa dokonca i k tomu, že keď sa malý nepozerá, zlíže mu čokoládu z celozrnných sušienok.

„Neznášam britské počasie." Konečne je tu aj posledná členka našej štvorice – Chantal. Hodí sa na pohovku a vytriasa si kvapky z lesklých vlasov.

Chantal Hamiltonová, pôvodom z Kalifornie, je rovnako ako Nadia vydatá. Jej rozprávkovo bohatý manžel sa volá Ted, je finančný génius a pracuje v City. Chantal je z nás najstaršia – ťahá jej na štyridsiatku –, no rozhodne je najúžasnejšia a nesmierne príťažlivá. Vysoká, štíhla, vždy dokonale upravená, nádherná a talentovaná. Keby bola kôň, bola by plnokrvník. Tmavé vlasy jej strihá do uhladeného bobu jeden z najlepších kaderníkov v Londýne – jeden z tých, ktorí ustavične vystupujú v telke. Ani jediný vlas jej netrčí nesprávnym smerom. Chantal zavedú do VIP salóna a k účesu dostane aj šampanské zadarmo. Takým ľuďom sa žije! Nosieva také lodičky, pri ktorých ma bolia nohy, už len keď na ne pozriem, a pravidelne navštevuje luxusné butiky, do ktorých sa treba objednať a v ktorých stylistky odstrašia každého zákazníka s bežným zostatkom na účte. Veru, Chantal Hamiltonová má všetko.

Všetko okrem manžela, ktorý s ňou chce spávať.

Je to tak. V tomto čase, keď sú hádam všetci posadnutí sexom, sa Chantal a Ted milujú raz ročne. Alebo dvakrát, ak sa jej na Vianoce podarí naliať doňho smrteľnú kombináciu vodky a čohosi, čomu hovorí vajcový koňak. Znie to odporne. Ďalšími termínmi, keď viac-menej možno počítať so sexom, sú Valentín a jej narodeniny, no zvyšok je v Božích rukách. Chantal si želá, aby to bolo skôr v Tedových rukách a slabinách.

Napriek dobrej výchove a prvotriednemu vzhľadu je Chantal aj bezbrehá konzumentka čokolády, ktorá nie je prieberčivá a odmieta pripustiť, že je od nej závislá. Naša americká priateľka trvá na tom, že je iba maškrtná. Podľa mňa si to len nechce priznať.

„Prečo sme sa tu zišli?" vyzvedá Chantal. „Mali ste vidieť zadok toho fotografa, ktorého som musela odfajčiť." Chantal sa vyrovnáva s manželovým nedostatkom túžby uplatňovať si manželské práva aj inak než čokoládou. Poviem to celkom otvorene, svojim fotografom radšej vyfajčí, než ich odfajčí. „Tak dúfam, že to stojí za to."

„Asi nie," namrzím sa.

Clive k nám pristúpi s podnosom so štyrmi šálkami horúcej čokolády so šľahačkou a s hoblinkami mliečnej čokolády a položí ho na nízky stolík. Zo šálok sa vznáša zvlnený pásik pary. Toto je to pravé, čo nám zohreje studené prsty na nohách – aj moje zlomené srdce.

„Urobil som vám aj *feuillantines*," oznámi a prehnane zdvihne oči k nebesám, aby zdôraznil, akú blaženosť naše jazýčky okúsia. „Tenučké oblátky ochutené zázvorom, klinčekom, muškátovým orieškom a škoricou." Súhlasne zahmkáme. „Musíte ich ochutnať."

Nuž, prečo by sme protestovali, však?

„Nech sa páči, dámy." Rozdávam im šálky a všetky jednohlasne vzdychneme od očakávania.

Ponoríme sa do mäkkých hlbokých pohoviek. Srkneme si horúcej čokolády a nasleduje ďalší kolektívny uznanlivý povzdych.

„Takže?" prehovorí Chantal.

Autumn, s ústami orámovanými čokoládou a s očami rozšírenými od očakávania, sa na mňa zahľadí.

Preletím po kamarátkach pohľadom. „Sedíte pohodlne?" Prikývnu a všetky sa naraz načiahneme za *feuillantines* s hrubou vrstvou čokolády. „Kde začať..."

2. kapitola

Vyznávačka čokolády musí cvičiť – tak znie prvé pravidlo vesmíru –, preto každý utorok večer chodievam na jogu. Dojem tyčinku Mars a odhodím obal do koša. Je šesť hodín a športovú tašku vyťahujem spod stola v nádeji, že sa vyparím z práce čo nevidieť.

Momentálne pracujem v Targe, počítačovej spoločnosti, ktorá sa zaoberá obnovou dát, nech už to znamená čokoľvek. Viem iba toľko, že tu často robím ako sekretárka na zástup a načisto mrhám svojím vzdelaním v oblasti mediálnych štúdií, ktoré som získala len tak-tak, i keď všetci to považujú za naničhodný titul. Atmosféru v Targe charakterizuje predovšetkým stres, vysoká chorobnosť a častá práceneschopnosť. Podľa mňa by niektorým kolegom prospela joga ešte väčšmi než mne. Vždy, keď nejaká zamestnankyňa otehotnie, hľadajú dôvod, ako tú nešťastnicu vyraziť, čo si vyžaduje čas a vysokú mieru kreativity, preto som ich za posledné roky zastupovala toľko, že by to vystačilo na niekoľko materských. Zákonník práce im tu zrejme nič nehovorí.

Jedným z niekoľkých dôvodov, prečo rada pracujem pre Targu, je aj to, že sa nachádza povážlivo blízko k Čokoládovému nebu, a ak si švihnem, stihnem tam zabehnúť aj cez obedňajšiu prestávku. Mojou súčasnou pracovnou náplňou je robiť poskoka a plniť rôznorodé rozmary šiestich zamestnancov obchodného oddelenia pod jastrabím dohľadom obchodného riaditeľa pána Aidena Holbyho.

„Ahoj, kráska," pozdraví ma Aiden Holby, keď prechádza okolo môjho stola. „Už odchádzaš a chystáš sa zdvíhať nohy až za hlavu?"

Targa je politicky veľmi nekorektná spoločnosť. Sexuálne obťažovanie a zneužívanie personálu vo všeobecnosti sa tu dokonca podporujú, a to najmä preto, lebo je to jediná forma úľavy od všadeprítomného stresu. Nevyhnutným predpokladom na prijatie do zamestnania je schopnosť bezbreho flirtovať a široká slovná zásoba urážok.

„Presne tak. Joga volá."

„Čo by som dal za to, keby som sa mohol dívať, ako sa prehýbaš v tých tesných legínsach."

„Čože?"

Zdvihne ruku. „Neprerušuj ma. Oddávam sa mužským fantáziám."

„Snívaj ďalej," odbijem ho a zamierim k dverám.

„Neskôr idem s chlapmi do *Space baru*," informuje ma s rozžiareným úsmevom. „Nepridáš sa k nám?"

„Nemôžem, ale ďakujem za pozvanie."

„Kúpim ti tú čokoládovú vodku, ktorú máš tak rada."

Znie to lákavo. Iba jednu vec možno považovať za lepšiu než čokoláda, a to kombináciu čokolády a alkoholu. „Nechám si zájsť chuť," poviem v snahe zachovať si dobré mravy.

„Dúfal som, že ťa opijem, aby si ma mohla zviesť."

„Toľko vodky si nemôžeš dovoliť."

Zachechce sa. „Tak sa maj, kráska. Uvidíme sa zajtra."

Aiden ma volá kráska. Nie som si však istá, či preto, lebo som podľa neho krásna, alebo iba preto, lebo im sem chodí toľko zastupujúcich zamestnankýň, že im dávajú všeobecné meno. Tak by si nemuseli pamätať ich mená. Ja ho však „fešák" nevolám, hoci je to naozaj krásny chlap.

Aiden Holby vyniká zriedkavým šarmom. Všetky kolegyne, zvlášť tie v istom veku a so sklonmi ľahko podľahnúť zvodom, ho považujú za úžasného. Vysoký, tmavovlasý a nesmierne pekný. Ani mne neunikol jeho trúfalý úsmev a nezbedná iskra v oku. Občas sa v našom Čokoládovom klube pristihnem, ako sa nad ním rozplývam. Dievčatá ho už začali prezývať „ideál". Niežeby sa mi nejavil ako ideálny chlap pre mňa, no zamilovaná doňho nie som. Navyše, pán Aiden „ideál" Holby je zarytý slobodný mládenec, zatiaľ čo ja som žena so záväzkami – mám dlhoročný vzťah. Som nekonečne verná Marcusovi, hoci kamarátky z Čokoládového klubu si často neodpustia poznámku, že moja vernosť je načisto scestná.

3. kapitola

Zaradím sa do zástupu ľudí smerujúcich na metro a odveziem sa niekoľko zastávok do fitka, kam chodím na jogu. Nepatrí medzi vychytené, no lepšie si so svojím úbohým rozpočtom nemôžem dovoliť. Poplatok za toto fitko ho dokonca presahuje, no nezaoberám sa tým. Nelesknú sa tu chrómované povrchy ani mliečne sklo. Napriek pretrvávajúcemu pachu lacnej dezinfekcie v šatniach sa to tu nebýska takou čistotou, akú by človek očakával, a v sprche sa radšej dlho nezdržujem. V telocvičniach sa stále vznáša slabý pach zatuchnutého potu. Ani klimatizácia tu nefunguje a dnes bolo veru tak teplo, že sa mi v taške roztopili chrumkavé karamelové tyčinky Toffee Crisps. Viem to, lebo ich zhltnem na večeru cestou späť. Pravidelne si sem chodievam trestať telo, takže stratené kalórie treba dobehnúť.

Ustavične so sebou bojujem, aby som sa raz namiesto chôdze negúľala. Som nízka prirodzená blondína a vzhľadom na moju závislosť ma sotva možno označiť za útlu. Keby som sa niekedy stala objektom bulvárneho škandálu, isto by ma opísali ako plnoštíhlu alebo obdarenú krivkami. A počastovali by ma prezývkami ako „zvodná Lucy" alebo „šťavnatá Lucy". Ja by som sa asi neobmedzila len na tieto a hovorila by som si rovno „kyprá Lucy".

Kedysi som oplývala ambíciami, no už neviem, či mi ešte nejaké ostali. Naisto však viem, že sa nechcem do konca života zaoberať papierovačkami a nosiť kávu ľuďom, ktorí sa ani neobťažujú spoznať ma, lebo sa na tom mieste aj tak dlho nezdržím. Ešte aj po rokoch sa po uši topím v nesplatených študentských pôžičkách. Jedného dňa však prestanem vyhadzovať peniaze na nadbytočné kalórie a začnem si šetriť na niečo rozumné. Hoci už mám po tridsiatke, zvládam to.

Nie som ani smutná slobodná žena, ani nafúkaná manželka. Mám stáleho priateľa – niekedy. Marcus Canning ma zbožňuje a raz sa chce so mnou oženiť. Chodíme spolu päť rokov a práve smerujeme k „záväzku", čo je dobre.

Blížim sa k fitku a zviera sa mi srdce. Jogou mám odbúravať stres, no nie som si istá, či to funguje. Keď totiž ležím so zaťatými päsťami, po chvíli sa začnem ošívať, zatiaľ čo ostatné ženy pokojne meditujú za tónov pomalej cvrlikavej melódie a tlmeného monotónneho hlasu našej cvičiteľky Persephone. A to nehovorím, aké úsilie musím vyvinúť, aby som sa poskladala do lotosového sedu, pri ktorom si div že nedolámem nohy. Pozíciu pluhu takisto zvládnem iba napoly. Snaha o rozvoj duchovnej stránky zároveň značí, že v utorky sa s Marcusom nestretávame. Tak ho milujem, že ho musím vídať každý deň a do činností bez neho sa vyslovene nútim, pretože Marcus nemá rád citovo závislé ženy.

Občas mi zavolá, prehovára ma, aby som si až tak horlivo nezlepšovala kondíciu, a zvábi ma do svojho bytu výdatnou porciou čokolády a ešte väčšieho množstva červeného vína. Viem, asi som slabá, no nikdy neodolám, i keď niekedy sa zmôžem aspoň na chabé protesty. Marcus mi však na to nenaletí, dobre vie, že ma má omotanú okolo malíčka. Navyše, pohár vína predsa prospieva srdcu. Tými ďalšími štyrmi, ktoré nasledujú po tom prvom, si už nie som taká istá. Zdraviu prospievajú aj dve kocky horkej čokolády denne. Zvyšujú hladinu endorfínov a antioxidantov, a to musí byť dobré. Ako často sa vedci mýlia? No? Popíjaním vína a jedením čokolády asi robím pre seba oveľa viac než riskovaním zranenia na joge. Nalejme si čistého vína, či už je to vedecký fakt, alebo nie, alkohol a čokoláda u väčšiny ľudí vždy zvíťazia nad zdravím a hatha jogou a ja veru nie som výnimka.

Priateľ vie, že vábeniu bonbónov Mingles s mätovou plnkou ani jemu neodolám. No teraz, napriek tomu, že som celý deň podchvíľou kontrolovala mobil v nádeji, že ma zachráni pred trýznivou pozíciou trojuholníka, Marcus mlčí. Volala som mu niekoľko ráz, možno aj desaťkrát, no potom som sa zháčila. Nechcela som pôsobiť ako posadnutá ženská. Napokon, zakaždým sa ozvala odkazová schránka.

Z pohotovostných zásob v kabelke vyberiem Toffee Crisp, rozbalím ju a zahryznem sa do nej. Nemôžem cvičiť s prázdnym žalúdkom – dokonca ani jogu –, vždy je mi nevoľno. Aby som bola úprimná, nedávno som objavila pôžitok z pravej plantážnej čokolády. Zbožňujem čokoládu vo všetkých jej podobách, no mojou najnovšou vášňou je luxusná čokoláda, ktorá sa vyrába z prvotriednych kakaových bôbov vypestovaných na jedinej plantáži. Tá sa môže nachádzať kdekoľvek – v Trinidade, Tobagu, Ekvádore, vo Venezuele, v Novej Guinei. Samé exotické miesta. Je to skrz-naskrz najlepšia čokoláda, aspoň podľa môjho skromného názoru. Niečo ako Jimmy Choo vo svete čokolády, hoci pralinky jej neľútostne konkurujú. (Aby bolo jasné, pralinky sú už cukrovinky, nie čokoláda, ale tým vás nebudem nudiť.) Aby ste si teda o mne nemysleli, že som snobka, priznávam, že si pochutnám aj na tyčinkách Mars, Snickers a Double Decker, a to v pomerne veľkých množstvách. Aj ja som ako mnohí vyrástla na produktoch firiem Cadbury a Nestlé, najradšej som mala Milkybar a Curly Wurly. Obe sú každým rokom menšie. Sklamaním je aj plnený Walnut Whip. Ani ten už nie je, čo býval. Samozrejme, to mi nebráni napchávať sa nimi – hovorím tomu prieskum trhu.

Rýchlo dožujem posledný kúsok tyčinky a preženiem sa dverami. Veselo pozdravím recepčnú, mladú útlu dievčinu menom Becky, ktorá vyzerá, akoby pokušenie zvané čokoláda nikdy neprekročilo prah jej dverí, a vplávam do šatne.

„Počkaj, Lucy!" zakričí za mnou. „Dnešná hodina je zrušená. Persephone má čosi s chrbtom."

To nie je veľmi dobrá reklama na jogu, však? „Dočerta," zašomrem. „A to som sa tešila, ako sa ponaťahujem." Uznávam, klamem, až sa práši. No a čo.

„Je tu ešte hodina fitballu," navrhne Becky. „Alebo posilňovňa."

Obe sú isto poriadna makačka. Jogu mám rada najmä preto, lebo človek sa pri nej môže tváriť, že drie ako kôň, a pritom v skutočnosti takmer nič nerobí. No ak na hodine aerobiku prestanete poskakovať, nikomu to neujde. Zaspite na joge a všetci si pomyslia, ako skvele meditujete. „Dnes si to asi dám ujsť," poviem naoko sklamane. *Pozíciu motýľa prenechám motýľom*, pomyslím si škodoradostne. „Dúfam, že Persephone to zvláda," prehodím súcitne. „O pár dní by sa mala vrátiť."

Čo teraz? Mohla by som vyraziť do *Space baru* za kolegami. Čokoládová vodka je mocné lákadlo. Ani predstava času stráveného s „ideálom" ma až tak neodpudzuje, no to by zároveň znamenalo nutnosť zniesť spŕšku vtipov o joge. Možno by sa ma „ideál" snažil opiť a možno – iba možno – by som sa ho pokúsila zviesť. To nejde. V Targe si veľmi zakladajú na stmeľovaní tímu, a to niekedy zahŕňa aj alkohol, čo vzápätí vyústi do hanby, výpovede a súdnych sporov pre sexuálne obťažovanie. Zajtra by som sa musela v kancelárii pozrieť „ideálovi" do tváre a okrem toho už aj tak chodím so skvelým mužom.

Alebo zájdem k Marcusovi, veď to nemám odtiaľto ďaleko. Nasadnem do metra a svojho drahého prekvapím. Zvážim možnosti a usúdim, že najlepšie bude rozbehnúť sa do Marcusovho hrejivého náručia. To je oveľa rozumnejšie. Myšlienka na stretnutie s ním mi vlieva energiu do žíl, a tak nemám prečo váhať.

4. kapitola

Marcus býva v rozľahlom byte na hornom podlaží jednej z veľkolepých georgiánskych budov v štýlovej časti Londýna. Kúpil si ho len minulý rok a musím sa priznať, že sa mi to až tak nepozdávalo. Tajne som dúfala, že keď sa Marcus odsťahuje z bytu, o ktorý sa delil s ďalšími troma chalanmi, budeme bývať spolu. Ibaže on vyhlásil, že sa na to ešte necíti. Dal mi však kľúč, čo som odjakživa považovala za okamih pravdy, že môžem veriť vo vzťah. Navyše ma uistil, že tento byt je skvelá investícia do našej budúcnosti. Keď sa rozhodneme bývať spolu – som si istá, že raz sa to stane –, Marcus už bude vlastniť kapitál v podobe tohto bytu a môžeme ho využiť na kúpu spoločnej nehnuteľnosti. Marcus je macher na investičné plánovanie. Podobne ako Chantalin manžel aj on pracuje v City a zarába viac ako slušne. Je vorkoholik a práca je jeho život. A ja, pochopiteľne.

Marcus je fešák, urastený blondiak, a ja mám šťastie, že mám takého frajera. Keď ma niekedy prepadne neistota, nedokážem sa ubrániť myšlienke, že je naozaj mimo mojej ligy. Dievča, ktoré vyrastalo s prezývkou „bucľoška", sa tu a tam čuduje, že má takého priateľa. Marcus vojde do miestnosti a všetky ženy – a niekedy aj muži – sa za ním otočia. Ja som skôr priemer – nie síce škaredá, ale povedzme to takto: aj keby sa skaut modelingovej agentúry obzeral na ulici po zrelšej a plnoštíhlejšej modelke, mňa by veru obišiel širokým oblúkom.

S Marcusom sme sa spoznali v kníhkupectve. To sa mi odjakživa videlo nesmierne romantické. Kupovala som si nový výtlačok *Pýchy a predsudku* ako náhradu za ten svoj starý, ošúchaný a on si kupoval knihu *Nanič mestá: 50 najhorších miest na život v Spojenom kráľovstve*. Bola to láska na prvý pohľad. Aspoň u mňa. Marcus si síce vypýtal moje telefónne číslo, no prešiel mesiac, kým mi zavolal, hoci ja som sa za to modlila každý deň. Neskôr priznal, že na moje číslo narazil náhodou, keď si prezeral kontakty v mobile, a už zabudol, komu patrí, preto naň zo zvedavosti zavolal. To bol zrejme môj šťastný deň.

Skrútim kľúčom v zámke a popritom zvolám: „Ahoj, miláčik, som doma!" To je náš vtip.

Privíta ma úžasná korenistá vôňa. „Mňam." Ani som si neuvedomila, že som hladná ako vlk. Dnes som jedla len čokoládu, čokoládu a zasa čokoládu. Jednoducho nijaká zmena. Vstúpim do obývačky a v tej chvíli vyjde z kuchyne Marcus v zástere a s vareškou v ruke.

„Čo tu robíš?" začuduje sa.

„Chceš tým povedať ,ahoj, miláčik, ľúbim ťa'?" podpichnem ho. Položím tašku s úborom na zem a prejdem k nemu, aby som ho pobozkala. „Vonia to lahodne." Oviniem mu ruky okolo pása. „Robíš na mňa dojem. To môžeš aj častejšie. Čo varíš?"

„Ále, nič také," odvetí roztržito.

„Mňam." Prejdem prstom po vareške, naberiem naň trochu chutnej omáčky a obliznem ju. „Máš dosť pre dvoch?"

„Áno. Presne toľko."

„Super."

Voľnou rukou mi odtiahne ruku zo svojho pása. „Vlastne čakám návštevu." A *nie teba*, prezrádza jeho tón.

„Nevrav." Pokúšam sa skryť sklamanie a nasledujem Marcusa do kuchyne, nádhernej miestnosti, samé antikoro a mliečne sklo – presne tak by malo vyzerať fitko, kam chodím cvičiť. Hoci na Marcusove hotové jedlá a donášky je až priveľmi luxusná. V skrinkách dokopy nič nie je, iba kopa mužských vychytávok, ktoré aj tak nikdy nepoužije. Teší ma, že Marcus objavuje radosť z varenia. Kým chystá večeru, nazriem do chladničky. „Koho?"

„Iba niekoho zo školy."

„Mňam. Moje obľúbené." V chladničke na mňa zvodne žmurká čokoládová pena rozdelená do dvoch misiek. „Toto všetko si urobil sám?"

„No…"

„Si muž skrytých talentov. Ostane aj pre mňa?"

„Obávam sa, že nie."

A vo veľmi peknej fľaši sa tu chladí šampanské. „Príde niekto výnimočný?"

„Vôbec," rázne pokrúti hlavou. „Len niekto zo školy. Nepoznáš. Myslel som si, že v utorky chodievaš na jogu."

„Dnešnú hodinu zrušili," poviem a dívam sa na poloprázdnu fľašu červeného vína na linke. „Cvičiteľka si zranila chrbát."

„To nie je ktovieaká reklama na jogu."

„Presne to som povedala." Niekedy sme s Marcusom takí zladení, že si dokážeme čítať myšlienky.

„Nemohla si ísť na inú hodinu?"

„Na to už nemám sily," poznamenám. „A chcela som ťa vidieť." Opriem si hlavu o jeho plece, zatiaľ čo miesa omáčku. Prechádzam pohľadom po kuchynskej linke a pristavím sa na otvorenej kuchárskej knihe. „Marocké kura s olivami. Fíha. A čokoládová pena? Prekonávaš sa."

„Napadlo mi, že sa trochu posnažím. Rád varím." Túto kuchársku knihu som mu darovala na Vianoce pred dvoma rokmi. *Ako sa stať jej bohom lásky v kuchyni.* Zvláštne, že mne z nej nikdy nič neuvaril.

„Čo tu máme?" zdvihnem pokrievku na hrnci.

„Zemiaková kaša so šafranom," odvetí akosi váhavo.

„Mňam. Znie to božsky. Dúfam, že ten človek nemá najradšej hamburger s hranolčekmi."

Znova sa odo mňa odtiahne. „Idem si zavolať. Možno to budem môcť odvolať."

„Kvôli mne nemusíš. Rada sa s ním zoznámim. Určite neostane aj pre mňa? Zdá sa, že je tu toho dosť." Tú čokoládovú penu si musím vybojovať.

„Radšej inokedy." Marcus vyťuká v telefóne číslo. „Budeme len spomínať na staré dobré časy. Unudila by si sa na smrť."

Miska, v ktorej pripravoval Marcus čokoládovú penu, leží v dreze. Vyberiem ju, prstom naberiem zvyšky hustej peny a strčím si ho do úst. Nenásytne ju hlcem. Je skvelá. Keby som tu bola sama, rovno by som tú misku vylízala, no radšej zachovám dekórum. „Takže sa mám porúčať?"

„Nuž…" začne Marcus, no nedopovie.

„Tak fajn." Skľúči ma, že Marcus teraz o moju prítomnosť nestojí. V tomto je pomerne zvláštny. Nestretávame sa s jeho kamarátmi ani rodinou. Chce byť so mnou sám. To by sa mi malo páčiť, však? Niekedy to však vo mne vyvoláva pocit, že asi nie som preňho dosť dobrá. Viem, je to hlúposť. Marcus mi ustavične vraví, že som trúba. „Iba sa s ním pozdravím a zmiznem. Nemala som ťa takto prepadnúť. Myslela som si, že možno nemáš čo robiť."

„Inokedy by to tak aj bolo," skonštatuje Marcus. „No túto návštevu mám dohodnutú už dlhšie."

„Nespomínal si ju."

„Nemyslel som si, že by ťa to zaujímalo." Telefón zrejme vyzváňa. „Odkazovač," uvažuje, keď na druhej strane linky nikto nedvihne. „Ahoj, tu Marcus. Zavoláš mi? Je to naliehavé."

„Načo by si to rušil. Pôjdem, ak na tom trváš," potláčam urazený tón. „Môžem ti pred odchodom nejako pomôcť? Povedzme prestrieť stôl?"

„Všetko je hotové," zamietne. „Naozaj sa nemusíš zdržiavať."

„Aha." Takže si nestihnem ani naliať víno. „Dobre. Tak si ešte vezmem zo spálne veci na pranie a utekám."

„Skvelé." Marcus ma letmo pobozká na líce. „Uvidíme sa zajtra. Mohli by sme skočiť do kina."

„To by bolo fajn." I keď na môj vkus pozeráme priveľa filmov s Angelinou Jolieovou.

Vyjdem z kuchyne a zamierim do spálne. No páni! Vyzerá to tu ako po jarnom upratovaní. Ako zo škatuľky. Po šatách hodených na posteli ani stopy. Špinavá bielizeň pekne v koši. A všade sviečky. Pôvabné vysoké sviečky v antikorových svietnikoch. Ozaj štýlové. Pohrabem sa v koši na bielizeň a vytiahnem niekoľko svojich kúskov.

„Spálňa vyzerá úžasne," pochválim ho, keď sa vrátim. „Sviečky sú nádherné. Ako ti napadlo kúpiť ich?"

Marcus očervenie. Na heterosexuála sa dosť zaujíma o interiérový dizajn, ibaže sa k tomu nerád priznáva. Jeho byt nemá najmenšiu chybičku. Na dokonalej podlahe z tmavého dreva sa vynímajú drahé biele kožené pohovky ozdobené červenými vankúšmi. Moderné obrazy sú farebne zladené. „Šiel som okolo jedného obchodu a upútali ma vo výklade," vysvetľuje napokon. „Napadlo mi, že tu budú vyzerať super."

„Veru hej," súhlasím. Nastrkám si oblečenie do plnej tašky a prehodím si ju cez plece. „A veľmi romantické." Čo najzvodnejšie našpúlim pery. „Už sa nemôžem dočkať, kedy si ich zapálime."

Vzápätí si všimnem, že jedálenský stôl je prestretý pre dvoch a takisto pôsobí veľmi romanticky. Sú na ňom sviečky a váza s červenými ružami, ktoré Marcus očividne takisto zohnal v nejakom obchodíku. Nespomínam si, že by dal na stôl kvety, keď mi občas uvaril večeru, dokonca ani na Valentína. Vedľa ruží leží bonboniéra. Veľmi dobre ju poznám. „Bol si v Čokoládovom nebi," vydýchnem prekvapene. Marcus tam nikdy nechodí, vie, že je to moje útočisko, kde sa stretávam s dievčatami. Zabolí ma pri srdci.

Vtom zazvoní zvonček pri dverách. Marcus stuhne. Aj ja. „To musí byť tvoj kamoš," vysúkam zo seba napriek zovretému hrdlu.

Marcus očividne váha, či ostať stáť alebo ísť otvoriť dvere. Zvonček sa ozve znova.

„Mám otvoriť?"

„Nie," povie. „Nie."

Neviem, čo si počať, a tak čakám, kým Marcus pomaly otvorí dvere. Neprekvapí ma, že Marcusov bývalý spolužiak je drobná a nesmierne krásna brunetka. Vojde do bytu a okamžite sa mu vrhne na pery. „Ahoj, miláčik," pozdraví ho.

Marcus sa odtiahne a hodí ustarostený pohľad mojím smerom. Ona ho nasleduje.

„Ahoj," poviem a so sileným úsmevom k nej natiahnem ruku. Zovrie mi ju. Dlaň má studenú a útlu, rovnako štíhlu ako telo. „Som Lucy," predstavím sa veselo. „Marcusova priateľka."

Teraz sa odtiahne ona.

„Toto je moja kamarátka Joanne," povie Marcus napäto.

Pozriem sa na svojho frajera. „Takže niekto zo školy. Tak si to povedal, však?" Otočím sa k Joanne. „Do ktorej školy si s Marcusom chodila? Na základnú? Na strednú? Alebo do tvrdej školy života?"

Jeho akože spolužiačka sa naňho bezvýrazne zadíva. „Marcus, neviem, o čo tu ide," prehovorí, „ale rozhodne sa na tom nechcem zúčastniť." Odvráti sa od neho k dverám.

„Jo," prosíka ju Marcus a chytí ju za rukáv. „Nechoď."

Je načase, aby som sa porúčala. „No tak, Marcus," prednesiem smutne. „Fakt si ma ani trochu nevážiš?"

„Vysvetlím ti to," pokračuje, no hľadí na Jo, nie na mňa.

„Pokojne tu ostaň a počúvaj," poviem Jo. „Ja som na odchode."

Marcus ma nezdržiava, a tak si napravím tašku na pleci a vykročím k dverám. „Rada som ťa spoznala," prihovorím sa Marcusovej novej láske. „Uži si večeru. Vonia nádherne. Dokonca prekryje aj smrad potkana. Mimochodom, tie čokoládové bonbóny sú vynikajúce. Dúfam, že sa nimi obaja zadrhnete."

Vysoko zdvihnem hlavu a odídem.

5. kapitola

Môj byt v Camdene nevyzerá tak úžasne ako ten Marcusov, no je to môj domov. Malý bytík sa nachádza nad kaderníckym salónom, ktorý viedla moja drahá mama, kedysi kaderníčka, než ma opustila. Hovorím síce, že ma opustila, no neznamená to, že už nežije. Presťahovala sa do Španielska. S mojím záletným otcom sa rozviedla a znovu sa vydala za staršieho a bohatšieho muža. Teraz už nemusí pracovať a celé dni preleňoší v ich prepychovej vile na Pyrenejskom polostrove. Vlasy jej už upravuje iná kaderníčka. Pravdupovediac, v poslednom čase sa vídame tak málo, až by sa človek nazdával, že je ozaj na onom svete. Dom v Camdene stále vlastní a ja tu bývam najmä preto, lebo jej platím smiešne nájomné, a ak ho aj náhodou zabudnem zaplatiť, nerobí okolo toho haló. Na revanš jej to tu nepodpálim ani nenechám pretiecť vodu z vane, ako to majú vo zvyku mnohí nájomníci.

V kaderníckom salóne teraz kraľuje skvelý chlapík, gej Darren, ktorý ma občas ostrihá zadarmo, keďže ja mu po záverečnej zase dozerám na prevádzku. Keby som sa odsťahovala, asi by som už musela za starostlivosť o vlasy platiť aj ja. Robieva mi tú modernú frizúru z polodlhých vlasov, ktorú obľubujú detské moderátorky na BBC. Nahováram si, že vďaka nej vyzerám mlado a nezbedne, ale možno mi iba zvýrazňuje plné líca. Naozaj by som ho mala zoznámiť s Clivom a Tristanom. Tí dvaja robia skvelú čokoládu, obaja by si však potrebovali dať dokopy vlasy. Kydajú si na ne tony gélu a ani tie zosvetlené pramienky nie sú najlepší nápad. Môj kaderník by sa im určite páčil. Darren je samá kosť a koža. Váži možno šesťdesiat kíl aj s topánkami a boky má ako dvanásťročné dievča. Clive a Tris by ho zaručene vykŕmili. No späť k mojej rodine. Otec sa druhý raz oženil s oveľa mladšou ženou, takisto kaderníčkou. S jeho prehadzovačkou si síce neporadila, no otec sa vznáša od šťastia, čo možno zrejme pripísať niečomu inému než jej zručnému narábaniu s nožnicami. Otec žije na južnom pobreží a vídam ho ešte zriedkavejšie než mamu.

Odomknem dvere, hodím tašku na zem a zamierim priamo k chladničke, v kuchyni ani nerozsvietim. Sadnem si na studené kachličky pri otvorenej chladničke ako v scéne z filmu *9 a ½ týždňa*. Prvá je na rade zmrzlina Ben and Jerry's Phish Food. S lyžičkou sa neobťažujem, zaborím do nej prsty a nespôsobne sa napchávam. Celou cestou v metre som sa ovládala a nerozplakala sa, teraz sa mi však už kotúľajú po tvári veľké slzy a dodávajú čokoládovej zmrzline s rybičkami a penovými cukríkmi slanú príchuť. Keď ju dojem, zaútočím na zásoby tyčiniek Snickers a zhltnem rovno tri. Nasleduje tyčinka Bounty z mliečnej čokolády. Obyčajne sa vždy zamyslím, prečo do jedného obalu nedajú jednu tyčinku z horkej čokolády a jednu z mliečnej, aby si človek nemusel vyberať, no dnes mi je ich farba ukradnutá. Stačí, že do seba tlačím sladký kokos. Mám tu aj škatuľku bonbónov z jednodruhovej plantážnej čokolády z Čokoládového neba. Clive by asi omdlel, keby vedel, že ich neplánujem jesť zohriate na izbovú teplotu. Do trýznivej bolesti prenikne poznanie, že by ich veru bolo škoda zjesť. Odložím teda bonbóny a vrhnem sa na tyčinku Cadbury's Dairy Milk, tri tyčinky Thornton's Alpini a škatuľku minityčiniek Celebrations, ktoré ani nestíham rozbaľovať.

Po celý čas, čo sa napchávam, takmer nepomyslím na ničomníka Marcusa a na to, ako sa ku mne zachoval. Zasa. Som len ja a upokojujúca čokoláda. Hltám minityčinky Celebrations, jednu za druhou, pomarančovú, kokosovú, karamelovú. Sotva vnímam ich chuť. No len čo si dám pauzu, príde mi zle. Dvíha sa mi žalúdok. Zamierim do kúpeľne, strčím si do hrdla dva prsty a vyvrátim všetku tú lepkavú sladkosť do záchodovej misy. Po tejto očiste sa vyzlečiem a šuchnem do postele. Ležím na chrbte a čakám na brieždenie.

6. kapitola

Ráno sa dívam do zrkadla bledá ako stena, ak nepočítam tmavé kruhy pod očami. Sťažka sa opriem o umývadlo a znova vraciam, znechutená sama sebou. Marcus sa takto ku mne nezachoval prvý raz, no prvýkrát som ho osobne prichytila pri nevere.

Marcusovi Canningovi som darovala päť rokov života. Päť svojich najlepších rokov. Ja hlupaňa som ich naňho vyslovene premrhala. Ostávala som s ním, lebo ma presviedčal, že som jediná žena na svete, bez ktorej nedokáže žiť. Z času na čas však v miestnej vinárni alebo niekde inde stretne ochotné dievča – štíhle a pekné ako Jo – a rozhodne sa overiť si, či som naozaj žena, bez ktorej nedokáže žiť, alebo sa mýli. A vyparí sa s ňou, ani sa neobzrie. Potom zistí, že bez nej dokáže žiť, no bez starej dobrej Lucy nie. Vtedy sa vráti a začne sa fáza prosíkania. Nalieha tak veľmi, až ma napokon obmäkčí a odpustím mu. Preto mám takú veľkú spotrebu jednodruhovej plantážnej čokolády z Madagaskaru. No stačilo! Tentoraz s Marcusom nadobro skoncujem.

Osprchujem sa a umyjem si zuby, ostrá mentolová chuť zaženie kyslú pachuť v ústach. Dopekla, prečo nevyrábajú aj pasty s čokoládovou príchuťou? To by bolo niečo. Prečo nenavrhujú zubné pasty ženy? Určite by vymysleli aj príchuť chutného tiramisu alebo brownies, nielen tú hnusnú mätovú chuť. Táraniny. Oblečiem si to, čo som včera večer hodila v spálni na zem. Raňajky vynechám, lebo neznesiem pohľad do chladničky, a vyjdem von. Naoko veselo zamávam Darrenovi, ktorý práve prišiel do kaderníctva. Do práce nejdem zvyčajnou trasou. Nasadnem na severnú linku a zamierim späť do Marcusovho bytu.

Než otvorím dvere, zhlboka sa nadýchnem, no po Marcusovi ani jeho milenke Jo ani chýru. Ako som dúfala, už odišiel. Ten chlap je vorkoholik a v kancelárii tvrdne už o pol ôsmej. Nezniesol by, keby ho kolegovia predbehli. Marcus začína deň ranným behom o pol siedmej a potom sa osprchuje studenou vodou. Ani ja, a očividne ani nová milenka, by som ho neprinútila zmeniť tento rituál.

Byt prezrádza, že sa včera bavili. Jo sa síce ocitla uprostred mileneckého trojuholníka, no zrejme jej neprekážalo ostať u Marcusa, zvlášť keď sa jeden z tých uhlov porúčal. Na stole sú pozostatky večere – špinavý riad, skrčené servítky a pohár na šampanské s odtlačkom rúžu. V škatuľke z Čokoládového neba dokonca ostal bonbón. Taká svätokrádež! Bez váhania si ho hodím do úst a nakrátko sa oddám pôžitku. Vzápätí nešťastne zastonám. Čokoládu zrejme nedojedli preto, lebo sa už nevedeli dočkať, kedy sa na seba vrhnú. Na zemi sa povaľujú dva červené vankúše. Takáto nedbanlivosť sa na Marcusa nepodobá. Ležia na nadýchanej bielej ovčej kožušine, čo je podozrivé. Prejdem do spálne. Samozrejme, už nevyzerá tak nedotknuto ako včera. Obe strany postele sú rozhádzané, a to svedčí len o jednom. Ak však potrebujem ďalší dôkaz, pri posteli stojí fľaša šampanského a dva poháre. Marcus veru nespal sám.

S ťažkým srdcom sa odvlečiem do kuchyne. Tam vládne ešte väčší neporiadok. Marcus sa ani nesnažil poupratovať. Riad nevložil do umývačky a zoschnuté zvyšky včerajšieho marockého kuraťa a šafranových zemiakov sú ešte vždy na sporáku. Prehodím všetko do jednej panvice, vezmem naberačku a vrátim sa do spálne. Otvorím skriňu a zadívam sa na Marcusove úhľadne zavesené košele a obleky. Opriem si panvicu o bok, naberiem čo najviac kuracej a zemiakovej brečky a vykydnem ju do vrecka Marcusovho obľúbeného obleku značky Hugo Boss. Musím uznať, zemiaková kaša je ozaj nadýchaná.

Takto mu vyzdobím všetky obleky a z toho gurmánskeho pokrmu mi ešte vždy ostane. Zdá sa, že milenci naň napokon ani nemali chuť. Prejdem k radu pekných značkových topánok – na jednom konci ležérna obuv, na druhom elegantná. Vlastní oveľa viac topánok než ja. Značky ako Ted Baker, Paul Smith, Prada, Miu Miu, Tod's... Do každej hodím za naberačku brečky a pre maximálny účinok ju starostlivo natlačím do špičky.

Vrátim sa do kuchyne a položím panvicu na platňu. Marcus má šťastie, že pri tom, ako sa cítim, mu to tu rovno nepodpálim. Otvorím mrazničku. Môj priateľ – už bývalý – zbožňuje morské plody. (A iné ženy, samozrejme.) Vyberiem vrecko mrazených tigrích kreviet a otvorím ho. Z pohovky v obývačke odložím vankúše a medzi sedadlo a operadlo natlačím zopár hrstí kreviet. V spálni zasa vyklopím zvyšné krevety pod matrac na Marcusovej peknej koženej posteli a poriadne pritlačím. O pár dní začnú rozvoniavať.

Prichádza vrchol večera. Vrátim sa do kuchyne po poloprázdnu fľašu červeného vína – toho, ktoré som nestihla ani len ovoňať – a polejem ním celú huňatú ovčiu kožušinu. Doprostred rozširujúcej sa škvrny položím svoj kľúč od bytu. Potom vytiahnem krásny červený rúž, odtieň sa príhodne volá *Trpký šarlát*, a na bielu koženú pohovku ním krasopisne napíšem: *Marcus Canning, si neverný sviniar.*

7. kapitola

„A potom som vám zavolala." S chvejúcimi sa perami dorozprávam svojim drahým kamarátkam dej najnovšieho dielu seriálu, ktorým sa stal môj katastrofálny ľúbostný život. Roztrasenými rukami chytím hrnček s horúcou čokoládou. Pevne ho zvieram a po chvíli mi jeho teplo uvoľní prsty.

„Prepánajána!" prekvapí sa Autumn.

„Dobre si urobila," súhlasí Nadia. „Čo dobre, perfektne! To je teda gauner."

Odplata v podobe kreviet sa mi vtedy javila ako dokonalá bodka. Teraz si tým už nie som taká istá. „Toto mi asi nikdy neodpustí," bedákam.

Chantal odfrkne. „Prečo by mal on odpúšťať tebe?! Môže si za to sám. On by mal prosiť o odpustenie. Lucy, vzchop sa. Je čas, aby si sa prestala správať ako jeho rohožka."

„Čo ak ma udá za poškodzovanie majetku?"

„Neodvážil by sa," upokojuje ma Nadia.

Prisadne si k nám aj Clive s Tristanom a obaja sa s chuťou pustia do *feuillantes*. Zbožňujú klebety.

„Čo si myslíte, chlapci?"

„Nič lepšie si urobiť nemohla," uistí ma Clive a potľapká ma po ruke. „Podmanivá zmes drámy a zúrivosti. Mohla by si byť čestným gejom."

Tristan a Clive, majitelia Čokoládového neba, a teda aj naši díleri, majú k svojim najvzácnejším klientkam doslova majetnícky vzťah. Pravidelne sa zapájajú do našich rozhovorov a pomáhajú nám riešiť problémy, no keďže obaja sú afektovanejší než Eddie Izzard, ich radami sa určite nemôžeme vždy riadiť. Navyše, keby vyriešili všetky naše vzťahové dilemy, prišli by o kšeft. Ak by som sa tu neukázala čo i len týždeň, zisk by im klesol možno aj o polovicu. Hlúposť. Musím sem prísť aspoň raz za sedem dní. Dlhšie by som to nevydržala.

Tristan, bývalý účtovník a teraz skrz-naskrz čokoholik, sa chce stať podnikateľom. Sníva o reťazi kaviarní Čokoládové nebo po celej krajine, ktorými by zasadil ranu Starbucksu. Clive je odborník na čokoládu, ktorý začínal ako pekár v jednom z najlepších londýnskych hotelov, kde využíval svoju celoživotnú vášeň pre čokoládu pri tvorbe úžasných exotických dezertov. Keď sa s Tristanom dali dokopy, odišli zo svojich zamestnaní a založili Čokoládové nebo. Clive teraz vymýšľa najlahodnejšie zmesi, aké človek – alebo zvlášť ženy? – pozná. A hoci sú obaja gejovia, presne vedia, ako urobiť ženu šťastnou.

„Zavolala si ideálovi?" vyzvedá Chantal. „Ak si dnes ešte nebola v práci, určite sa už čudujú, kde trčíš."

„Nie," odvetím a vzlyknem. „Na prácu som ani nepomyslela."

„Daj mi mobil," prikáže mi. „Zavolám im, že prídeš až okolo obeda." Chantal vážne a neurčito vysvetľuje do telefónu moju neprítomnosť a ja si radšej nepredstavujem, ako po Targe kolujú o tom klebety, ako vždy. „Ten pán Aiden Holby si robí o teba starosti," informuje ma Chantal, keď ukončí hovor. „Zdá sa mi roztomilý."

Lenže Chantal považuje za roztomilého každého, kto ešte neprekročil štyridsiatku a žije. V tomto prípade má však pravdu. Moment, ako to, že sa tým vôbec zaoberám? Som predsa zničená. Nasilu veselo poviem: „On aj je roztomilý."

„Dobré dievča," skonštatuje Chantal. „Existuje aj život po Marcusovi. Len tak ďalej. Hej, Clive, potrebujeme ešte čokoládu."

S Autumn prikývneme.

„Pralinky," povie Clive veľavravne a šúcha si úhľadne zastrihnutú koziu briadku. „Potrebujeme pralinky. Tie sú na krízu ideálne." A hneď odcupitá doplniť zásoby.

„Ja si nedám," zahlási Nadia a vstane. „Musím utekať po Lewisa do škôlky. Moja dnešná sloboda sa skončila," rezignovane rozhodí rukami.

My ostatné, ktoré sme prišli do kontaktu s deťmi iba vtedy, keď sme samy ako deti chodili s nimi do školy, iba vo vhodných okamihoch prikyvujeme, keď na nás Nadia vychrlí pochybnosti o sebe a svojich biednych rodičovských zručnostiach. Zvlášť prechod Lewisa na tuhú stravu bol nekonečná téma – nezabudli sme poukázať na to, že aj čokoláda je tuhé jedlo a kto by jej odolal, však že? Teraz jej synček spokojne konzumuje pizzu, klobásky aj čokoládu. Dobrý chlapec! Nadia už chodí na naše stretnutia vždy, keď môže, najmä preto, aby jej nezhnil mozog. To sú jej slová, nie naše, i keď s ňou musíme súhlasiť. Niekedy sa pozabudne a opisuje nám, ako jej syn rád skúma obsah svojho nosa – túto tému jej však okamžite zatrhneme. Odnaučili sme ju však aj od horších vecí a darí sa nám udržiavať jej konverzáciu na úrovni dospelých.

S Nadiou sme rovesníčky, no pôsobí oveľa staršie. Niekedy je tej zodpovednosti na ňu priveľa. Má pekný domov, pekného manžela a pekné dieťa, no aby som bola úprimná – tak, ako je ona úprimná k nám –, niekedy sa na smrť nudí.

Hlavnou chybičkou krásy je, že Nadia je Ázijčanka a jej manžel nie. Rodina sa jej otočila chrbtom, pretože sa odmietla vydať za Tariqa, svojho bratranca z tretieho kolena, ktorého jej vybrali za manžela. Celá široká rodinu ju zavrhla a ona dodnes žiadneho svojho príbuzného nevidela. Svetlou stránkou toho je, že nemusí znášať návštevy zástupov tetičiek, ktoré by ju vynukovali cibuľovým bhádží, tou horšou to, že je na všetko viac-menej sama.

Keď Nadia otehotnela, dúfala, že to obmäkčí jej dve sestry, s ktorými mala kedysi vrúcny vzťah. Nestalo sa a jej náhradnými sestrami sme sa zrejme stali my členky Čokoládového klubu.

Tak veľmi chcela uniknúť tradičnému ázijskému sobášu, že skončila pripútaná k mužovi, ktorý akoby sa vrátil v čase o päťdesiat rokov. Po narodení syna Toby vyhlásil, že si neželá, aby jeho manželka pracovala, a tak Nadia uviazla doma s Lewisom – a pritom si takýto luxus ani nemôžu dovoliť. Toby má vlastnú inštalatérsku firmu a všetci vieme, aké to môže byť výnosné, no deti – rovnako ako dobrá čokoláda – idú do peňazí. Nadia mu vyhovela, to však znamenalo, že sa musela vzdať svojej kariéry. Predtým pracovala ako žurnalistka v jednom módnom vydavateľstve a tú prácu naozaj zbožňovala. Nemôžem sa ubrániť pocitu, že kdesi pod povrchom v nej tlie zlosť. Skúšam ju presviedčať, že ten časopis už nie je taký štýlový, ako býval. Isto však vie, že za takú prácu by som si dala aj vŕtať koleno.

Nadia ma pobozká na líce a vezme si z taniera posledný kúsok čokolády. „Možno sa mi podarí dobehnúť koncom týždňa.“

„Ďakujem, že si prišla.“ Naozaj si to cením, pretože viem, ako ťažko si Nadia nachádza čas pre seba.

Autumn to má v práci oveľa voľnejšie a môže sa tu zašiť aj na hodinu, ak je to potrebné. V práci „koná dobro“, pretože pracuje v resocializačnom centre pre mladých drogovo závislých – určite na to jestvuje aj politicky korektnejší termín. Ich projekt má nejaký štýlový názov, niečo ako *Choď do toho!* alebo *Daj sa vypchať!*, alebo *Kašli na to!* Čosi také, už si to nepamätám. Vyučuje kreatívnu prácu so sklom, čo musí byť fakt užitočné, keď sa človek snaží skoncovať s heroínom. No nemala by som sa z toho vysmievať, Autumn to berie veľmi vážne a na všetkých zverencoch jej záleží – asi až priveľmi. Meno Autumn, ktorým ju sudičky požehnali, v nej zrejme aktivovalo horlivý gén svedomia, ktorý horným desaťtisícom obyčajne chýba. Všetky ju máme rady, i keď je trochu výstredná, pretože nás spája spoločná závislosť.

Autumn je typická predstaviteľka ženy nazývanej anglická ruža. Je veľmi milá a srdečná. Jej jedinou chybičkou krásy je presvedčenie, že gáza, ktorá sa používa pri výrobe syra, je vynikajúca látka na šaty. Aj by som vám jej oblečenie opísala, ale asi by som to nezvládla. V tých nemožných háboch vyzerá ako hipisáčka a jednotlivé kúsky sa k sebe vôbec nehodia. Rozviata šifónová sukňa s džínsovou bundou a... no, všadeprítomná gáza. Stačilo, ďalej to opisovať nebudem. Spája nás vášeň k čokoláde, no o módnom vkuse sa to nedá povedať. Ja ako sekretárka s ambíciou stať sa raz vedúcou pracovníčkou uprednostňujem eleganciu – kostýmy a dobre padnúce šaty. O tom, že nakupujem najmä v Primarku, radšej pomlčím. Aspoňže nechodievam do charitatívnych obchodov ako moja kamarátka.

Autumn je z nás zároveň najzásadovejšia. Recykluje (všetko okrem svojho oblečenia) a jazdí na bicykli namiesto auta, a nie preto, lebo si ho nemôže dovoliť. Uprednostňuje ošúchané martensky pred lodičkami od Jimmyho Chooa, ale pritom by si ich mohla dovoliť. Človek by povedal, že nie je normálna. Ustavične do nej hudiem, aby si spomínané lodičky kúpila a po pár obutiach ich posunula menej šťastnej žene, napríklad mne. Autumn používa iba ekologické prášky na pranie, bielidlo, ktoré neškodí životnému prostrediu, a vie sa o nej, že pred používaním ružového denného krému značky Dr. Hauschka uprednostnila umývanie tváre vo vlastnom moči. Našťastie tento experiment netrval dlho, pretože čudne páchla – hoci to popierala. Raz príde čas, keď budeme všetky páchnuť po moči, no podľa mňa netreba tento proces urýchľovať.

Autumn je mladá, má iba dvadsaťosem rokov, no citovo je oveľa mladšia. Očividne jej v živote nič nechýbalo – chodila do prvotriednej internátnej školy, po nej šla študovať na jednu z deviatich vychýrených univerzít, no stále sa má čo učiť o živote. Pochádza z dobrej, čiže zazobanej rodiny. Táto žena je fakt nóbl, možno dokonca deväťdesiata siedma v nástupnickej línii na britský trón alebo niečo podobné. A keby sa volala Fenella, Genevieve alebo Eugenie, jej život by sa určite odvíjal podľa predurčeného scenára.

Autumn ešte s nikým nechodila, sčasti preto, lebo jej takmer všetok čas vypĺňa konanie dobra a na mužov jej ho veľa neostáva, a sčasti preto, aspoň podľa mňa, lebo kto by s ňou chcel ísť von, keď sa takto oblieka? Obľubuje dlhé debaty o výhodách veterných turbín ako zdroja obnoviteľnej energie, nad čím väčšina mužov asi ohŕňa nos. Jej jedinú útechu predstavuje čokoláda a za to, ako aj za mnohé iné veci, si zaslúži moje uznanie.

Teoreticky mám pracovať od deviatej do piatej, no podmienkami svojej pracovnej zmluvy sa v praxi až tak neriadim, a tak sa jednoducho vyparím vždy, keď mám na to chuť. Napokon, som tam iba na zástup, a tak sa odo mňa očakáva, že budem nespoľahlivá, no nie? Kto by ma vyhadzoval? Našťastie sa zdá, že „ideál" s tým nemá problém. Moju pracovnú morálku až tak nerieši a dopraje mi voľnosť.

Chantal má z nás najväčšie šťastie, pretože pracuje sama na seba, i keď vôbec nemusí pracovať, pretože je rozprávkovo bohatá aj bez toho, aby čo i len pohla prstom. Preto rovnako ako ja kašle na pravidelné pracovné návyky. Ibaže jej slobodomyseľnosť vychádza z reality, zatiaľ čo ja klamem samu seba, že nepotrebujem pracovať. Chantalinmu manželovi Tedovi spadlo bohatstvo do lona vďaka dedičstvu. Bývajú v Richmonde vo vile obrastenej vistériou hneď vedľa starého domu Micka Jaggera. Chantal často narazí na Jerryho v miestnom kvetinárstve. Na Temži kotví ich loď, ktorú nikdy nepoužívajú, v južnom Francúzsku majú vilu, ktorá je väčšinu roka prázdna, a v Cornwalle víkendovú chatu, kam z času na čas zájdu. No nie je to luxus? Navyše, Ted je veľký fešák, nie ako tie úkazy s ustupujúcou bradou, ktoré zvyčajne krášlia vyššie vrstvy našej spoločnosti. (Hovorím, akoby som mala v tejto oblasti bohaté skúsenosti, ale opak je pravda.)

Chantal pracuje ako novinárka na voľnej nohe, najmä pre americký časopis *Style USA*, ktorý prezentuje domy našich amerických bratrancov a sesterníc v krajinách po celom svete. Chantal má na starosti Anglicko, čo znamená, že cestuje po krajine s fotografom a robí rozhovory s ľuďmi, ktorí sa nemôžu dočkať, kedy sa ich domácnosti objavia na stránkach luxusného časopisu. Chantal žije v Anglicku už desať rokov a kávu vymenila za čaj. A čuduj sa svete, pije ho dokonca s mliekom, nie s citrónom. Ako človek, ktorý sa naozaj vzdal svojich amerických koreňov.

Čokoláda je všeobecne známe afrodiziakum, no nič, čo Chantal vyskúšala, nezabralo na Tedove spodné partie. Nepomohli dokonca ani čokoládové obrazce, ktorými jej Clive vlastnoručne vyzdobil telo. Je až neuveriteľné, že žena, ktorá by pokojne mohla hrať aj vo filme po boku Hugha Granta, má manžela, ktorý o ňu nejaví najmenší záujem. Chantal ho musí doslova prosiť, aby ju pretiahol. Ospravedlňujem sa za ten neslušný výraz, no lepší mi nenapadá, a ona sama to slovo používa, keď rozpráva o svojom neexistujúcom sexuálnom živote. Ted to zvaľuje na stres v práci, stres v golfe, jednoducho stres vo všetkom. Jeho výhovorky sme počas svojich čokoládovo-poradných stretnutí preberali do najmenších detailov, a keby o tom vedel, určite by bol ešte menej ochotný spať so svojou manželkou. Chcem tým povedať, že všetky máme svoje problémy.

„Lucy, zavolaj mi, keby si ma potrebovala," ponúkne sa Nadia. „Vážne. Hlavu hore. S Marcusom si sa skvele porátala."

Namiesto odpovede iba vzdorovito nakloním hlavu. Viem, že až také skvelé to zasa nebolo. Ani jednej z nich som sa nezdôverila so svojimi čokoládovými orgiami. Všetci máme právo na tajomstvá, nie? Dohnal ma k tomu Marcus. V poslednom čase sa mi darilo mať záchvaty žravosti pod kontrolou, no stačila jedna citová búrka a moja sebaúcta utrpela. Znova som sa ocitla v bludnom kruhu bulímie. Ďalší pozostatok zo školských čias, keď som bola známa ako bucľoška. Prečo ma nemohli volať povedzme ladná Lucy? Asi pre tie bucľaté líca a preto, lebo chalani sa mi nesnažili dostať do nohavičiek.

Keď už hovoríme o nohavičkách a chalanoch, domnievala som sa, že Marcus mi doobeda hádam zavolá, aby sa vyjadril, hocijako, k najnovšiemu vývoju udalostí, možno sa dokonca ospravedlnil. Nezavolal. Určite však chytí telefón, keď sa vráti domov a uvidí, ako som mu zrenovovala šatník, pohovku a koberec. I keď to, čo mi povie, si asi nedám za klobúk.

Chlapci prinesú pralinky a všetky sa na ne lačne vrhneme. Autumn tvrdí, že je vegánka, no mne sa zdá, že jej jedálny lístok pozostáva iba z čokolády. Podľa nej má city aj zelenina. Neviem si predstaviť, ako môže byť citlivý taký špenát alebo aká láskavá je kapusta. Chantal si zasa čokoládou kompenzuje sex, hoci teraz to asi nefunguje.

„A čo ty, Chantal?“ opýtam sa jej, aby som odviedla pozornosť od svojho nevydareného vzťahu.

„To vieš,“ odvetí žoviálne, „nič, čo by nenapravil skvelý sex.“

„Ted sa stále do ničoho nemá?“

„Obaja máme roboty vyše hlavy, takže sa nikdy nedostaneme do postele v rovnakom čase. Nehovoriac o iných veciach. Tri noci v týždni nespím doma. Keď som doma, Ted sotva príde domov pred polnocou, a to ja už spím. Z domu odchádzam ráno pred siedmou, keď Ted ešte spokojne odfukuje. Ani keby sme nemali problémy, toto by dobrému manželskému vzťahu neprospelo.“

„Chantal,“ ozve sa Tristan. „Som gej a napriek tomu by som veru uvažoval, že sa s tebou vyspím.“

„To je od teba milé.“ Chantal ho pobozká na líce. „Kým to nevyriešime, musím hľadať iné spôsoby, ako si uspokojiť túžbu.“

Žmurkne na mňa, no mne sa skôr zovrie srdce. Zúfalý stav jej manželstva nie je iba jej vina, no pochybujem, že jej pomôže, ak vlezie do postele s každým ochotným chlapom. Možno som však stále nešťastná z Marcusa, a tak s ňou nedokážem naplno súcitiť.

„Keď už o tom hovoríme," povie, „čaká ma jeden veľmi sexi fotograf, nesmiem ho nechať vychladnúť. Musím letieť. Lucy, určite je ti už lepšie?"

„Ale áno. Naozaj."

„Zajtra ti zavolám." Chytí drahú kabelku od Anye Hindmarchovej a už jej niet.

„O chvíľu mám hodinu," povie Autumn s pohľadom upretým na hodinky. „Mala by som si švihnúť. Pamätaj, všetko zlé je na niečo dobré. Vesmír si pre teba prichystal niečo lepšie a určite to už čaká za rohom."

Páči sa mi, že podľa Autumn vesmír na nás tak myslí a moje nešťastie nemožno pripísať iba neschopnosti frajera ostať mi verný.

„Poď ku mne," nabáda ma a potom ma tuho objíme.

S povzdychom si hodím do úst ďalšiu pralinku. Raz by som rada mala sladký život, no nie preto, lebo sa napchávam čokoládou. „Aj ja sa už radšej poberiem do práce," poznamenám bez nadšenia, pretože nijaké necítim. „Zaplatím, Clive." Mám pocit, že platiť by som mala ja, keďže som zvolala pohotovosť.

„Miláčik, to nech ti ani nenapadne. Trápenia máš až-až. Táto kríza ide na účet podniku, považuj to za láskavosť strýka Cliva."

„Vy dvaja ste hotoví anjeli," poviem. „Hneď by som sa do vás zamilovala, keby vám raz začali chalani liezť na nervy."

Clive ma objíme a pobozká. „Jedného dňa stretneš nejakého heterosexuála, ktorý bude taký sexi ako ja. Niekoho, kto ťa bude ľúbiť tak ako ty jeho."

„To asi ešte potrvá," vzdychnem.

8. kapitola

Nadia usúdila, že vchodové dvere do domu potrebujú premaľovať. Dom už vyzeral naozaj ošumelo, a hoci sa Toby dušoval, že sa do toho pustí, nezdalo sa, že by sa v dohľadnom čase chystal chopiť štetca, i keď dvere s olupujúcou sa farbou medzi domy na tejto ulici dokonale zapadli. Táto časť Londýna ešte len čakala, kedy sa dostane do hľadáčika developerov. Realitní agenti sľubovali hory-doly, no väčšina nehnuteľností ostávala zanedbaná, do renovácie sa nikto nemal a vyhýbali sa im aj mladí architekti. Z času na čas tu vznikli štýlové vinárne a kaviarne, čo vzbudilo krátkodobú nádej, že obnova je za rohom, no o pár mesiacov aj zanikli, pretože zákazníci sa nie a nie ukázať. Znamenalo to však, že Nadia a Toby si tu mohli dovoliť bývať a nemuseli zamieriť do Northamptonu alebo Peterboroughu ako väčšina ich kamarátov, ktorí v snahe nájsť lacnejšie domy, kvalitnejšie školy a čistejší vzduch mierili do oblastí pozdĺž diaľnice M1. Pri pohľade na smeti na chodníkoch a na tehlové steny pomaľované graffiti sa niekedy ťažko rozpomínala, prečo tu vlastne chceli bývať. Toby vravel, že tu bude mať dostatok zákazníkov, no ona o tom pochybovala. Nie je dnes všeobecný nedostatok inštalatérov? Aj dobrým ľuďom z Northamptonu isto kvapkajú kohútiky tak ako ostatným.

Nadia šla do škôlky po Lewisa a mohla sa tešiť na deň vyplnený domácimi prácami. Čakala na ňu malá hora bielizne, ktorú treba vyžehliť. Treba aj nakúpiť, keďže pomaly už nemajú čo jesť. Keď sa blížila k domu, všimla si, že pred ním parkuje Tobyho dodávka, a pichlo ju pri srdci. Bolo iba krátko po obede, ešte mal byť v práci. Ak bol doma už o tomto čase, mohlo to znamenať iba jedno.

Otvorila dvere a čo najveselšie zavolala: „To som ja, Toby!"

Vyzliekla Lewisovi kabát a nabádala ho: „Tak choď, miláčik. Utekaj pozdraviť ocka."

Lewis vybehol po schodoch, ona si zatiaľ vyzliekla bundu. V obnosenom oblečení si pripadala ako hastroška. Kde sú tie časy, keď nosievala elegantné šaty? Teraz sa obmedzovala na „mamičkovskú" módu, na všetko, čo priam kričalo „nenáročná údržba" alebo „netreba žehliť". Štýl odsunula na druhú koľaj. Letmo sa pozrela do zrkadla a predsavzala si, že si urobí niečo s vlasmi. Gaštanová hriva sa už dávno neleskla ako kedysi, asi preto, lebo používala najlacnejšie šampóny zo supermarketu ich vlastnej značky. Väčšinou si vlasy zviazala do chvosta, ktorý si nevyžadoval siahodlhú úpravu. Keď si ich rozpustila, padali jej na plecia a doslova kričali, že potrebujú podstrihnúť. Možno by sa mala dať ostrihať nakrátko a predať vlasy výrobcom príčeskov – kto by však stál o vlasy v takomto stave? Kompletnú renováciu nepotrebovali len vchodové dvere.

Snažila sa vložiť do kroku trochu ľahkosti a nasledovala Lewisa hore schodmi. Vošla za synom do maličkej izby, ktorá slúžila ako pracovňa. Vedela to. Toby sedel za počítačom a tváril sa previnilo. Aj Nadiu kváril pocit viny pre tanier s čokoládovými celozrnnými sušienkami vedľa počítača. Minula – teda premrhala – na ne niekoľko libier z ich napnutého rozpočtu a presviedčala samu seba, že ich kupuje pre Lewisa, hoci vedela, že v skutočnosti sú určené jej. Toby však myslel na niečo celkom iné. Jeho previnenie malo úplne iný dôvod.

„Napadlo mi, že sa tu zastavím a pošlem nejaké faktúry, keďže mám chvíľu voľno," utrúsil jej manžel.

Kiežby mu mohla veriť.

„Poď dať tatovi veľkú pusu," povedal Lewisovi a ten sa mu hodil do náručia. Syna určite nesklamalo, že vidí otca sedieť doma počas dňa.

Nadia nazerala manželovi ponad plece, či naozaj nezbadá na displeji faktúry, no on pohol myšou a okrem šetriča sa na ňom neobjavilo nič podozrivé. Iba Boh vie, či ozaj posielal faktúry. Kopili sa im zloženky a na účte nemali dosť peňazí, aby ich uhradili.

„Myslela som si, že tento týždeň máš roboty vyše hlavy," zopakovala jeho slová.

„Na chvíľu som to nechal na Paula. Zvládne to."

Potlačila vzdych. „Naobeduješ sa s nami?"

„Niečo by som si veru dal, aj keby len sendvič."

„Môže to byť iba sendvič," povedala ostrejšie, než zamýšľala, a on sa na ňu zadíval. „Toby, potrebujem peniaze. Nemáme doma už ani omrvinu. Dnes musím ísť nakúpiť do supermarketu."

Toby si prehrabol vlasy. „Láska, veď musíš ešte niečo mať. Prepána, čo si urobila s peniazmi, ktoré som ti dal?"

„Minulý týždeň si mi nedal na domácnosť nič," pripomenula mu. „V peňaženke mám iba päť libier." Dnes sa v Čokoládovom nebi cítila hrozne, nemala dosť peňazí, aby zaplatila svoj účet. Hovorila si, že by sa nemala stretávať s dievčatami tak často, no Čokoládový klub bol jej svätyňa, jediné útočisko pred čoraz šialenejším svetom. Iba tam si mohla uľaviť od svojich problémov, hoci dievčatá nepoznali ani polovicu z nich. Isteže, kamarátky vedeli, že jej život nie je prechádzka ružovou záhradou, ale netušili, do akej miery. Ani jednej však neprekážalo zaplatiť za ňu, dokonca ani vtedy, keď nejakú hotovosť pri sebe predsa len mala, čo sa však stávalo zriedka.

„Láska, tento víkend som trochu natesno. Plať kartou."

Mala kopu kreditiek. Na všetkých vyčerpala maximum. „Toby, takto to už ďalej nejde. Nie sme schopní platiť účty. Naozaj musíš rozposlať faktúry."

„Pracujem na tom!" vyštekol. „Veď som ti povedal, že ich posielam."

„Lewis," oslovila syna, „choď sa na chvíľu hrať so staviteľom Bobom. Musím sa porozprávať s ockom."

Syn sa vymanil z otcovho náručia a rozbehol sa do svojej izby za milovanou hračkou.

Čupla si k manželovi, položila mu ruku na stehno a bezmyšlienkovito mu ho pohladila. „Bojím sa, Toby," začala. „Začína sa nám to vymykať z rúk." Zaletela pohľadom k počítaču.

„Zvládnem to," odvetil napäto.

„Lenže ja nie."

Kým sa jej manžel nevybral s najlepším kamarátom na pánsku jazdu do Vegas, jeho hráčska vášeň sa obmedzovala iba na kupovanie výherného žrebu za libru každý týždeň. Ak mal dobrý týždeň, mohol sa plesnúť po vrecku a utratiť naň aj päť libier. Nedal sa teda považovať za ozajstného hráča. Počas toho výletu však vyhral tisíc dolárov, čo v ňom spustilo závislosť. Povedal, že to boli „ľahko zarobené peniaze". Odvtedy hrával online. Tri roky zakaždým prehajdákal celý ich príjem a úspory a snažil sa vyhrať „veľké prachy". Po každom vrhu kockou, každom obrátení karty, každom zakrútení výherného automatu padali do čoraz väčších dlhov.

Nadia si vždy predstavovala typického gamblera ako veľkého, tlstého muža s rovnako veľkou, tlstou cigarou, ktorý obchádza európske kasína a pri stole s ruletou riskuje svoju jachtu, rolls-royce, rolexky aj povesť. Nikdy by jej nenapadlo, že patologickým hráčom môžu byť aj muži, ktorí milujú svoj domov a rodinu – obyčajní muži s vlasmi, ktoré potrebujú ostrihať, a so šibalskými očami, ťažko pracujúci inštalatéri, ktorí trávia večery pri počítači a riskujú svoje duševné zdravie, šťastie, manželstvo, len aby ukojili svoje nutkanie. Teraz to však už vedela.

„Toby, chcem, aby si s tým prestal. Aby si vyhľadal pomoc."

Chytil jej ruky. „Nadia, nepotrebujem nijakú pomoc. Od veľkej výhry ma delí iba takýto kúsok." Prstami ukázal sotva centimeter. „To všetko môže byť naše. Veľký dom, veľké auto. Značkové šaty.

Úžasné dovolenky. Mohli by sme zájsť s Lewisom do Disneylandu. Aj každý rok, ak budeme chcieť."

„O nič z toho nestojím," namietla. „To nie je skutočný život. Chcem teba. Chcem späť svojho manžela, ktorý nepresedí pred počítačom celé hodiny a nepremárni všetko, pre čo sme pracovali."

Zaťal zuby, oči mu potemneli. „Nadia, dovoľ, aby som ti pripomenul, že ty nepracuješ."

„No mohla by som," nedala sa. „Mohla by som si zase nájsť prácu. Tak by sme dokázali zaplatiť niektoré dlhy."

„Chcem, aby si bola doma s Lewisom," trval na svojom. „To vieš. Pozri sa, čo píšu v novinách o deťoch, ktoré v škôlke zanedbávajú. Stačí už tých pár dopoludní, ktoré tam trávi."

„Lenže to sa netýka všetkých detí. Lewis má škôlku rád. Správajú sa tam k nemu naozaj dobre."

„Neželám si, aby sa oňho starali cudzí ľudia."

„Nemáme dosť peňazí, Toby. Takto to nemôže pokračovať."

Vstal a odtisol ju od seba. „Myslíš si, že to neviem? Prečo asi robím toto." Buchol päsťou po počítači. „Robím to pre nás, aby sme sa mali lepšie. Nemienim drieť ako inštalatér do konca života. Byť prilepený k telefónu dvadsaťštyri hodín denne, sedem dní v týždni. Chcem žiť. Toto by mohla byť naša šanca. Vieš si predstaviť, koľko by som mohol vyhrať?"

„Lenže nevyhrávaš," poznamenala. „Vôbec nevyhrávaš."

„Nadia, o tomto sa s tebou nebudem baviť. Jednoducho tomu nerozumieš. Šľak aby to trafil! Idem do roboty." Tresol dverami, s dupotom zišiel po schodoch a vzápätí buchli vchodové dvere.

Vo dverách sa objavil jej syn so staviteľom Bobom v náručí. „Ocko už odišiel?"

Prikývla. Posadila sa na stoličku pri počítači a pritiahla si Lewisa. „Ani sa so mnou nerozlúčil."

„Ocko má kopu starostí," chlácholila ho a postrapatila mu vlasy. Smutné bolo, že veľmi dobre rozumela stresu, v ktorom žil jej manžel. Mohol si zaň sám, pretože chcel byť jediným živiteľom rodiny, a Nadia vedela pochopiť, aké to musí byť ťažké. Rada by sa vrátila do práce, aby nosila domov peniaze aj ona, no pravda bola, že aj keby si našla prácu, jej plat by zhltli náklady na celodennú starostlivosť v škôlke a vzhľadom na neexistujúce vzťahy so svojou rodinou nemohla očakávať, že by im so starostlivosťou o dieťa pomohol nejaký príbuzný. Nešlo len o priveľké výdavky na škôlku. Prudko stúpali ceny všetkého. Bežné rodiny sa ocitali na mizine už len preto, lebo si zabezpečili strechu nad hlavou. Oblečenie a topánky pre Lewisa stáli toľko čo oblečenie a topánky pre dospelých. Aj predtým, než Toby podľahol tejto závislosti, pracoval čoraz dlhšie, len aby sa udržali nad vodou. Súcitila s manželom, no kiežby dokázal nájsť iné riešenie ich situácie.

Nadia pohla myškou počítača. Samozrejme, na obrazovke sa rozblikala nevkusná krikľavá stránka online kasína The Money Palace. Toto bol chrám, ktorý jej manžel uctieval a v ktorom im mohol zničiť život aj bez toho, aby vytiahol päty z domu. Svetlá iskrili, na obrazovke blikali vysoké sumy – nevýslovné bohatstvo. Poklad, ktorý človeka pokúša a vábi prísľubom bohatstva, obrovského majetku, ľahkého života. Sľubmi, ktoré sa nikdy nesplnia.

9. kapitola

Chantal vkĺzla do auta k fotografovi. Bol to veľký čierny mercedes s pohonom všetkých štyroch kolies, elegantný a luxusný, naložený najnovšími fotoaparátmi a technickými vychytávkami. S týmto fotografom už kedysi pracovala a bola s ním spokojná. A pamätala si aj ich jemné flirtovanie. Vtedy čosi len v jeden deň narýchlo fotili, a tak bola zvedavá, či sa potvrdí potenciál, ktorý v ňom videla. Čakala ich dlhá cesta do Jazernej oblasti, štyri až päť hodín v závislosti od toho, či bude dodržiavať povolenú rýchlosť, a Chantal dúfala, že si počas nej pustia dobrú hudbu a nadviažu príjemný rozhovor, aby im cesta ubehla. Jej stačilo dostaviť sa k autu a priniesť zásoby čokolády. Vybrala si jednu z Clivových mnohých špecialít, hrubú tabuľku posypanú drvenými kávovými zrnami. Voňala božsky a kávové zrná ich oboch isto udržia bdelých.

Mala by zavolať Tedovi, že odchádza na služobnú cestu a vráti sa až zajtra večer, no hnevala sa naňho. Znova. Nech sa chvíľu podusí. Ak nebude doma, azda mu bude aj chýbať. Alebo možno ani nie. Celé mesiace sa pokúšala vzbudiť jeho záujem o milovanie. Včera v noci si dokonca ľahla do postele nahá a pritisla sa k nemu teplým telom, končekmi prstom mu blúdila po pevnom zadku s jemnými chĺpkami – a on stuhol. Nie však tak, ako dúfala.

„Prestaň, Chantal," to bolo všetko, čo jej povedal, a ona mala čo robiť, aby sa nerozplakala od sklamania, zranenia a frustrácie. Boli manželmi štrnásť rokov. Niektoré z tých rokov boli šťastné. Prekonali aj povestnú krízu po siedmich rokoch, no Chantal si už nebola istá, či ju zvládnu aj druhý raz. Stále po manželovi túžila a chcela, aby ju ľúbil, ibaže on to očividne vnímal inak. Ak nedokážu vyriešiť tento zásadný nesúlad, má vôbec cenu udržiavať manželstvo bez lásky? Lenže láska ešte nevyhasla. Vyhasol iba sex. Kedysi boli najlepšími priateľmi. Mali radi rovnaké jedlo, rovnaké víno a šampanské, rovnakú hudbu, obaja radi chodili do divadla, smiali sa na rovnakých vtipoch. Teď bol pekný, múdry, vtipný a bohatý. Jednoducho dobrá partia. Keď sa s ním zoznámila na víkendovej párty v Hamptons u jednej kamarátky, svojím elánom jej vyrazil dych. Aj mužnosťou. Vyspala sa s ním hneď v prvú noc. Často sa milovali, až kým sa nenasýtili, neunavili a nezamilovali do seba. Čo sa teda v uplynulých rokoch zmenilo? Prečo ho pohľad na nahú manželku odrazu odpudzuje? Prečo uhýba pred jej dotykmi?

Väčšina ich priateľov a známych netušila, že v ich vzťahu sa niečo deje. Navonok vyzerali ako ideálny pár, ktorý si nažíva ako v nebi. A predsa Chantal niekedy premkol pocit, že žije v pekle. Už nepočítala noci, keď ležala bdelá, zmietaná túžbou vedľa úžasného muža, ktorý necítil ani najmenšie nutkanie uspokojiť ju. O tom, ako sa veci skutočne majú, vedeli iba dievčatá z Čokoládového klubu. Keby sa im s tým nezdôverila, pretvárka by ju ubíjala. Počúvali šokujúce rozprávanie o jej neverách a nesúdili ju. Nepoznali Teda, preto mala pocit, že túto časť svojho života dokáže oddeliť. Dievčatá boli jej záchranným lanom. Keby sa s Tedom stretli, ani ony by nedokázali pochopiť, prečo v posteli nevystrája ako žrebec.

Pre ňu ako ženu a manželku bol sex zásadná vec. Chcela sa cítiť milovaná a žiaduca. Naozaj ju Ted miluje, ak nestojí o intímny život s ňou? Sama nevedela, kedy sa to začalo. Za tie roky sa vzdala mnohého, len aby mohla byť s ním. Chantal bola ambiciózna mladá novinárka. Keby ostala v Spojených štátoch, dnes by už azda bola druhou Annou Wintourovou, šéfredaktorkou nejakého luxusného časopisu. Ibaže ona sa vzdala svojej kariéry, aby Ted mohol napredovať v tej svojej. Teda, priebojného finančného génia, povýšili na riaditeľa oddelenia v investičnej banke Grenfell Martin. Háčik bol v tom, že mal sídliť v Londýne. Chantal sa teda rozlúčila s priateľmi, rodinou aj so skvelou kariérou a ochotne ho nasledovala do Anglicka. Práca pre časopis *Style USA* nebola ani zďaleka taká lukratívna než tá, na akú bola zvyknutá, no keďže jej sexuálny život upadal, poskytovala jej výhody, ktoré jej ako-tak kompenzovali Tedov nedostatok túžby po sexe. Hoci to znamenalo, že jej manželstvo je v háji.

Chystali sa nafotiť rozľahlú usadlosť pri jazere Coniston. Vlastnil ju pár, ktorý sa sem presťahoval z Bostonu pred dvadsiatimi rokmi. Muž bol známy spisovateľ cestopisov a žena vychýrená chovateľka koní. Chantal sa dozvedela, že dom renovovali v duchu tradičnej georgiánskej vznešenosti. Jej Amíci by sa išli za tým zošalieť. Chantal priam videla tie stránky v časopise – honosné zariadenie, mäkké, tlmené svetlo... ten článok sa napíše sám. A ostane jej kopa času na iné rozptýlenie. Vedenie časopisu je štedré, nešetrí ani na výplate, ani na výdavkoch. S fotografom sa ubytujú v elegantnom vidieckom hoteli, v ktorom nechýbajú postele s baldachýnom, perličkový kúpeľ a Dom Pérignon v minibare. Viac človek na romantickú schôdzku nepotrebuje. Chantal sa v duchu usmiala.

Sklopila clonu na prednom skle a v zrkadielku si skontrolovala účes. Na tridsaťdeväť rokov rozhodne nevyzerala. Dokonale nalíčená, na perách najzvodnejší úsmev. Manžel po nej síce netúži, no ešte vždy jestvuje dosť mužov, ktorí ju chcú.

Fotograf Jeremy Wade usadil svoje dlhé telo na sedadlo vodiča. „Môžeme vyraziť," vyhlásil.

„Skvelé," povedala a vľúdne sa na kolegu usmiala. „Poďme sa teda pozrieť, aké pôžitky nám ponúka Jazerná oblasť."

10. kapitola

„Maj sa, Autumn." Addison strčil hlavu do otvorených dverí a zamával jej. Práve upratovala úlomky farebného skla, s ktorým so svojimi zverencami pracovala.

„Och," ozvala sa, „dobrú noc. Rada ťa znova uvidím." Zastrčila si vlasy za ucho, no uhládzala si ich márne. Prečo jej odrazu napadlo, že sa mala dnes krajšie obliecť?

Addison Deacon bol manažér rozvoja a v Stolfordskom centre, kde pracovala, začal pôsobiť iba nedávno. Mal pomôcť jeho klientom zapojiť sa do miestnych aktivít a azda aj nájsť spôsob, ako prerušiť kruh zločinov, do ktorých sa mnohé z detí zaplietli. Bol to boj, napriek tomu mu z tmavej rozžiarenej tváre nikdy neschádzal široký belostný úsmev. Bol vysoký, pekný a svalnatý, a keď vošiel do miestnosti, bol neprehliadnuteľný, a to aj pre Autumn. Hlavu mal vyholenú a slnečné okuliare si hádam nikdy neskladal. Aj vďaka tomu vyzeral ako niekto, s kým by ich klienti komunikovali radšej než s pracovníkmi sociálnych služieb, ktorí sa im usilovali pomôcť. Autum ho však mala rada najmä pre jeho milý, uvoľnený prístup k deťom, s ktorými sa osud nemaznal.

„Zasa pracuješ až do večera?" opýtal sa.

Pokrčila plecami. „Veď vieš, ako to chodí." Autumn sa mu nechcela zveriť, že nemá dôvod ponáhľať sa domov a že medzi ľuďmi, ktorých spoločnosť odvrhla, a ich umeleckými pokusmi je šťastnejšia než sama vo svojom pohodlnom byte.

„Čo keby som ťa raz vzal na večeru? Čo ty na to?"

„Nuž... ehm," vysúkala zo seba, „nuž... ehm."

„Popremýšľaj o tom," usmial sa na ňu. „Máš čas." Pozrel sa na hodinky. „Musím letieť. Čaká ma ešte schôdza mestskej rady kvôli financovaniu."

„Veľa šťastia," dostala zo seba naveľa.

„Veru ho budem potrebovať." Addison jej znova zamával a už ho nebolo.

„Maj sa!" zvolala Autumn za ním. Vzdychla si a prinútila sa opäť sústrediť na upratovanie. „Si hlupaňa! Fakt hlupaňa!" nadávala si popod nos, keď ukladala úlomky skla do škatuliek. „Prečo si jednoducho nepovedala, že večera by bola fajn?" Prečo sa pri ňom vždy tak hanbí? *A presne preto nemáš priateľa,* pomyslela si. *Pre toto ostaneš smutnou, osamelou starou dievkou, zatiaľ čo iné sa šťastne vydajú a budú mať deti. Dočerta, tebe bude robiť spoločnosť iba škatuľka čokoládových bonbónov.*

Pozrela sa do zrkadla na stene. Vyrobil ho jeden z jej zverencov, rám vyzdobil farebnými sirôtkami a škuľavou mačkou. Pravda niekedy zabolí.

Autumn sa dovliekla domov vyčerpaná. Túžila po horúcom kúpeli a tabuľke obľúbenej horkej čokolády. Horúca voda a cukor určite odplavia jej starosti. Nebolo ťažké učiť mladých ľudí základy techniky mozaiky alebo vitráže, ktoré boli súčasťou programu *Choď do toho!* Chodili k nej najmä dievčatá a väčšina z nich si techniky osvojovala pomerne rýchlo. Boli vďačné za niekoľko hodín normálneho života, keď nemuseli myslieť na hrôzy svojej každodennej reality. Občas však bolo náročné dívať sa na ich stvrdnuté, strhané tváre, na ktorých sa zrkadlili veľké citové traumy. Telá mali posiate reznými ranami, niekedy po sebapoškodzovaní, a modrinami po bitkách, ku ktorým dochádzalo pod vplyvom drog, aj jazvami po ihlách ako pozostatkami ich závislosti. A to boli len viditeľné rany.

Autumn skľučovalo vedomie, že ľudské bytosti dokážu byť k druhým aj k sebe také kruté. Väčšina mladých, ktorí prekročili prah dverí centra, utiekla pred ťažkou situáciou doma, pred situáciou, ktorá iba podporovala ich závislosť. Autumn však vedela, že niektorí z nich sa vrátia k ľuďom alebo k rodinám, pred ktorými unikli, len čo sa jazvy zahoja a spomienky na to, prečo odišli, vyblednú, keď drogy opustia ich telo. V centre pracovala už štyri roky a videla, že sa ustavične vracajú tie isté tváre. Nech sa deti akokoľvek snažili vymaniť z nezdravého prostredia, ich život akoby sa vôbec nemenil. A to bolo naozaj vysiľujúce. Psychicky ju vyčerpávalo sledovať, ako pubertiaci, ktorých si obľúbila a na ktorých jej záležalo, opakovane padajú do závislosti, ktorá ich vábi ako mole k svetlu lampy. Vedela, že Addison to vníma rovnako.

Reťazou priviazala bicykel pred bytovkou, v ktorej bývala. Jej odretý starý bicykel sa nehodil k mercedesom a porsche, na ktorých sa v tejto štvrti jazdilo častejšie. Vyšla po schodoch. Pred dverami do svojho bytu zbadala sedieť brata s dvoma veľkými cestovnými taškami pri nohách.

„Čau, segra," pozdravil ju.

„Richard, čo tu robíš? Stalo sa niečo?"

„Dočasné problémy," odvetil skľúčene. „Napadlo mi, či by som nemohol u teba chvíľu zostať."

„U mňa?" Odomkla dvere a on ju nasledoval dnu. „A čo tvoj byt?"

„Už nie je," skonštatoval sucho.

Autumn hodila tašku na pohovku a otočila sa k bratovi. „Ako to, že nie je? Čo tým chceš povedať?"

Richard odkopol svoje tašky nabok a klesol na stoličku. „Dlhoval som peniaze jednému chlapíkovi a… nuž, povedzme, že byt si vzal ako zálohu."

„Rich, tvoj byt je hodný pol milióna libier. To je teda poriadny dlh." Šokovane naňho vyplieštala oči, no brat vyzeral, akoby ho to vôbec netrápilo. „Teoreticky ho ani nevlastníš." Tak ako ona nevlastnila tento byt. Oba kúpili a zaplatili rodičia. Ako učiteľka umení a remesiel na čiastočný úväzok by si inak sotva mohla dovoliť bývať na Sloane Square. Bohatstvo rodičov jej nie vždy bolo po chuti, no občas jej prišlo mimoriadne vhod.

„Tak ako? Môžem sa k tebe nasťahovať?" naliehal brat.

Nevidela dôvod, prečo by Richard nemohol u nej chvíľu ostať. Nemusela sa poradiť s priateľom, čo bolo škoda. Veď nedokázala ani využiť príležitosť na rande, keď sa jej ponúkala. V byte boli dve spálne, i keď malé. Stačí popresúvať oblečenie a urobiť miesto v skrini, hoci bratova biedna batožina svedčila, že veľa si so sebou nezobral. Vyzeral skôr ako muž na úteku.

„Zasa lietaš v problémoch?" Kedysi totiž experimentoval s drogami. Zo závislosti od rekreačných drog sa Richard liečil na dvoch drahých pobytoch na luxusnej odvykacej klinike, na hony vzdialenej od centra, v ktorom pracovala. Vôbec si neuvedomoval, aké mal šťastie. Vtedy dlhoval peniaze nejakým mužom z podsvetia a následkom často bývali monokle alebo zlomené končatiny. Autumn napadlo, či znova neberie drogy. Ibaže trocha marihuany by ho sotva pripravilo o byt. Do čoho sa Richard zaplietol tentoraz?

„Nie tak celkom," povedal. Masíroval si spánky a vyhýbal sa jej pohľadu. „Nič, čo by som nevyriešil. „Len nehovor matke ani fotrovi, že som tu."

To nebude ťažké. Rodičia mali tak málo času, že ich s Richardom nevídali často. Nepatrili k ľuďom, ktorí prichádzajú bez ohlásenia. Ako advokáti mali práce vyše hlavy. Ich rodičovské povinnosti sa obmedzovali na to, aby si pamätali narodeniny svojich potomkov a aby im zavolali na Vianoce. Medzitým platili účty. Autumn sa však nesťažovala. S Richardom sa im dostalo privilegovaného vzdelania. Ona excelovala v hre na viole a drezúre koní. Richard hral ragby a pólo. Každý rok chodili s rodičmi na exotické dovolenky okolo sveta – do Monte Carla, na Montserrat či Mustique. V porovnaní s nešťastnými tínedžermi, s ktorými pracovala, mala byť za čo vďačná.

S Richardom navštevovali rovnakú internátnu školu – prísnu a zastaranú inštitúciu, kde chlapci a dievčatá stále nosia uniformy a dlhé kabáty –, no mali jeden druhého. Bola od neho staršia o dva roky, a tak sa uistila, aby jej mladší brat prežil školské roky bez ujmy. Odjakživa sa oňho starala a zdalo sa, že sa to nezmení ani v dospelosti. Richard bol dieťa ako z divých vajec a ona tá rozumná. Nech však vyviedol čokoľvek, bol jej mladším bratom, a preto ho ľúbila. Nádejala sa, že si stále budú blízki, no vedela, že Richard má aj tajomstvá. Autumn poznala len málo jeho priateľov. Dokonca si ani nebola istá, či nejakých má. Chodil s mnohými dievčatami z dobre situovaných rodín, no ani tie jej nepredstavil. Aj tak mu to s nimi nikdy nevydržalo dlho.

„Rich, povedal by si mi, keby si mal vážny problém, však?"

„Samozrejme. Si predsa moja milovaná sestra."

„A ty si môj otravný brat a iba mi robíš starosti."

„Milujem ťa. Som v pohode. Naozaj. Som v pohode."

Ak je to tak, prečo je tu a prišiel o byt? Autumn si povzdychla. Nepochybne sa to čoskoro dozvie. No asi až vtedy, keď sa Richard rozhodne prezradiť jej to, skôr nie. „Prichystám ti posteľ."

„Autumn, sľubujem, že ti nebudem na ťarchu. Ani o mne nebudeš vedieť."

„Potrebuješ peniaze?"

„Nuž…" mykol plecami. „Zopár libier by sa zišlo. Ak ti nebudú chýbať."

„Pozriem sa, koľko mám." Autumn vždy mala odložených zopár stoviek na horšie časy.

Pozrela sa na brata. Obdaril ju jedným zo svojich očarujúcich nesmelých úsmevov. Horšie časy zrejme práve nastali.

11. kapitola

Keď v čase obeda konečne dorazím do práce, „ideál" okamžite vstane od stola a zamieri ku mne. „Všetko v poriadku, kráska?"

„Ani nie," vzdychnem.

Trpezlivo čaká, kým sa vyzlečiem. Podráždene si povzdychnem, odložím kabát a bez rozmyslu otváram a zatváram zásuvky na stole. Náladu mi nezdvihne ani pohľad na zásoby čokolády. Všimne si ich aj „ideál". „Mňam," tľoskne jazykom. „Double Deckery."

„Ruky preč," varujem ho. „Tie sú moje a dnes ich budem potrebovať všetky do jednej."

„Aspoň kúsok," žobroní. „Vieš, že mi jednu dáš."

Neochotne mu podám tyčinku. „Ak sa mi všetky minú a budem neznesiteľná, bude to tvoja vina."

Vezme si ju a bez váhania rozbalí. Musím sa k nemu pridať a tiež si rozbaliť tyčinku. Zahryzneme sa do nich naraz. „Prepáč, že meškám," zamumlem s plnými ústami.

„Ideál" žuje tyčinku, no podarí sa mu zatváriť súcitne. „Problémy?"

„S mužmi," vysvetlím. „Mám krízu. Včera večer mi Marcus nachystal traumatizujúci zážitok."

„Mňam. Perverzný?"

„Kdeže, nič také. No bolo to hrozné. Príšerné." Hlavou mi blysne nepríjemná spomienka, ako do Marcusovho bytu vpláva jeho nová láska s nádherným úsmevom a pevnými prsami. Ble! Tresnem papiere na stôl. Polhodinu som si na toalete v Čokoládovom nebi upravovala tvár a maskovala oči opuchnuté od plaču, než budem pripravená čeliť svetu.

„Nechceš mi o tom porozprávať?"

„Ani nie," pokrútim hlavou. „Poviem ti len toľko, že môjmu vzťahu je nadobro koniec."

„To ma dosť mrzí," poznamená, no usmieva sa.

„Na čom sa tak uškŕňaš?"

„Páčiš sa mi nahnevaná," podotkne. „Nabehnú ti také ružové škvrnky na lícach."

„To určite."

„Vyzeráš ako handrová bábika s nafúknutými líčkami."

„Choď do riti, Aiden," odbijem svojho šéfa. Takto by sa človek so svojím nadriadeným asi nemal rozprávať, ale na to zvysoka kašlem. Ani prirovnať svoju osobnú asistentku k handrovej bábike s nafúknutými líčkami nie je politicky korektné.

„Má to aj lepšiu stránku," pokračuje. „Keďže si už zasa voľná, môžem po tebe vyštartovať."

„Skús to a si mŕtvy muž," odvrknem.

Nahlas sa zasmeje. „Nie všetci muži sú idioti."

„Nevrav."

„Niektorí z nás sú súcitní a starostliví."

„Áno? Že takých nepoznám."

„Potrebuješ niekoho, kto sa bude o teba starať."

„Nepotrebujem nikoho," odbijem ho. Zvlášť nie mudrlantského, uhladeného riaditeľa obchodného oddelenia. „Postarám sa o seba aj sama."

„Ideál" pokrúti hlavou. „Musí to byť poriadny idiot, ak ťa nechal."

„Nepovedala som, že ma nechal."

„Keby si ho nechala ty, nebola by si z toho tak mimo."

Neznášam, keď muži idú na všetko prísne logicky, a tak naňho zagánim.

Vôbec ho to nevyvedie z miery. „Predpokladám, že ani uprostred tohto utrpenia si nezabudla, že dnes poobede máme mesačnú poradu obchodného oddelenia."

„No doriti!" vyhŕknem. Prečo som si dnes nevzala voľno? Budem tam tvrdnúť celé popoludnie a čarbať poznámky, ktoré si aj tak už neprečítam. Neznášam skutočnú robotu. Tieto porady si obyčajne uľahčím tým, že na účet firmy kúpim veľkú škatuľu skvelých čokoládových keksíkov z Marks & Spencer, no dnes som na to načisto zabudla. Budeme sa musieť zaobísť bez sladkej podpory. Ach jaj. Vidina akej-takej útechy sa rozplynula.

„Začíname o päť minút," informuje ma „ideál". „Ostatní sú už v zasadačke."

Nahlas tľosknem jazykom. Stres doma, stres v práci. Kiežby som umrela. Alebo sa aspoň preniesla do kúpeľov.

„Určite to zvládneš?"

„Samozrejme. Jasné. Prečo by pre takú maličkosť, akou je rúcanie sa môjho života, mala utrpieť porada obchodného oddelenia?"

Ovinie mi ruku okolo pliec a objíme ma. Priveľmi dôverné gesto na šéfa. „Hlavu hore," chlácholí ma. „O tvojom zlomenom srdci sa nikto nedozvie. Budem mlčať ako hrob."

Chabo sa naňho usmejem.

„Pri tej vrstve mejkapu, ktorú máš na tvári, si nikto ani nevšimne, že si plakala."

Neznášam mužov. Všetkých.

12. kapitola

Keď dorazím do zasadačky, tím obchodného oddelenia tam už naozaj sedí. Prebehnem k svojej stoličke a snažím sa vyzerať zaneprázdnene. Bože, za niektoré svoje presvedčivé herecké etudy by som si zaslúžila Oscara. Všetci už sedia v neformálnom hlúčiku na čele s Aidenom pri stojane s nepopísaným papierom, čo znamená, že prednesie len povzbudivý prejav. Trochu sa uvoľním. Dnes by som sotva dokázala pretrpieť taktické frázy o dosahovaní cieľov podporené búchaním päsťami do stola. Ak si aj všimli, že chýbajú čokoládové keksy, nikto sa nesťažuje.

Až doteraz. „A kde sú keksíky?" ozve sa jeden z predajcov. Neznášam ho.

„Dnes nijaké keksy, ľudia," zakročí Aiden. „Treba si utiahnuť opasky. Targe záleží na obvode vášho pása, a tak by malo na ňom záležať aj vám."

Zašumí nesúhlasné frflanie. Aiden vie byť niekedy veľmi milý. Mala som už aj takých šéfov, ktorí by vinu bez rozpakov hodili na mňa. Usmejem sa naňho a on mi úsmev opätuje.

Aiden začne schôdzu a ja sa zadívam z okna na londýnske strechy smerom k City. Tam, kde môj bývalý frajer robí to, čo vie najlepšie. Sú takmer dve hodiny a Marcus sa ešte neozval. Ani ťuk. Keby som ja niekomu tak drasticky zlomila srdce, mala by som aspoň toľko slušnosti, aby som mu na druhý deň zavolala a spýtala sa, ako mu je, alebo sa nejako ospravedlnila za svoje otrasné správanie. Asi je to len ďalší dôkaz, ako málo mu na mne záleží.

Aiden Holby vstane, rozpráva a živo pritom gestikuluje. Spomeniem si, že by som mala zapisovať poznámky, ktoré neskôr rozpošlem oddeleniu, a tak zúrivo čmáram do notesa, až kým Aiden nezmĺkne a zasa sa neposadí.

„Ideál" na mňa žmurkne a obdarí ma povzbudzujúcim úsmevom. Pán Aiden Holby má vlastne veľmi pekné oči. Teraz, keď som opäť voľná, si budem musieť znova zvykať na toto zábavné flirtovanie. Prekrížim si nohy a usilujem sa vyzerať zvodne. Krátky románik by mi možno pomohol zabudnúť na Marcusa. Vzťahy na pracovisku obyčajne neuznávam, najmä preto, lebo som taký nikdy nezažila, a neznášam potvory, ktoré trtkajú so svojimi šéfmi, a tak sa každé ráno tešia do práce. To nemôže byť správne, však? Možno by som však raz mohla urobiť výnimku.

Vstane jeden z predajcov a zoširoka nám opisuje nejaký nový softvérový produkt, ktorý prichádza na trh. Bla-bla-bla. Pokúsim sa venovať tým táraninám plnú pozornosť, no nedokážem sa sústrediť. Používa všemožné technické termíny a ja nemám poňatia, o čom hovorí. „Ideál" sa na mňa znova pozrie a usmeje sa. Ktovie, či niekto postrehol tie iskry, ktoré medzi nami lietajú. Niežeby som ho v tom podporovala, keď som chodila s Marcusom. Viem, aké to je, keď vás partner podvádza, a nikomu by som to nikdy neurobila. No teraz som voľná...

Pohojdávam nohou a nenápadne si obliznem spodnú peru. Pobavene sa usmejem. „Ideál" sa mi zadíva do očí. Zdvihne obočie a skĺzne pohľadom na moju nohu. Mám obuté lodičky s vysokánskym podpätkom a možno sú jeho fetišom nohy, pretože im venuje veľa pozornosti. Oči má čoraz širšie, veľké doslova ako taniere. Znova zvlním pery. Ešteže mám nohavice, pán Aiden Holby ma v duchu určite vyzlieka. Priznávam, behajú mi zimomriavky po chrbte. Skvelý liek na zlomené srdce. Nakloním sa k „ideálovi" a zrkadlím jeho polohu. Takto sa niekomu naznačuje, že sa nám páči. Niežeby sa mi páčil. Iba sa zabávam, aby som sa na porade obchodného oddelenia nenudila.

Predajca vykladá a vykladá... Viem, že neskôr to asi oľutujem, no opriem sa o stoličku a pohodím roztomilo ostrihanou hrivou. Rýchlejšie zahojdám nohou. Vtom zbadám, prečo sa „ideál" usmieva. No už je neskoro. Ráno som nevenovala dostatočnú pozornosť tomu, čo si obliekam, a tak som si nevšimla, že v pravej nohavici sa mi zachytili nohavičky, ktoré som mala oblečené včera. Teraz ich mám omotané okolo členka a topánky, no kyvadlo sa už rozhojdalo a nič ho nezastaví. Svetlofialové čipkované nohavičky sa oddelia od topánky, plachtia cez miestnosť a zastavia predajcu uprostred vety.

„Ideál" sa nakloní a chytí ich skôr, než dopadnú na zem. „Mám ich!" zvolá sťaby vynikajúci hráč kriketu Freddie Flintoff. Na miestnosť sa znesie ticho. „Pekný zásah."

Do tváre sa mi nahrnie hádam všetka krv.

„Ďakujem, Lucy," pokračuje. „Tvoje nadšenie si veľmi cením. Myslel som si, že nohavičky sa hádžu už iba starnúcim rockovým hviezdam."

Predajcovia vybuchnú do smiechu. Viem, že najlepšie by som ten malér zahladila tým, keby som sa smiala s nimi, no nezmôžem sa na to, mám slzy na krajíčku. „Ideál" na mňa žmurkne, strčí si moje nohavičky do vrecka na saku a potľapká si po ňom. Najradšej by som umrela. A ak sa budú všetci stále chechtať, určite zomriem.

Po tejto udalosti sa porada zmení na čistý chaos, nik sa už nedokáže sústrediť. Zahanbene zvesím hlavu, aby mi vlasy padli do tváre a zakryli moje poníženie, a predstieram, že si usilovne píšem poznámky. O pätnásť minút to Aiden vzdá.

„Nadnes končíme," oznámi. „Zvyšné poznámky dám čipke… pardon, Lucke… a ona vám ich rozpošle."

Ďalšia salva smiechu. Odteraz ma určite budú volať čipka Lucka, a to bude ešte horšie než na základnej škole. Takmer ich vyzvem, aby mi radšej hovorili bucľoška. Dnešok už azda nemôže byť horší. Asi vyleziem na strechu a vrhnem sa z nej.

Všetci sa poberú von a ja sa tvárim, že si upratujem veci. Možno keby som sa posnažila, mohla by som sa tu skrývať celé popoludnie. Alebo dokonca až do skončenia zmluvy s Targou. Alebo by som mohla jednoducho odísť a už sa tu na nikoho ani nepozrieť. Risknem to a zdvihnem zrak. Všetci už odišli. Okrem „ideála".

Nevšímam si ho a pokračujem v ničnerobení. Odkašle si. „Slečna Lombardová.“

Naveľa sa prinútim naňho pozrieť. V ruke drží moje nohavičky. „Toto je tuším tvoje.“ Podáva mi ich. A vôbec nie diskrétne zhúžvané do guľôčky. Kdeže. Drží ich pekne za boky a hojdá si nimi pred tvárou ako závojom, ktorý nosia Arabky v háremoch. Zaklipká viečkami. „Toto ešte neznamená, že sme zasnúbení,“ nasadí zmyselný tón.

„Mám na sebe nohavičky,“ odseknem.

Pokrčí plecami. „Škoda.“

Silno zatnem zuby. „Tie som mala včera.“

„Dobre. Nechceš mi to opísať podrobnejšie?“

„Nie. No bola by som rada, keby si obchodnému oddeleniu oznámil, ako je to v skutočnosti.“

„To keby som vedel,“ uškrnie sa „ideál“. „O tvojich čipkovaných záležitostiach sa však nebavíme posledný raz, to si píš.“

Od zlosti sa mi nahrnie krv do tváre. Vydrapnem mu nohavičky z rúk. Ešte sú od nich teplé. „Bližšie sa už k mojim nohavičkám nedostaneš,“ vypením.

Aiden sa so smiechom zvrtne a odchádza. „Hej, kráska!“ zvolá ešte ponad plece. „Zasa máš na lícach tie ružové škvrny.“

13. kapitola

Hotel *Keating House* stál na vlastnom pozemku pri jazere Coniston, učupený v okolitých lesoch. Pre množstvo prác na ceste a „hustú premávku“, ako ustavične oznamovali v dopravnom servise v rádiu, sem dorazili oveľa neskôr, než si Chantal predstavovala. Jeremy sa ukázal ako dobrý spoločník, rozprával sa s ňou, zasypal ju historkami z predchádzajúcich zákaziek pre časopis aj o iných novinároch, s ktorými pracoval. Z tabuľky čokolády nezjedol viac, než mu patrilo, čo bolo pre muža len plus. Zistila aj to, že nie je ženatý, no žije s mladšou ženou, ktorá už má dieťa z predchádzajúceho vzťahu. Takže vzťah odsúdený na zánik. Usúdila, že Jeremy Wade by veru stál za hriech. A veľmi príjemný.

Ubytovali sa až po siedmej večer. Chantal sa však nepodarilo presvedčiť ho, aby si s ňou šiel ešte pred večerou zaplávať do hotelového bazéna. Vraj musí vybaviť e-maily. Veď aj ona, ale tie predsa počkajú. S pribúdajúcimi rokmi bolo čoraz ťažšie udržať si štíhlu postavu, preto mala čo robiť, aby vyvážila konzumáciu toľkej čokolády. Dohodli sa, že pred večerou sa o pol deviatej stretnú v bare na drink. A tak si šla Chantal zaplávať sama. Napokon, majú pred sebou celú noc.

V bazéne nebolo skoro ani nohy. Hladinu čerili dvaja obézni podnikatelia, pri každom zábere funeli od námahy. Vo vírivke sa chichotala a maznala mladá dvojica. Na ležadle si čítal *Financial Times* nejaký chlapík s bielym uterákom okolo krku. Fešák, samý sval. Keď sa Chantal priblížila, zdvihol hlavu a oceňujúco sa na ňu usmial. Opätovala mu úsmev a potom sa znova ponorila, vysoko dvíhala ruky a prerážala hladinu. Preplávala kraulom desať dĺžok a muž sa na ňu stále díval, cítila jeho pohľad na nahej pokožke. Ak neznámi muži nedokážu od nej odtrhnúť zrak, ako to, že manžel neoceňuje jej zmyselnosť? Chantal striasla zo seba tú myšlienku spolu s kvapkami vody a vyšla z bazéna. Nenáhlivo sa utierala a znova sa zahľadela na muža na ležadle.

Zložil noviny. „Ste dobrá plavkyňa," pochválil ju.

„Bývala som," pripustila Chantal. Reprezentovala strednú školu v plávaní. „No to je už hudba minulosti. Mám málo času."

„Podľa mňa ste dobrá."

„Ďakujem."

„Zdržíte sa tu pár dní?"

„Iba dnes."

„Pracovne alebo za oddychom?"

„Pracovne," odvetila Chantal.

„Aj ja," povedal muž. „Budete večerať sama?"

„Som tu s kolegom."

„Škoda," usmial sa a pokrčil plecami.

„Veru," súhlasila. „Škoda." Až taká škoda to však nebola, s Jeremym Wadom mala veľké plány.

Obliekla sa a pripravila na večeru. Do kufra si zbalila aj obtiahnuté čierne šaty. S hlbokým dekoltom vpredu aj na chrbte, s rozparkom až po stehno. Okato vyzývavé, no príležitosť sa ponúkala iba dnes v noci. Na pomalé zvádzanie nebol čas. Bude to rýchlovka. Vzala si aj všetky svoje šperky, starostlivo si pripla trblietavé jednokarátové diamantové náušnice – darček od Teda na Vianoce. Pravdepodobne poslal asistentku, aby ich zohnala. Nebola však nevďačná – manžel je veľmi zaneprázdnený muž a náušnice sa jej aj tak páčili. Navliekla si náramok s ďalším radom dvadsiatich šiestich diamantov. Zápästie jej zdobili zlaté rolexky. Nakoniec si zapla náhrdelník, ťažký zlatý kúsok vykladaný diamantmi. Všetky šperky dostala od manžela. Na jeho vkus ani štedrosť sa nemohla sťažovať. Odopieral jej iba svoje telo.

Jediné šperky, ktoré, naopak, odložila, boli jej zásnubný prsteň takisto s veľkým diamantom a obrúčka. Položila ich na toaletný stolík. Možno to bolo staromódne gesto, no nezdalo sa jej správne spáchať hriech s týmito prsteňmi na ruke. Iste, morálke vyhovela iba symbolicky, no bolo to lepšie než nič. Posteľ už bola odostlaná a na vankúši ležal čokoládový bonbón v zlatom obale. Rozbalila ho a hodila si ho do úst. Mentolová chuť, nič extra, ale na tom až tak nezáležalo. Bola to čokoláda a tou škoda mrhať.

Chantal sa obzerala v zrkadle. Usúdila, že vyzerá krehko a nádherne. Vražedná kombinácia. Vzala si kabelku a zamierila na večeru. Hor sa do akcie!

~

Jeremy už sedel v bare. „Fíha!" vyhŕkol oceňujúco, keď k nemu pristúpila. „Vyzeráš úžasne."

„Ďakujem." Skĺzla na stoličku vedľa neho.

„Pripadám si trochu nevhodne oblečený."

Chantal si prezrela jeho čierne džínsy a sivý kašmírový sveter. Cítila ostrú vôňu jeho vody po holení, pripomínala jej čerstvo rozkrojené limetky. Vyzeral ako muž, ktorý si dal záležať. „Podľa mňa si oblečený dobre."

„Dovolil som si už objednať," nadvihol pohár so šampanským. Tento muž sa jej páčil čoraz väčšmi.

„Skvelé." Barman jej nalial šampanské.

„Tak na *Style USA*," predniesol Jeremy prípitok.

Štrngla si s ním. „Na nás."

„Zajtra nás očakávajú o desiatej. Čo keby sme sa dnes večer trochu uvoľnili?"

„To je náhoda," povedala Chantal. „Presne to mi napadlo."

Večera bola vynikajúca, z Jeremyho sa vykľul spoločník, v akého dúfala. Dopili kávu, a hoci sa už nevedela dočkať, kedy ho dostane do postele, neponáhľala sa, pomaly zobkala po večeri čokoládové bonbóny – niekoľko minút hore-dole. Nadišiel rozhodujúci okamih.

„Poďme ešte do baru na pohárik na dobrú noc," navrhol Jeremy.

„V izbe mám vychladenú fľašu šampanského," povedala Chantal. „Mohli by sme ísť ku mne a urobiť si väčšie pohodlie."

Jeremy na okamih zaváhal, potom sa poddal: „Fajn. Tak poďme."

Vyšla z reštaurácie, Jeremy ju nasledoval. Na recepcii počkali na výťah. Vo výťahu ich privítala serenáda *Copacabana* od Barryho Manilowa a Chantal stisla tlačidlo na svoje poschodie. Vzápätí chytila Jeremyho za ruku a pritiahla si ho, cez tenké šaty cítila teplo jeho tela. Vnímala, ako mu búši srdce. Naklonila hlavu a hľadala jeho pery.

Jeremy sa od nej odtiahol. „Vieš," ozval sa, „toto by sme nemali."

V Chantal rástla panika. To hádam nie!

Pustil jej ruku. „Mám vzťah."

„Aj ja," mávla rukou. „Som vydatá."

„Potom to nie je správne."

„Nikto sa to nedozvie."

„Lenže ja to budem vedieť," namietol. „Prepáč, Chantal. Si veľmi príťažlivá žena, ale…" Jeremy si hrýzol peru.

Výťah sa zastavil a dvere sa otvorili. „Nuž," povedala. „Tak teda dobrú noc."

„Za iných okolností," habkal Jeremy, „keby som bol v inej situácii, neváhal by som."

„Iste," odvetila napäto. Sotva skrývala sklamanie. Až doteraz prebiehalo všetko podľa plánu.

„Bol to príjemný večer."

„Ešte sa nemusel skončiť."

„Dobrú noc." Jeremy ju letmo pobozkal na líce.

„Dobrú noc."

Vystúpila z výťahu a osamotená stála na chodbe. Jeremy stisol gombík na svoje poschodie, dvere sa zatvárali. Rozpačito jej zamával.

Chantal odomkla dvere do svojej izby. Asi nakoniec predsa len prebehne e-maily a pôjde skoro spať. Laptop ležal na konferenčnom stolíku. Niesla to ťažko, pretože mienila tráviť čas úplne inak. Sňala si náušnice a náramok, odložila ich na toaletný stolík k obrúčke a zásnubnému prsteňu. Zložila si aj náhrdelník, pomasírovala si krk a prechádzala sa po izbe. Naladená na sex však rozhodne nezaspí. Prísľub noci s Jeremym ju vzrušil a uspokojiť sa sama by jej nestačilo. Pre tridsaťdeväťročnú ženu s priveľkou sexuálnou túžbou je masturbácia najdepresívnejšia kratochvíľa. Už to skúsila, vie o tom svoje. Toto teda neprichádzalo do úvahy. Túžila po sexe. Po vášnivom, drsnom sexe. A už jej bolo jedno s kým.

Chantal si povzdychla. Zdalo sa, že nadišiel čas na plán B.

14. kapitola

Muž, s ktorým sa rozprávala pri bazéne, sedel v kúte baru, presne ako dúfala. Objednala si pri bare cosmopolitan, otočila sa a naširoko sa naňho usmiala. Pochopil jej náznak, vzal si pohár a podišiel k nej.

„Kam sa podel muž, s ktorým ste boli na večeri?"

„Bola to pracovná večera," odvetila Chantal. „Zábava sa začína až teraz."

Chlapík mal pohár už takmer prázdny. „Môžem vám ešte objednať?" navrhol.

„Môžete," súhlasila Chantal. „Alebo môžeme ísť ku mne a dať si šampanské, ktoré tam už čaká."

Uškrnul sa na ňu. „Počul som, že Američanky idú rovno na vec."

Neobťažovala sa s vysvetľovaním, že už desať rokov žije v Británii a že niektoré národné charakteristiky z jej psychiky už dávno vymizli. Teraz si pripadala skôr ako hybrid dvoch strán Atlantiku.

„Počuli ste správne," uistila ho. Chantal nestála o zdvorilostné rečičky, nezaujímalo ju, či má manželku, deti, psa. Čo tam po tom, či predáva softvér, hardvér, alebo díluje drogy. Dnes v noci ho chcela mať v posteli a ráno mu dá zbohom. A potrebovala si dokázať, že dokáže zbaliť hociktorého chlapa. Nerada si to priznávala, no Jeremyho odmietnutie ju zabolelo. Akoby ju znova odmietol Ted. Čo ak prichádza do veku, v ktorom bude čoraz ťažšie naraziť na mužov, ktorí po nej zatúžia? Čo urobí potom? Niektoré ženy sa vyfintia, v bare preflirtujú celú noc s nadržanými chlapmi, a predsa odídu domov samy a nespokojné. Stáva sa aj z nej jedna z takýchto nešťastníc?

Pokrčil plecami a položil pohár na bar. „Tak poďme."

Zaplavila ju úľava a eufória. Takýto príval v nej nedokázala spustiť ani čokoláda, aj keby jej zjedla na kilá. Chantal dopila cosmopolitan, na ktorý vlastne ani nemala chuť. Na to, čo ju čakalo, sa nepotrebovala opiť. Ďalšiu trofej si rada vychutná s jasnou hlavou.

Šli k výťahu. Tentoraz čakanie naň nevypĺňali rozpaky ako s Jeremym, ale elektrizujúce iskry. Obaja presne vedeli, čo chcú.

V kabíne stisla Chantal tlačidlo na svoje poschodie. Len čo sa dvere zavreli, vrhol sa na ňu. Drsne si ju pritiahol k sebe, zaútočil jej na pery, rukou zašiel pod šaty s hlbokým dekoltom, odhalil jej prsník. Zatajila dych, keď sa ho dotkol perami, zubami zovrel bradavku. Prstami jej vkĺzol medzi stehná, pod nohavičky, do nej. Už bola pripravená.

Dvere výťahu sa otvorili. Vypotácali sa z neho prepletení v objatí. Rozochvenými rukami odomkla a vpustila ho do svojej izby. Ťahal ju k posteli, rozopínal si pritom nohavice a zdvíhal jej sukňu. Stiahol jej živôtik a znova sa jej vrhol na prsia. Tisíclibrové šaty jej zhrčil na páse a vošiel do nej. Horúčkovito do nej búšil a ona prudko vyvrcholila. Potom spolu ležali a namáhavo dychčali. Jeho vzrušenie znova rástlo. Vyzliekol jej šaty, zdvihol ju z postele a prehol cez stoličku pri toaletnom stolíku. Vzal si ju zozadu, preťahoval ju ako pes. Videla sa v zrkadle, nohy sa jej podlamovali. Dívala sa, ako jej neznámy fešák stíska prsia a divoko do nej vniká. Opäť ju zdvihol, vyložil na stolík, ovinul si jej stehná okolo pása a vrazil do nej. Zaklonila sa, zovrela stôl a rozsypala šperky na zem, zhodila lampu a zasa sa ocitla na vrchole.

„Už je ti lepšie?" opýtal sa jej s úsmevom.

„Áno," vydýchla. „Oveľa lepšie."

Chytil ju za ruku a zaviedol k posteli. „Nechceš otvoriť to šampanské?"

„Nie." Schúlila sa na posteli. Presne o toto jej išlo. Vyspať sa s cudzím chlapom bez zbytočných rečí, bez predohry, bez záväzku. Najlepšie by teraz urobil, keby odišiel. „Som unavená." Pravdaže, bola uťahaná ako kôň. Fyzicky aj psychicky.

Ľahol si k nej, hladil jej zadok. „Si neskutočne sexi žena."

Toto chcela počuť. Presne toto, ibaže od iného muža. Chantal si zahryzla do pery. Nebude plakať. Pre toto nikdy nevyroní ani slzu.

„Neviem, ako sa voláš," povedala a otočila sa k nemu. No on už zaspal.

15. kapitola

Chantal naveľa otvorila oči. Od šampanského jej hučalo v hlave. Boleli ju končatiny. Boleli ju aj stehná a vnútro. V noci síce dostala, čo chcela, no podobné eskapády jej vždy zanechávali trpkú pachuť v ústach. Teraz sa musí tomu mužovi pozrieť do tváre za bieleho dňa. Túto časť odjakživa neznášala.

Otočila sa a zistila, že druhá strana postele je prázdna. Z kúpeľne nedoliehali nijaké zvuky. S úľavou si vydýchla a poďakovala sa nebesám, že vstal a odišiel, než sa zobudila. Mala rada mužov, ktorí sa zachovali takto. Tí, ktorí sa chceli zdržať aj na raňajky, jej liezli na nervy. V noci to bolo príjemné, ale najmä nezodpovedné. Vrhol sa na ňu tak rýchlo a tak ju opantal, že ho zabudla upozorniť, aby použil kondóm. Zajtra bude musieť skočiť do lekárne po núdzovú tabletku. Dnes nie je strach z tehotenstva problém, no nerada by sa nakazila aidsom alebo nejakou inou pohlavnou chorobou. Urobila hlúposť. Skľúčene pokrútila hlavou. Nabudúce bude musieť byť opatrnejšia.

Pozrela sa na hodinky. Ešte nebolo ani sedem. Má dosť času na dlhý horúci kúpeľ, stihne vybaviť e-maily a pred stretnutím s Jeremym jej ostane čas aj na rýchle raňajky. Dnes jej dodajú energiu iba čokoládové croissanty a silná káva, hádam ich tu majú v ponuke. Škoda, že včera nebol v ponuke aj Jeremy, ako plánovala, ale čo už. Ak majú dnes spolupracovať, možno bolo lepšie, že sa nezobudili v jednej posteli. Určite však prišiel o divokú noc. Chantal sa samoľúbo usmiala.

Natiahla sa na posteli a prehla chrbát. Čo keby si najprv prečítala e-maily a až potom sa pustila do ostatného? Pozrela sa na konferenčný stolík. Laptopu nikde. Zvláštne. Vzápätí jej svitlo a celkom sa prebrala. Poobzerala sa po izbe. Nechýbal iba laptop, ale nevidela ani svoju kabelku. Vystrelila z postele, prebehla k toaletnému stolíku, zosunula sa na štyri a prezerala zem, kam pred pár hodinami popadali šperky. Ani tie tam neboli.

Chantal si sadla na päty a ovinula sa rukami. Ten sviniar ju okradol! Pretiahol ju a potom ju okradol. V kabelke mala aspoň päťsto libier v hotovosti a všetky kreditky. Bude musieť okamžite zavolať do bánk a zablokovať ich. Ak sa mu podarilo dostať do laptopu, isto našiel aj všetky PIN kódy – a prečo by si potom neužil, však?

Pošúchala si oči. Ocitla sa v nočnej more. Dočerta, bola to prvotriedna nočná mora. To však nebolo to najhoršie. Jej šperky mali hodnotu tisícov – tisícov a tisícov libier. Na všetkých boli kvalitné diamanty. Rozpomínala sa, ako ich ohodnotili, keď na ne uzatvárali poistku. Tridsaťtisíc? Iste nie. Kristepane, na tú cenu nedokázala ani len pomyslieť. Vyplatia jej vôbec poistku, ak sa do jej izby nevlámal, ale pozvala ho sama? Nechal jej iba hodinky, ktoré mala na ruke. Aká láskavosť! Mala by mu byť za ňu vďačná. Bože, ten podvodník sa teraz isto rehoce, ako ju dobehol.

Ako to len vysvetlí Tedovi? Ak to vôbec niekomu vysvetlí? Nemôže predsa ísť na recepciu a požiadať ich, aby polícii nahlásili, že ju okradol jeden z ich hostí, ktorého si pozvala do izby, aby sa s ním vyspala. I keď táto časť bola skvelá. Ako sa volá? Och, nemám poňatia, ale bol fešák. Vysoký, tmavovlasý, ozaj chlap na pohľadanie – skôr romantický hrdina než priemerný zlodej. A vynikajúci v posteli. Ibaže za to zaplatila.

Chantal zavrela oči. Kiežby sa to nikdy nestalo! Takto nezáväzný sex rozhodne nevyzerá.

16. kapitola

Sedím v Čokoládovom nebi. Je čas obeda a pred zdravším sendvičom Prêt à Manger dávam prednosť horúcej čokoláde a veľkej porcii Clivovej čokoládovej torty. Dnes je tu nával a voľné bolo iba miesto pri okne. To mi však neprekáža. Aspoň mám možnosť pozorovať rôznorodých zákazníkov, ktorí okolo mňa prechádzajú, a nemusím sa vŕtať vo svojich trápeniach. Nakupovanie mi takúto útechu neprináša. To je vlastne dobre, pretože závislostí mám viac než dosť – čokoláda, Marcus, ponižovanie samej seba na verejnosti, a to zďaleka nie sú všetky.

Dnes ráno, po tom incidente s nohavičkami, som podala „ideálovi" výpoveď. V podstate to ani nebolo nutné, keďže len zastupujem a stačí zavolať do agentúry, aby ma presunuli na iné miesto. Išiel sa popučiť od smiechu a vyhlásil, že sa tým ani nebude zapodievať, pretože je so mnou priveľká zábava. Zaujímalo by ma, či to myslel v dobrom.

Rozhodla som sa sem ísť na poslednú chvíľu, preto som ani nestihla napísať esemesku dievčatám z Čokoládového klubu, aby sa ku mne pridali, ak môžu. Dnes som potrebovala spoločnosť ako soľ. S kolegyňami počítať nemôžem, nezapadám medzi ne. Ešte ma ani nevzali so sebou na obed. Domnievam sa, že aj preto, lebo na mňa žiarlia, že pracujem s „ideálom", za ktorým túžobne vzdychajú. Na ich mieste by som urobila presný opak a predchádzala si ma. Očividne to nie sú skúsené manipulátorky. Marcus sa neozval a z toho ma ešte vždy bolí žalúdok. Možno mi pomôže táto čokoládová torta. Musím sa vrátiť do kancelárie nadopovaná cukrom, aby som ako-tak prežila popoludnie.

Dvere sa otvoria a zjaví sa v nich úžasný muž. Všetci úžasní muži, ktorí sem chodia, sú zvyčajne gejovia, pretože sa kamarátia s Clivom a Tristanom. Bol by však hriech proti ľudskosti, keby sa ukázalo, že aj tohto zaujímajú iba chlapi. Objedná si kapučíno a vyberie si tanier Clivových bonbónov z jednodruhovej plantážnej čokolády. Môj človek! Obzerá sa po voľnom mieste. Mám šťastie, že jediné voľné miesto je pri mojom stole. Dievčatá na mäkkej pohovke si už berú kabelky a zberajú sa na odchod, a tak ich v duchu vyzývam, aby sa zas až tak neponáhľali. Vypočujú ma.

„Máte tu voľné?" opýta sa ma.

„Áno," odvetím a usilujem sa nevyznieť až tak dychtivo. Clive za pultom sa snaží zachytiť môj pohľad, no nevšímam si ho.

„Môžem si prisadnúť?"

„Nech sa páči," ponúknem ho veľkoryso a ukážem na prázdnu stoličku.

„Je to tu skvelé, však?" povie a usadí sa. „Neviem sa ich čokolády nabažiť. Túto kaviareň som objavil len nedávno, no už je moja obľúbená."

„Aj moja." Práve som sa zamilovala. Možno ma nazvete prelietavou, no pri takomto mužovi by som na Marcusa raz-dva zabudla. Krásne, strapaté špinavé blond vlasy a oči farby letnej oblohy. A navyše čokoholik! Toho mi zoslalo samo nebo. Od blondiakov by som sa asi mala držať čo najďalej, ale poznáte to porekadlo o jednom vreci, však? Než sa beznádejne zamilujem do ďalšieho nevhodného chlapa, rýchlo mu pozriem na prstenník. Obrúčky nikde. Dobré znamenie.

„Možno začnem otrepane…" zasmeje sa, pretože je to ozaj otrepané. Je sebakritický, to sa mi páči. „Chodievate sem často?"

„Áno," odvetím. Pánabeka, no neznie to skvele? *Lucy Lombardová, beriete si tohto muža za svojho zákonitého manžela? Beriem.*

„Som Jacob," predstaví sa. „Jacob Lawson."

Jacob. *Lucy Lombardová, beriete si Jacoba Lawsona za svojho zákonitého manžela? Och, áno! Beriem!*

„Lucy," vydýchnem. „Lucy Lombardová."

„Rád vás spoznávam." Natiahne ku mne ruku. Chytím mu ju a dúfam, že nemám prsty od čokolády. Jacob sa usmeje a ja tiež. Venujem mu úprimný, srdečný, vrúcny úsmev. Azda vysielam správne signály. Po formalitách obráti Jacob pozornosť na čokoládu. „Pracujete tu niekde v okolí?"

Previnilo sa pozriem na hodinky a uvedomím si, že som už mala byť v práci. Jedného dňa mi „ideál" odtrhne uši za nedochvíľnosť, no dnes hádam nie. Na niečo sa vyhovorím, povedzme, že som si utekala kúpiť tampóny – vtedy šéfovia zvyčajne sklapnú. „Áno. Zastupujem v jednej firme na tejto ulici. Je to veľká IT spoločnosť."

Prikývne, akoby to naňho urobilo dojem.

„A čo vy?" Má na sebe značkový oblek a pri sebe diplomatický kufrík.

„Som na voľnej nohe v zábavnom priemysle," odvetí. „Je to veľmi rôznorodá práca."

„Fíha," nadchnem sa. „Fíha." Mala by som to vysloviť ako hlupaňa, ale netuším, ako sa to robí. Voľky-nevoľky znova hodím pohľad na hodinky. „Mrzí ma to, no už naozaj budem musieť ísť."

Tvárou sa mu mihne sklamanie. „Nestretneme sa ešte niekedy?" navrhne.

Tak ma popletie, že sa nezmôžem na slovo. Som nezadaná iba deň a už dostanem pozvanie na rande! „To by bolo fajn."

„Na ďalší týždeň budú v hoteli *Savoy* prezentovať čokoládu a bude sa podávať aj šampanské. Išli by ste so mnou?"

Že či! Najradšej by som sa mu vrhla k nohám a krochkala blahom. Vďaka nemu sa zo mňa nestane osamelá a morbídne obézna stará dievka. „To by bolo fajn." Niekto by ma mal drgnúť, zasekla som sa ako platňa.

„Tu je moja vizitka." Jacob mi posunie po stole jednoduchú bielu kartičku, na ktorej je iba mobilné číslo. Žeby nová móda?

„Ďakujem," vysúkam zo seba. Hrabem sa v kabelke a hľadám pero a papier. Nájdem iba účtenku z Čokoládového neba, a tak na jej druhú stranu naškriabem svoje meno a číslo.

„Tak sa uvidíme," rozlúčim sa s ním a cestou k dverám nápadne žmurknem na Cliva. Keď prechádzam okolo okna, Jacob mi zamáva. Vo vrecku zvieram jeho vizitku. Kiežby mi zavolal. Keby ste len vedeli, ako veľmi dúfam, že sa mi ozve.

17. kapitola

„Ahoj, kráska," pozdraví ma „ideál", keď sa prirútim k stolu. „Ako dobre, že si sa k nám pridala."

„Mrzí ma to, fakt," zamumlem. „Môj život je jedna veľká kríza. Zvykni si na to tak ako ja."

Mohla by som mu povedať, aké šťastie ma postretlo v podobe pozvania na rande, no sama tomu ešte celkom neverím, a tak aspoň raz držím jazyk za zubami. Aiden Holby podíde ku mne a posadí sa na okraj môjho stola. Jeho blízkosť ma vzrušuje, a tak marím jeho pokus o dôvernosť a vytváram si na stole barikádu zo zložiek, stojanov na perá, a dokonca aj zo svojho ružového plastového prasiatka na spinky na papier. Márne. Všetko odsunie a urobí si pohodlie. Jeho pevný zadok sa ocitne rovno vedľa mojej ruky.

A aby toho nebolo málo, len tak mimochodom prehodí: „Čo porábaš tento víkend?"

Pánabeka! Azda ma nepozýva na rande aj „ideál"! Dvakrát za deň! Asi vylučujem kvantum feromónov alebo z čoho nám to muži padajú k nohám. A to som si myslela, že je ku mne milý len preto, aby sa dostal k mojim zásobám čokolády v zásuvke. „Ani neviem."

Za poistku nič nedám. „Prečo?"

„Obchodné oddelenie má tento víkend teambuilding. Splav divokej rieky vo Walese. Nechceš sa pridať, kráska?"

Ach jaj, takže nijaké rande. „Splavovať divokú vodu? Ako to, že o tom neviem?"

„Lebo je to v zložkách, do ktorých sa nikdy nepozeráš," vysvetľuje mi trpezlivo. „Zorganizovala to Tracy alebo ako sa volá, než sa dala nabúchať a odišla."

Pracujem pre súcitnú, starostlivú spoločnosť, len čo je pravda.

„Všetci chlapi chcú, aby si šla."

Srdce mi poskočí, i keď to nebude romantická schôdzka. Aké milé, že ma má niekto rád. Aj keď iba chlapi z obchodného oddelenia. „Naozaj?"

„Jasné," povie „ideál". „Chcú tam mať aj nejaké nemehlo, pri ktorom budú všetci vyzerať ako profesionáli."

Balón. Špendlík. Prásk. „Vďaka," hlesnem.

„Bude to zábava, uvidíš."

Zábavu si predstavujem ako večer so šampanským a s čokoládou v hoteli *Savoy* s atraktívnym mužom – nie máčať sa vo vode kdesi vo Walese.

„Zaplatíme ti to," nahovára ma „ideál". „Ako motiváciu."

To je ono. Mám svoju cenu a tá sa zvyčajne vyjadruje v peniazoch. Hádam nebude až také zlé vymáčať sa kdesi vo Walese a ešte dostať za to zaplatené. „Pozriem sa do diára," odvetím bez štipky nadšenia. „Momentálne sa s niekým stretávam a možno už máme nejaké plány."

Teraz sa zmätene zatvári „ideál". „Myslel som si, že ťa Marcus práve nechal."

„Ženy ako ja neostávajú dlho samy," skonštatujem samoľúbo.

„Ideál" odfrkne.

Cítim, že som v prevahe. „Dvojnásobný plat a idem do toho."

„Si tvrdá vyjednávačka, Lucy Lombardová," pokrúti hlavou. „Dostav sa v sobotu ráno o šiestej. Príde po nás minibus."

V sobotu ráno o šiestej? Ani som nevedela, že taký čas existuje.

Teraz sa samoľúbo usmieva „ideál". Zmizne vo svojej kancelárii. Stavila by som sa, že teraz sa mu nad hlavou vznáša bublina s nápisom he-he-he.

Pokúšam sa odmakať si predĺženú obedňajšiu prestávku usilovnou prácou. Naozaj sa o to snažím, no akosi sa zasa nedokážem sústrediť. Piplem sa v údajoch o predajnosti, vypĺňam tabuľky, zjem tyčinku Daim – kedysi mala výstižný názov Dime, nerozumiem, prečo ho zmenili –, ktorú som vylovila zo zásuvky, vypijem čaj z automatu a chvíľu hľadím do prázdna. O štvrtej, keď ma už rapídne opúšťa chuť do života, mieri ku mne Nechutný Derek z podateľne. Nechutný Derek ho nevolajú pre jeho nedostatočnú osobnú hygienu, ale preto, lebo je hotovou studnicou obscénnych vtipov na každú príležitosť. Nesie mi obrovskú kyticu červených ruží zabalených v ružovom hodvábnom papieri.

„Pre teba, láska," žmurkne na mňa. „Niekto si včera v noci zrejme užíval."

„Tie sú nádherné!" zvolám a hneď ich skúmam. „Nie je tu nijaká kartička? Odkaz?"

„Nie."

Dvakrát by som nepovedala, že Nechutný Derek ju cestou stratil. Poťuká si po nose a porúča sa. „Asi od tajného ctiteľa."

Položím kvety na stôl. Vidím, že „ideál" naťahuje krk, aby na ne videl. Aj bez kartičky viem, kto mi ich posiela. Akoby na každej ruži svietila pečiatka s nápisom *Marcus*. Mení názor už po pár dňoch s novým objektom? A neprebieha to takto vždy? Vždy, keď ma opustí, nazdávam sa, že už nadobro. A potom sa priplazí späť. V hrdle mi vyschne. A čo teraz? Mám mu zavolať a poďakovať sa? Alebo počkám na jeho ďalší krok?

Kým rozjímam nad tou dilemou, cinkne mi esemeska. Píše Chantal. ČOKOLÁDOVÁ POHOTOVOSŤ, stojí v nej. O 6 V NEBI. Super. Opriem sa o stoličku a vzdychnem od úľavy. Dievčatá mi hádam poradia, čo robiť.

18. kapitola

„Čo mám robiť?" bedáka Chantal.

Práve nám rozpovedala príbeh, ako si užila drsný sex, aby vzápätí zistila, že dotyčný ju okradol. Moja dilema o červených ružiach v porovnaní so Chantalinou traumatizujúcou skúsenosťou bledne. Tlačíme sa na mäkkých pohovkách v kúte v Čokoládovom nebi. Naša kamarátka zdvihne pohár a srkne si horúcej čokolády. Tvár biela ako krieda, viditeľne sa chveje. „Okradli ma v päťhviezdičkovom hoteli. Nie v zastrčenej diere kdesi za mestom, ale v špičkovom vidieckom hoteli. Žila som v New Yorku dosť dlho na to, aby som vedela rozoznať podvodníka, len čo naňho narazím. Mala by som poznať nástrahy veľkomesta. Ako som mohla byť taká hlúpa? Taká dôverčivá?"

Nedodám „a taká zúfalá".

Autumn sa netvári o nič lepšie. Chantalin zážitok ňou viditeľne otriasol. Chytí ju za ruku. „Musíš ísť na políciu."

„No určite," protestuje Chantal. „Keby to začali vyšetrovať, Ted by sa o tom zákonite dozvedel. Ako by som mu to mohla zatajiť?"

„Panebože, Chantal, máš šťastie, že ťa iba okradol," chlácholím ju. „Mohol ťa zavraždiť."

„Možno by to bolo lepšie," hlesne zronene. „Ted ma aj tak zabije, ak to zaňuchá."

„Mali by sme sa teda postarať o to, aby to nezaňuchal," navrhnem čo najpokojnejšie. „Zistila si na hotelovej recepcii aspoň jeho meno?"

„Nie," zvesí hlavu. „Nesmú podávať informácie o hosťoch. Aj tak sa mohol ubytovať pod falošným menom. Ani by ma neprekvapilo, keby to neurobil prvý raz. Ba stavila by som sa, že je profesionálny podvodník. Kristepane, a ja som bola taká ľahká korisť! Akoby som mala na čele napísané ‚tu som, ber si, čo chceš.'" Slzy má na krajíčku a ona pritom nikdy neplače. Prvýkrát vidím u nej toľko emócií.

„Clive! Clive!" zvolám. „Potrebujeme viac útechy. Švihni si."

„Nemám na nič chuť," namietne Chantal.

„Netrep," zahriaknem ju. „Čokoláda nie je jedlo, ale liek." Navyše, s Autumn sa potrebujeme posilniť. Kiežby mohla prísť aj Nadia, no napísala mi, že nemôže, lebo jej nemá kto postrážiť Lewisa. Dosť ju to mrzelo.

„Musíš s tým skoncovať," napomenie ju Autumn úprimne. „Prestaň loviť neznámych chlapov. Je to nebezpečné."

„Viem." Chantal pokrúti hlavou. „Bolo to naposledy. Sľubujem. Dostala som poriadnu lekciu."

A poriadne drahú, pomyslím si, no nechám si to pre seba. Načo by som jej pripomínala taký očividný fakt?

„Máme dosť peňazí," povie Chantal a rozochvene si vzdychne. „Budem musieť po troche vyberať z účtu, aby som si čo najskôr kúpila podobné šperky. To jediné môžem urobiť."

„Nebudú Tedovi tie peniaze chýbať?"

„O financie sa starám ja," vysvetlí. „Verí mi."

Ani jednej z nás neujde tá irónia. „Nemôžeš jednoducho tvrdiť, že si ich stratila, a zájsť do poisťovne?" Nie je to celkom etické, ale keby ich presvedčila, že jej ich ukradli, hádam by jej škodu nahradili, nie?

„Pri takej sume by asi zavolali políciu alebo vyšetrovateľov alebo niečo také. Teda by určite zaujímalo, prečo som si vzala na služobnú cestu najdrahšie šperky. Podľa mňa to nie je riešenie. Musím to ututlať, aby si nevšimol, že tie šperky nemám."

Clive nám nesie ďalšiu porciu horkej čokolády a tanier orechových a kávových brownies, ktoré si vďačne berieme. „Toto nevyzerá dobre," zhodnotí pri pohľade na naše zachmúrené tváre a skĺzne na pohovku k nám.

„Chantal sa vyspala s jedným chlapíkom a ten ju okradol," zhrniem a potom mu ozrejmíme aj detaily.

„Chlapi," tľoskne jazykom a mávne rukou. „Sú to svine."

To mi pripomenie, že im musím porozprávať o Marcusovej mierovej ponuke.

„Spomenula si im už toho fešáka, ktorý ťa balil cez obed?" pokračuje Clive.

A tak im musím porozprávať o stretnutí s Jacobom Lawsonom. „A dohodli sme si rande na budúci týždeň," dodám.

„To je skvelé," nadchne sa Chantal. „No vezmi si lacnú bižutériu."

Nemienim jej vešať na nos, že nič iné ako lacnú bižutériu ani nemám. „Naozaj vyzeral milo," poznamenám trochu ostýchavo. „Dúfam, že sa mi ozve."

„Ja o tom nepochybujem," ubezpečuje ma Autumn so všetkou vážnosťou. Je to nevyliečiteľná optimistka. Nikdy nemá poloprázdny pohár.

„Musím vám povedať ešte niečo." Hneď spozornejú. „Marcus mi dnes poslal obrovskú kyticu ruží."

„Máš ich vonku vo vode," skočí mi Clive do reči. „Aby nezvädli." Jeho tón prezrádza, že dúfa, že Marcusovi zvädne niečo iné.

„Čo ti napísal?" zaujíma sa Chantal.

„Nič. Kartička v nich nebola."

„Ako teda vieš, že ti ich poslal Marcus?"

„A kto iný by mi poslal bezmála štyridsať červených ruží? Podviedol ma. To je celý Marcus. Klasika. Poraďte mi, čo mám robiť. Mám mu zavolať? Alebo čakať, kým sa ozve?"

„Niečo mi sľúb," nalieha Chantal. „Ak ja musím prestať spávať s neznámymi chlapmi, ty sa nesmieš vrátiť k Marcusovi."

„Chantal aspoň nedovolí, aby ju nejaký chlap oklamal viac než raz," podotkne Clive.

„Ďakujem za upozornenie," vzdychnem. „Takže by som nemala urobiť nič?"

Všetci prikývnu. To sa im ľahko hovorí. Od Marcusa som ešte závislejšia než od čokolády – ibaže on má menej kalórií.

19. kapitola

Keď Autumn prišla k dverám do svojho bytu, práve z nich vychádzal muž v čiernej koženej bunde a zrkadlovkách na očiach, hoci vnútri budovy ich určite nepotreboval. Jeho nos vyzeral, akoby mu ho kedysi niekto rozmlátil na kašu.

„Nazdar," pozdravil ju a svižne zamieril k schodom.

Zachmúrila sa a vošla dnu. „Richard?" zvolala, keď vošla do obývačky. „Kto to bol?"

„Iba kamoš," odvetil brat neurčito.

Autumn nasledovala jeho hlas do kuchyne. Stál pri dreze a napúšťal vodu do kanvice. „Dáš si čaj?" spýtal sa. „Vyzeráš vyčerpane."

„Kamarátka má problém," vysvetlila. „Snažila som sa jej pomôcť."

„Autumn, ty si odjakživa priťahovala skrachovancov."

„Takých ako ty?"

„Toto si nemusela."

„Rich, naozaj to bol iba kamoš?" Sadla si za stôl a čakala na čaj.

„Smiem si sem priviesť kamošov, nie? Unudím sa na smrť, ak mi to nedovolíš."

„Zľakla som sa, či to nie je niekto, komu dlhuješ peniaze. Rich, neprekáža mi, že budeš u mňa bývať, ale nechcem, aby si mi tu robil problémy."

Brat chcel položiť čaj na stôl, no ona si všimla, že ho pokrýva vrstva bieleho prášku. Už-už ho rukou zotrela, keď si so zdesením uvedomila, čo presne ten prášok je. Nijaké zvyšky čistiaceho prostriedku ani púdru, ale kokaín. Určite. Oblizla si prst a namočila ho do prášku. Ktovie, prečo to urobila. I keď pracovala v resocializačnom centre, jej jedinou skúsenosťou s drogami bolo zopár šlukov marihuany na žúre na vysokej škole, aj to len zo slušnosti. Nerozlíšila by púder od kokaínu. Richardova tvár dosvedčovala, že on áno.

„Nepozeraj sa tak na mňa," ohradil sa. „Nie som feťák z ubytovne. Nie som ako ľudia, s ktorými sa stretávaš v práci. Vieš predsa, že v našej spoločenskej vrstve je to prijateľné. Kamarátim sa s ľuďmi, ktorí si radi trochu šnupnú. Nie je to zločin storočia. Robí to každý. Len zájdi do hociktorého nočného klubu, ako to tam chodí. Nie je to horšie než fľaša vína. Pomáha mi to uvoľniť sa. Dodáva mi to energiu."

Ako to, že si doteraz nevšimla jeho rozšírené zreničky a energické pohyby? „Pre toto si prišiel o prácu? O byt?"

Okato odfrkol a prešiel si prstom popod nos. „Narobil som si zopár dlhov, to je všetko."

„Koľko toho berieš?"

„Takmer nič," presviedčal ju. „Iba rekreačne."

„Kiežby som ti mohla veriť."

Pokrčil plecami. „Mala by si to skúsiť. Robievame super žúry. Musíš odtiaľto na chvíľu vypadnúť, zoznamovať sa s ľuďmi."

„A popritom brať drogy?" opýtala sa sarkasticky.

„Mohla by si dopadnúť aj horšie, než skúsiť zopár skladačiek."

„Rich, pomysli na dôsledky. Každý deň vidím ľudí, ktorí si drogami zničili život."

„Aj ty si závislá," vysmieval sa jej. „Videl som, ako ješ čokoládu. Ako sa ňou nenásytne napchávaš."

Autumn sa scvrkla. „To je smiešne. Nemôžeš porovnávať čokoládu s kokaínom."

„Čoby nie? Si závislá rovnako ako ja. Môžeš úprimne vyhlásiť, že by si sa vedela vzdať svojej drogy?" uškrnul sa. „Cítiš sa po nej skvele, však? Nič iné ťa tak nevzpruží. Jediný rozdiel je v tom, segra, že tvoja závislosť je legálna."

„Lenže ja nemusím na ňu minúť všetko, čo mám."

Prižmúril na ňu oči. „Nechcela by si aspoň raz skúsiť trocha koksu? Cítila by si sa ešte lepšie."

„A mohol by ma aj zabiť."

„Raz sa tam aj tak poberieme," zasmial sa trpko. „Mohol by som každý deň jesť mäso a zomrieť mladý na infarkt. Vyhýbať sa svetským trápeniam je strašná nuda. Radšej budem žiť tak, ako chcem, než by som živoril vo zvieracej kazajke. Kokaín je božská závislosť. Keď si ho šľahnem, mám pocit, akoby som vládol celému svetu. Prekypujem sebavedomím a všetci ma zbožňujú. Nechceš sa aj ty takto cítiť?"

„A pritom si v skutočnosti prišiel o všetko – o prácu aj o domov."

A chcela dodať, že aj o sebaúctu, no tým by ho iba zbytočne provokovala. Kokaín je očividne droga, ktorá kŕmi ego závislého a skresľuje mu pohľad na realitu. Závislý sa stáva sebecký, imúnny proti vlastným problémom a necitlivý k pocitom iných. Chcela mu pomôcť, zabrániť v tom, aby si ničil život. No kto pomôže jej?

20. kapitola

Nadia dala Lewisa skoro spať. Dnešný kúpeľ a rozprávku odbavila za oveľa kratší čas, i keď sa to synovi nepáčilo. Zajtra mu to vynahradí. Večer chcela stráviť s manželom.

Večera nestála za veľa. Uvarila zvyšok lacných cestovín, pridala k nim konzervované paradajky a lacného tuniaka z plechovky, len o čosi lepšieho než žrádlo pre mačky. Keď sa stala ženou v domácnosti na plný úväzok, veru si nemyslela, že bude pripravovať takéto jedlá. Predstavovala si, že bude každý večer vyvárať hostiny v štýle Jamieho Olivera, nebude chýbať kozí syr, kuskus a rukola. Teraz sedela oproti Tobymu a ľahostajne posúvala cestoviny po tanieri, zatiaľ čo manžel sa statočne tváril, ako mu chutia.

„Mňam," povedal Toby a utrel si ústa jednou z papierových kuchynských utierok, ktorými Nadia v poslednom čase nahrádzala drahé servítky. „Bolo to vynikajúce."

Obaja vedeli, že nebolo.

„Láska, vrátim sa do kancelárie," oznámil. „Dokončím rozrobenú prácu."

A obaja vedeli, že Toby v kancelárii pracovať nebude.

Nadia odtisla tanier. „Toby, takto to nemôže pokračovať," oznámila. „Dnes som si urobila prehľad v účtoch. Dlhujeme tridsaťtisíc libier."

„Nebuď smiešna. Toľko určite nie."

Nadia prešla k príborníku a vytiahla z neho zväzok účtov. Položila ich na stôl pred manžela. „Toby, už dvakrát sme refinancovali hypotéku na dom, len aby sme sa zbavili dlhov. Dnes poobede som volala do banky, ďalšiu nám už nedajú. Neviem, kam inam sa obrátiť."

Neprezradila mu, že prečesávala aj reklamy všetkých zákerných nebankoviek na zadnej strane novín. Už nevidela inú možnosť, a ak budú takto pokračovať, z dlhov sa nikdy nevyhrabú.

„Nadia, pracujem na tom. To nie je problém. Nesekíruj ma s tým stále."

„Nesekírujem ťa. Iba ti hovorím, aká je realita." Slzy mala na krajíčku. „Toby, nemám peniaze na jedlo. Lewis potrebuje oblečenie. Každú chvíľu mu treba nové topánky. Dlhujeme aj za plyn a elektrinu."

Väčšinu Lewisovho obnoseného oblečenia aj veľa svojho už predala na eBayi, aby získala zopár libier navyše. Ich dom bol zariadený skromne, nemali veľký majetok a jednoducho už nebolo čo predať. Nemohla si ani pozvať dievčatá z Čokoládového klubu, prepadla by sa od hanby, keby videli jej ošumelý domov. V čase, keď sa zoznámila s Tobym, mala skvelú prácu vo vydavateľstve, a hoci neoplývali peniazmi, dokázali z toho bez problémov vyžiť a platiť, čo bolo treba. Ako to, že sa to tak pokazilo?

„Mohla by som sa vrátiť do práce a zarábať," navrhla. „To by nám pomohlo."

„To, čo by si zarobila, by zhltli poplatky za stráženie Lewisa. Aký by to malo zmysel?"

Sama o tom už rozmýšľala, no aj keby zarobila len o čosi viac, stálo by to za to.

„Mohla by som zájsť za svojou rodinou," pokračovala. „Povedať im, že máme ťažkosti. Možno by nám pomohli." Aj Nadia vedela, že to by bolo na dlhé lakte. V deň, keď sa rozhodla vydať za Tobyho, ju rodina zavrhla. Bolo by pre ňu ponižujúce, keby ju musela žiadať o láskavosť, ale už netušila, na koho sa obrátiť. Radšej by prosíkala svoju rodinu než úžerníka, i keď od toho nemala ďaleko.

„To by bola paráda," ohradil sa Toby ironicky. „Len choď a posťažuj sa im, že tvoj manžel nedokáže uživiť rodinu. Budú skákať od radosti."

Mal pravdu. Možno by im pomohli, no určite by si škodoradostne mädlili ruky nad jeho nešťastím. Jej otec bol úspešný podnikateľ, vlastnil neveľkú, zato veľmi výnosnú sieť klenotníctiev. Zgustol by si na tom, keby sa mu potvrdilo, že výberom Tobyho Stona za manžela sa jeho najstaršia dcéra poriadne sekla.

Manžel pokrútil hlavou. „Nadia, nechcem, aby do teba znova zaryli pazúry. Zvlášť nie tvoj otec. Prišiel by som o teba."

„Ak neprestaneš hrať, aj tak môžeš o mňa prísť."

„Ak to vnímaš takto, ani nemá zmysel baviť sa o tom." Vstal a zamieril k dverám.

„Toby, rada by som ti pomohla. Chcem, aby sme to zvládli spolu, no ak to nepovažuješ za problém, potom bojujem vo vopred prehratej bitke."

„Mám kopu roboty," odsekol Toby a odišiel.

Nadia odniesla taniere do kuchyne. Dopekla, čo si počne? Otvorila skrinku a šmátrala v nej, kým nenarazila na to, čo hľadala. Odtisla balíček čokoládových celozrnných sušienok McVities. Keby len dokázali zmierniť jej bolesť. Ibaže čokoláda niekedy jednoducho nestačí. Za zriedka používanou nádobou na múku sa skrývala škatuľka s tabletkami. Nadia sa obzrela na dvere, vytiahla ju a vybrala tabletku z blistra. Rok po Lewisovom narodení ich užívala proti údajnej popôrodnej depresii. Zašla vtedy k lekárovi a ronila uňho slzy. Inokedy uštipačný lekár napodiv prejavil súcit a ochotne jej predpísal antidepresíva, aby zvládla prežiť deň, a lieky na spanie, aby zvládla noc. Nedokázala sa mu však priznať, v čom naozaj spočíva jej problém. Nepovedala to nikomu. Nikto nemal ani poňatia, že jej manžel je patologický hráč. Zapila antidepresívum vodou, no blížila sa k bodu, keď jej už nepomôžu ani tabletky.

21. kapitola

„Nechceš mi niečo povedať?" opýtal sa Ted.

Chantal zamrelo srdce. Už to zistil? Napodiv boli obaja doma a chystali sa do postele. Tejto časti dňa sa hrozila najväčšmi.

„Nenosíš svoje prstene," pokračoval. Nasledovala jeho pohľad na svoje prsty.

„Aha," hlesla a úporne skrývala zdesenie. „Niečo sa mi pod nimi vyhodilo. Možno od nejakého čistiaceho prostriedku."

„Čistiaceho prostriedku?" zasmial sa. „Miláčik, a kedy prichádzaš do kontaktu s čistiacim prostriedkom?"

„Myslela som od mydla," opravila sa rýchlo. „Môže to byť z neho."

Chytil jej ruku. „Nič tam nevidím."

„Ďakujem, doktor Hamilton." Pokúsila sa o smiech, no vyznelo to umelo. „Teraz je to už v poriadku. Iba som ich ešte pár dní nechcela nosiť, nech mám istotu." Nič iné jej nezostáva. Bude musieť čo najskôr vybrať peniaze z účtu a kúpiť si verné imitácie.

„Napadlo mi, že mi možno chceš niečo povedať," poznamenal a zaiskrili mu oči. Vedela však, že to myslí celkom vážne. Samozrejme, že mu chcela niečo povedať! Napríklad to, že už nemôže hľadať sexuálne uspokojenie u cudzích chlapov. Kriste, veď nemá ešte ani štyridsať, stále má svoje potreby. Ted ich hádam nemá? Nemienila ďalších dvadsať alebo viac rokov zotrvávať vo zväzku, v ktorom sa zabúda na sex. A nechýbal jej iba sex – i keď ten, dočerta, určite chýba, keďže nijaký nejestvuje –, ale oplakávala aj stratu emocionálnej blízkosti. Pochybovala, že vzťah sa bez nej zaobíde.

„Nenapadlo ti niekedy, že máme priveľmi plytký život?"

Zdvihla naňho zrak. „Plytký?"

„Vieš…" ukázal na drahé zariadenie. „Nerozmýšľaš niekedy nad tým, načo toto všetko je? Aký to má zmysel?"

„Vyzerá to skvele," ohradila sa Chantal. „Máme radi pekné veci."

„A preto chodím každý deň do práce a driem ako kôň?"

„To robia predsa všetci."

„No robia to z nejakého dôvodu. Aby uživili svoje deti, svojich milovaných."

„My nemáme deti."

„A čo keby sme ich mali? Bolo by to také zlé?"

„To si radšej pustím žilou."

„Takže toto nám má stačiť?"

„Je to hádam zločin?"

„Nie je to zločin, ale máme žiť takto?"

„Toto všetko sa ti páči rovnako ako mne."

„Určite?"

Pravdupovediac, už netušila, čo sa jej manželovi páči a čo nie. V duchu si vzdychla. Bola unavená a cítila sa pod psa. Možno na Teda doľahli depresie. Možno potrebuje zájsť k lekárovi, aby mu predpísal tabletky na zlepšenie nálady. Možno by mu zároveň vzkriesili libido. Teraz však nebol čas, aby to preberali, mala o čom premýšľať. Doteraz sa rozboru situácie, v ktorej sa ocitli, vyhýbali, tak prečo by to ešte chvíľu nepočkalo?

Ted si vyzliekol košeľu a zmizol v kúpeľni. Hoci drel ako kôň, ako pred chvíľou tvrdil, dokázal si nájsť hodinu denne, aby zašiel do posilňovne v práci, vďaka čomu mal stále pevné a svalnaté telo. Smutné bolo, že ho stále ľúbila a túžila po ňom. Kiežby to bolo vzájomné. V každom ženskom časopise uverejňovali kopu rád, ako si zlepšiť ľúbostný život, no ani v jednom sa nespomínalo, ako naštartovať ten, ktorý upadá a mizne.

Fyzický vzťah môže upadnúť, ani sa človek nenazdá. Najprv sa partneri čoraz menej bozkávajú, potom s tým prestanú nadobro, ak nepočítame mechanický letmý bozk na líce. Zakrátko sa prestanú k sebe túliť a pod vplyvom každodennosti sa z pravidelného milovania stane zriedkavé. Čím menej sa bozkávajú a túlia, tým ľahšie sa vyhnú intímnostiam. Spočiatku sa s Tedom milovali takmer každú noc. Potom raz za týždeň a neskôr už iba raz za mesiac. Už si ani nepamätala, kedy naposledy ležali spolu prepletení. Pred pol rokom? Alebo dávnejšie? Kedy jej Ted naposledy ovinul ruku okolo pása? Rátalo by sa jej aj priateľské objatie. K najzmyselnejším slovám patria aj „chcem sa s tebou milovať", ale tie vypadli zo slovníka jej manžela už pred rokmi.

Ted vyšiel z kúpeľne a vkĺzol pod paplón. *Kedysi spával nahý*, pomyslela si Chantal, no teraz si obliekal šortky a tričko. Akoby mu prekážal aj obyčajný dotyk ich nahej pokožky.

Chantal šla do kúpeľne, odlíčila sa, vydrhla si pokožku. Usilovala sa nemyslieť na to, čo robila včera v noci a aká bola hlúpa. Potom si ľahla k manželovi.

Ted ležal na boku, zhlboka dýchal. Chantal sa schúlila za ním. Možno by ešte dokázali zachrániť svoj vzťah, úprimne v to dúfala. Ľúbila ho a nechcela oňho prísť. Pohladila ho po chrbte. Mali by sa porozprávať o tom, čo ho trápi. Nebolo od nej správne, že neberie do úvahy aj jeho pocity, hoci mala pocit, že jeho starosti nie sú namieste. „Ted," oslovila ho potichu, „potrebujem, aby si ma objal."

„Chantal, skoro ráno vstávam," odvetil.

Napriek dobrému úmyslu sa naježila. „A bola by taká námaha objať svoju ženu?"

„Spi už," odbil ju a pritiahol si paplón až na plecia.

Ibaže Chantal vedela, že tak skoro nezaspí a bude civieť na strop.

22. kapitola

Nezdá sa mi, že by som niekedy v Londýne videla východ slnka, a veru neviem, či ho ešte niekedy budem chcieť vidieť. Zázrakom sa mi v sobotu podarilo prísť na šiestu do kancelárie a teraz už čakáme vonku na minibus. Žartovanie je na môj vkus priveľmi živé, a tak radšej postávam na okraji skupinky a odmietam prehovoriť, až kým sa mi nezobudia aj hlasivky. Pokojne by som si ľahla na neďalekú kovovú lavičku a spala ďalej.

„Ahoj, kráska," pristúpi ku mne „ideál". „Som rád, že si to zvládla."

Očividne naráža na to, že sa sem cez týždeň zvyčajne nedovlečiem pred deviatou. Neurčito zavrčím, nič lepšie mi na obranu nenapadá. Podá mi kávu zo Starbucksu.

„Ďakujem." Prekvapuje ma, že hlasivky mi fungujú aj o takejto nekresťanskej hodine. Na raňajky som veru ani nepomyslela. Je priveľmi skoro a môj mozog nie je zvyknutý fungovať už v tento denný čas, dokonca mi ani nepripomenul, aby som si pribalila aj čokoládu. Mám vydržať v autobuse päť hodín bez jedla? Ako to prežijem?

„Kúpil som aj mrkvové mafiny so škoricou a s hrozienkami aj kakaové s kúskami čokolády," referuje.

Do tohto muža by som sa dokázala zaľúbiť.

„Páčili sa ti tie ruže?"

„Áno," vzdychnem. „To však neznamená, že si si to u mňa vyžehlil." Pomlčím, že mi to zakázali pod hrozbou smrti, aj o tom, že Marcus ma o to vlastne ani nežiadal. Musím mať na pamäti, že jedna kytica ruží ešte neznamená žiadosť o ruku.

Sŕka kávu a chmúri sa. „Myslíš si, že ti ich poslal Marcus?"

„Kto iný by mi posielal kvety?" Prepána, veď nie som Jennifer Lopezová. Rad mojich obdivovateľov je povážlivo krátky. „Kto iný okrem môjho neverného bývalého by mal na to dôvod?"

„Ideál" pokrčí plecami, no stále sa chmúri. Príde minibus a obchodné oddelenie ho hlučne a nadšene víta. Stisne mi srdce.

O päť hodín sa ocitneme v útrobách Walesu – na mieste s nevysloviteľným názvom a na rieke, ktorá vyzerá tak divoko, že by som ju v Británii ani nečakala. Takáto rieka patrí do ďalekej exotiky, nie sem. Voda je takmer čierna, trčia z nej obrovské balvany a ženie sa desivo rýchlo.

Celú cestu som sedela vedľa Martina Sittingbourna, najstaršieho a najnudnejšieho člena obchodného oddelenia. Vykladal mi o svojej starnúcej matke, ktorá s ním žije, o jej zvyku vkladať si protézu do akvária po zlatej rybke, o manželkiných návaloch tepla a jej boji so substitučnou hormonálnou liečbou, o svojich deťoch, ktoré obe študujú na univerzite a míňajú ich ťažko zarobené peniaze, o susedovi, ktorého nemôže vystáť, lebo má priveľký živý plot z cyprusovcov. Dozvedela som sa, že jeho pes menom Pán Monty má práve červy a problém s prostatou. Ešteže prostata Martina Sittingbourna funguje, inak by ma oboznámil aj s jej stavom. Tuším som za celý čas ani neprehovorila, azda som iba súhlasne zahmkala, keď sa to hodilo. Cestu mi nespríjemnil dokonca ani mafin s kúskami čokolády. „Ideál" sa občas na mňa pozrel a usmial sa. Martina Sittingbourna dobre pozná a videla som, ako sa baví, že som sa stala jeho obeťou. Bolo by oveľa príjemnejšie sedieť vedľa „ideála", hoci to vzhľadom na jeho konkurenciu nie je až taký kompliment.

Nemohla som sa dočkať, kedy uniknem z minibusu, no teraz, keď sme už vystúpili a uvidela som tú chajdu a čln neprimeranej veľkosti, v ktorom sme sa mali plaviť po rozbúrenej rieke, najradšej by som sa vrátila do minibusu a zamierila do Londýna. Neuvedomila som si, že som alergická na outdoorové činnosti, no už pri pohľade na okolie sa ma zmocňuje úzkosť.

„Tak čo ty na to, kráska?" vyzvedá „ideál".

„Fajn," odvetím rozžiarene. „Vyzerá to tu skvele."

„Bude to zábava," nadchýna sa. „Splavoval som divokú vodu v Nepále a Peru aj rieku Colorado. Bude sa ti to páčiť."

Tohto chlapa by som dokázala neznášať.

Jeden z organizátorov nám rozdáva krikľavočervené kombinézy. Zbežne si ma prezrie a jednu mi podá. Utiahnem sa do chladnej, vlhkej šatne. Stiahnem si džínsy a napravím si spodnú bielizeň. Čipkované fialové nohavičky som preventívne nechala doma a zvolila som praktickú bielu bavlnu. Súkam sa do kombinézy... preboha, je úzka. Teší ma síce, že chlapík ma odhadol na takúto veľkosť, zároveň mi však hrozí nebezpečenstvo, že mi uškrtí prívod krvi do životne dôležitých orgánov. Vzdychám, s námahou vtesnávam rozkysnuté časti svojho tela do kombinézy a snažím sa nepricviknúť si kožu do zipsu. Pripadám si ako kríženec smetiara s pomarančom, a tak sa do popraskaného zrkadla radšej nepozriem. Ešte si zapnem záchrannú vestu a sotva dokážem spraviť krok.

Odkníšem sa von zo šatne a pridám sa ku skupinke, ktorá už nasadá do člna. Oplývajú oveľa lepšou náladou než ja. A kombinézy majú oveľa voľnejšie. Dostanem prilbu a pádlo – obe si beriem s nepriateľským fľochnutím. Prečo musíme stmeľovať kolektív práve na divokej vode? Prečo jednoducho nemôžeme zapadnúť do nejakého baru? Prečo nemôžeme ísť na víkend povedzme do wellnessu a lepšie sa spoznávať pri pedikúre? Hoci o pohľad na chodidlá Martina Sittingbourna fakt nestojím. Zaháňam tú predstavu a usilujem sa nevnímať hukot rieky. Prečo táto rieka vyzerá oveľa mokrejšie než iné, ktoré som videla? Ako to, že do nej niekto dobrovoľne vlezie? Zaletím pohľadom k „ideálovi", usmieva sa na mňa. Stavím sa, že tento prekliaty výmysel je jeho nápad.

„No tak, kráska," nabáda ma. „Budeš sedieť vedľa mňa."

Z neznámeho dôvodu sa mi uľaví. Opatrne si sadnem na bok nafukovacieho člna. Vôbec sa necítim bezpečne.

„Vopchaj nohu do tejto slučky," prikáže mi a ukazuje na čosi neurčité na dne člna. „Vďaka tomu nespadneš do vody."

Nevdojak vydesene vypleštím oči. Vôbec mi nenapadlo, že by som z tohto poondiateho plavidla naozaj mohla vypadnúť. Vzbudí to vo mne nový druh hrôzy, ktorý som predtým nezvážila. Vložím chodidlo do slučky tak dôkladne, že mi ho budú musieť amputovať, aby som sa z nej potom vyvliekla.

Bez varovania nás odtláča z bezpečného brehu do rozbesneného prúdu. Čln sa nevinne hojdá na vlnách a ja ten pocit už od prvej chvíle neznášam. Mala som do seba hodiť nejakú tabletku proti kinetóze.

„Drž sa za mnou!" zakričí na mňa „ideál". „Pokúsim sa ťa kryť pred najväčšími spŕškami. Keď sa dostaneme do prudkých vĺn, ponor pádlo a zaber."

Toto ešte nie sú divoké vlny? A veru, prúd nás s trhnutím ako kolotoč v lunaparku stiahne a nesie doprostred rieky. Čln sa hrozivo vzpína.

„Blížia sa prvé kaskády!" zvolá „ideál".

Toto som naozaj nepotrebovala vedieť. Zdvihne sa vietor, sviští mi okolo uší a zrýchľuje sa spolu s riavou. Bez hanby vrieskam. Ešte než sa ozaj niečo udeje, ja už revem z plného hrdla. Strhnú nás vlny, spenené okolo balvanov. Premoknem do nitky. „Ideálov" plán ochrániť ma pred najhoršími spŕškami katastrofálne zlyháva.

„Zaber pádlom!" kričí na mňa.

Skôr ako sa na niečo zmôžem, do tváre mi vrazí múr vody a zmetie ma. Ležím horeznačky uprostred člna. Pripadám si ako korytnačka, ktorá sa… jednoducho ako prevrátená korytnačka. Metám rukami aj nohami. Nadskakujeme na kaskádach, potom čln spomaľuje. Všetci hulákajú a ujúkajú. Čo sa zbláznili? „Ideál" sa smeje. Skloní sa ku mne, schmatne ma za popruhy na záchrannej veste a zdvihne. Drží ma, až kým nenadobudnem rovnováhu a neposadím sa na lavicu.

„Nebolo to skvelé?" spýta sa rozjasane.

Nebolo.

„Super." Vnútornosti sa mi určite zhrčili na kašu. Než sa spamätám, na tvári cítim, že sa znova dvíha vietor. Vydesene vrieskam, a to sa kaskády ešte len vynorili na horizonte.

„Vydrž. Toto bude drsnejšie," varuje ma „ideál".

No paráda.

Prvá vodná stena ma zasiahne rovno do úst, naširoko otvorených, pretože stále odušu revem. Kašlem, prskám a lapám dych, keď do mňa narazí ďalšia vodná stena. Chodidlo sa mi uvoľní z bezpečnostného popruhu a vlna ma zmetie z člna. Pohltí ma rieka. Viem plávať, no v tejto chvíli neviem určiť ani to, kde je hladina. Krútim sa vo vode a už chápem, ako sa cíti prešívaná deka, keď ju strčím do práčky. Mám pocit, že som sa vynorila nad hladinu, a tak otvorím oči. Priamo pred sebou vidím „ideálovu" tvár, rýchlo žmurkám. Zovrú ma dve pevné ruky a ťahajú z vody. Ibaže kombinéza sa mi zachytila o skalu. „Ideál" potiahne silnejšie a čosi rupne.

„Už som sa bál, že je po tebe, kráska," vydýchne si.

Prilba sa mi zošmykne na oči. Záchrannú vestu mám napoly na hlave a na rozkošnej kombinéze zíva diera. Moje sadlo zvíťazilo nad švami a tie sa pred ním krotko rozostúpili. Visím cez okraj člna, idem si vykašľať pľúca zaliate vodou, srdce mi napĺňa sklamanie, v nohavičkách mi plávajú ryby a zadok vystavujem na obdiv sveta.

„Ideál" sa ku mne nakláňa s úsmevom od ucha k uchu.

„Bližšie sa k môjmu zadku už nedostaneš!" varujem ho a rozplačem sa.

23. kapitola

Bolí ma celé telo. Ešte aj vlasy. Minibus zastane pred našou budovou. Chcem vstať a mimovoľne zastonám.

„Tak poď, kráska." „Ideál" mi podáva ruku ako vetchej starenke.

Cestu späť z Walesu som prespala, zážitok na pokraji smrti ma načisto emocionálne vyčerpal. Nik iný do vody nespadol. Môj eskamotérsky kúsok členom obchodného tímu pomastil egá, takže sa navzájom tľapkajú po chrbtoch, ťapkajú si do dlaní a robia všetky tie kamarátske gestá. Neznášam ich. Zvlášť tých, ktorým sa naskytol super výhľad na môj zadok. Tými opovrhujem najväčšmi. V pondelok zavolám do agentúry, nech ma čo najskôr presunú inam.

Ešte jedno tľapnutie do dlaní a miznú v tme. Na chodníku ostanem stáť len ja s Aidenom.

„Čo máš v pláne, kráska?" zaujíma sa.

„Idem domov a doprajem si dlhý horúci kúpeľ."

„A ja že máš nadnes vody dosť," poznamená.

„Vtipné," odseknem.

Jemne ma pohladí palcom po líci. „Som rád, že sa ti nič nestalo," povie.

To „nič nestalo" znamená, že som iba zranená, otrasená a hlboko ponížená, ale nie mŕtva. Keby som vypustila dušu, čakala by ho kopa papierovačiek. Keby som sa naozaj utopila, aj by si to zaslúžil.

„Nepôjdeme spolu taxíkom?" navrhne. „Aby som si bol istý, že si dorazila domov v poriadku. Ktovie, aké katastrofy na teba cestou do Camdenu striehnu."

„Len pekne z toho bieleho koňa zosadni," odseknem. „Zvládnem to, neboj sa. Nemusíš sa obťažovať."

„Aké obťažovanie? Mám to po ceste."

„Nevrav."

„Hej, bývam v Belsize Parku."

A kým stihnem ďalej namietať, privolá taxík a strká doň moje boľavé telo. Nadiktujem vodičovi adresu a šinieme sa do noci k môjmu bytu. Neviem, čo povedať, v takejto intímnej situácii som s „ideálom" ešte nebola. Niežeby sa zadné sedadlá ohrkaného čierneho taxíka dali považovať za intímne, no určite ma chápete. Sedíme blízko pri sebe, sme sami a tak ďalej. Po nedobrovoľnom kúpeli som celý deň drkotala zubami, no teraz ma oblieva horúčava. Zatiaľ čo mne zdrevenel jazyk, „ideál" sa ku mne otočí a spýta sa: „Tak ako? Páčilo sa ti to dnes?"

„Nie, nepáčilo."

Nahlas sa zasmeje, očividne to považuje za žart. „Mali by sme si to zopakovať."

Ešte to tak! „Prečo nie?"

Dorazíme k môjmu bytu a ešte chvíľu sedíme. „Tak," ozve sa „ideál". „Je čas rozlúčiť sa."

„Áno." Mám ho pozvať k sebe na kávu? Alebo by to vyzeralo, že sa ho pokúšam zbaliť? To ani náhodou. V byte mám síce poriadok, ale netuším, či vôbec mám čo piť, nenájde sa u mňa asi ani mlieko. Na rohu je však nonstop obchod. Tam by ho hádam mali. Alebo by sme kávu preskočili a pustili sa do tyčiniek Mars, tých mám v chladničke vždy dosť.

Kým zvažujem všetky možnosti, „ideál" vzdychne a prikloní sa ku mne. Chvíľu mám pocit, že ma chce pobozkať. Zľaknem sa. Čo ak mi páchne z úst? Určite som v tej rieke zhltla niekoľko rýb.

„Kam ďalej?" vyriekne taxikár dokonale načasovanú otázku.

„Ideál", s perami tak blízko mojich, odrapoce adresu. Potom ma pobozká. Na pery. Iba letmo, zato veľmi príjemne, no aj tak. Nie je to romantický bozk, no predsa len intímnejší, než by mal byť medzi kolegami.

„Nuž... tak... ja radšej idem," vykokcem.

Uprene sa mi zahľadí do očí. „Lucy Lombardová, s tebou je ozaj veľká zábava," poznamená a zvodne sa na mňa usmeje.

„Vďaka." Vystúpim z taxíka, zastanem na chodníku a dívam sa za autom. „Ideál" sa na mňa pozerá zo zadného okna, až kým mi nezmizne z dohľadu.

A je to! Vyjdem po schodoch do bytu. Neviem, čo si mám o tom myslieť. Keby mi mozog neplával vo vode, hádam by som tú hádanku dokázala rozlúštiť. Odomknem dvere a hodím veci na zem. Všimnem si blikajúci záznamník, a tak ho pustím.

Prvý odkaz: *Dobrý deň, Lucy. Tu Jacob Lawson. Dúfam, že si ma ešte pamätáte.* Panebože! On mi fakt zavolal! Ani som neverila, že to urobí. *Chcem vám len povedať, že ten čokoládový večer sa koná v utorok. Ak stále chcete ísť, prosím, zavolajte mi. Moje číslo je bla-bla-bla.* To *bla-bla* hovorím ja, nie Jacob. Pôsobila by som až priveľmi nedočkavo, keby som mu zatelefonovala hneď teraz? Veď je iba polnoc. O takomto čase isto ešte nespí. Možno. Čokoládová šou v utorok večer! V obývačke si zatancujem víťazný tanec. Aká som len bystrá, že som si dohodla také skvelé rande! Znova sa síce vykašlem na jogu a všemožné krkolomné pozície, ale mám na to dobrý dôvod.

Druhý odkaz: *Ahoj, Lucy.* Muž s týmto hlasom sa nemusel predstavovať. *To som ja. Dnes som o tebe rozmýšľal.* Hlboký povzdych. *Odpustil som ti, že si mi zničila oblečenie, pohovku aj koberec. Šafranová zemiaková kaša v topánkach bola už iba čerešnička.* Ktovie, či už zistil, odkiaľ sa šíri ten príšerný zápach. Krevety mi asi neodpustí. *Chýbaš mi, Lucy. Viem, že som sa nezachoval správne. A rozmýšľal som, či mi aj ty odpustíš.*

Klesnem na pohovku a civiem na telefón. Eufória z rande s Jacobom vyprchá. Marcus mi zavolal. A v podstate žobre o odpustenie. Čo teraz? Budem musieť ísť do kuchyne a vyjedať čokoládu, kým sa nerozhodnem. Dokážem mu odpustiť? Sú naše previnenia rovnako závažné? Marcus mi zlomil srdce. Ja som mu zničila len šatník a zariadenie.

24. kapitola

Je nedeľné poludnie a ja opäť zvolávam stretnutie Čokoládového klubu. Poslala som esemesku všetkým dievčatám a už sú na ceste. Dokonca aj Nadia, ktorej sa podarilo presvedčiť Tobyho, aby postrážil na pár hodín syna.

Dnes ma telo bolí ešte viac a som samá modrina. Trochu mi pomáha horúca káva a mramorovaný brownie s bielou a horkou čokoládou. Svieti slnko, čo sa počas celého roka v Británii stáva pomerne zriedka, a mierne teplo, ktoré prestupuje cez okno, ma upokojuje.

Prvá príde Chantal, cez dvere preletí ako žena, ktorá má vážne poslanie. Hodí sa vedľa mňa a bez úvodu sa spýta: „Čo ty na to?"

Natiahne ku mne ruku. Na prstenníku, presne tam, kde by mali byť, sa jej skvie obrúčka aj zásnubný prsteň.

„Dostala si ich späť?" začudujem sa a od radosti zatlieskam.

„Nebuď hlúpa," tľoskne jazykom. „Život nie je až taký jednoduchý. Obrúčka stála sedem deväťdesiatdeväť a zásnubný prsteň devätnásť deväťdesiatdeväť. Číre sklo." Nastaví prsteň do svetla. „Originál mal hodnotu vyše desaťtisíc libier."

Takmer sa zadusím kávou.

„A preto sa zamýšľam, načo vôbec vyhadzujeme toľko peňazí. Veď medzi nimi nie je až taký rozdiel, no nie?"

Pre neskúsené oko asi nie.

„Kúpila som ich v obchodíku s bižutériou na Oxford Street." A ja že Chantal o Oxford Street doteraz nechyrovala. Hodí sa skôr do Knightsbridgea. „Myslíš si, že Ted si to všimne?"

„Nie, ak sa k tebe nepriblíži."

„Moja milá," zasmeje sa, „ver mi, že v poslednom čase to vôbec nie je problém." Chantal si zblízka obzerá tú čačku. „Máme na účte dosť peňazí, takže si na chvíľu môžem časť ,požičať'. Vrátim ich, len čo sa bude dať. Možno si privyrobím popri práci. Za tridsať litrov si znova kúpim svojich miláčikov alebo aspoň kvalitné napodobneniny. Ted sa to nikdy nedozvie."

Ešteže nemám kávu v ústach, inak by som ju vyprskla na stôl. Je super mať v banke toľko peňazí, že keď si z nich človek vezme tridsať litrov, manžel ani nemihne okom. Aj ja chcem podobného manžela. No musel by sa so mnou aspoň raz za čas vyspať.

Ako druhá dorazí Autumn. Neprekypuje nadšením ako zvyčajne, príde pomaly a potichu si k nám sadne. Vyzerá vyčerpane.

„Autumn, no teda, čo sa deje?"

Unavene pokrúti hlavou. „Prisťahoval sa ku mne môj milovaný brat. Má nejaké problémy. Povedzme, že nie je práve najpríjemnejší spolubývajúci."

Ak má z neho nervy už aj Autumn, musí to byť hotová nočná mora. „Nechceš sa o tom porozprávať?"

„Ani nie," zmôže sa na napätý úsmev. „Dúfam, že sa nezdrží dlho. Je fajn na chvíľu vypadnúť. Čo si dáte?"

„Ja kapučíno a oriešky v čokoláde," povie Chantal bez váhania a už sa aj zdvíha a odchádza k pultu. Autumn ju nasleduje.

Keď sa už všetky cítime oveľa lepšie – obľúbené dobroty nám zdvihli hladinu cukru –, zverím sa kamarátkam s dilemou týkajúcou sa Marcusa. „Zavolal mi a požiadal o odpustenie. Včera," informujem ich. „Kým som trpela na divokej vode vo Walese."

„Nie!" vyhŕkne Chantal, ani na chvíľu sa nad tým nezamyslí. „Tentoraz sa k nemu nevrátiš, Lucy. Nie. Nie. A ešte raz nie."

„Možno sa zmenil," chlácholí ju Autumn. „Tentoraz."

„S inou babou ho prichytila pred piatimi dňami. Kedy by to asi stihol?"

Chantal má pravdu. Autumn sa stiahne, no ako raz sama priznala, kúštik dobra nachádza v každom človeku, aj v najhorších zloduchoch z bondoviek.

„Ozval sa aj Jacob a pozval ma na rande," dodám. O bozku s „ideálom" v taxíku sa však nezmienim, iba čo by sa všetko skomplikovalo.

„Dievča moje, neváhaj a choď s ním," prikazuje mi Chantal. „Pohni sa. Marcusa pošli do čerta. Neopováž sa mu zavolať."

Správne. A je to. *Nevolaj Marcusovi. Nerozprávaj sa s ním. Neďakuj mu za pekné kvety.* A najmä mu *nedovoľ znova prekročiť prah tvojich dverí.* Jasné ako facka. No prečo ma obchádza hrôza pri pomyslení na budúcnosť bez neho?

Než začnem rozjímať nad svojím životom, príde Nadia. Má červenú tvár a pôsobí rozrušene, akoby utekala.

„Len tak-tak som sa dostala z domu," vysvetlí. „No potrebujem to ako soľ."

„Pôjdem objednať," ponúkne sa Autumn a vstane. „Čo si dáš?"

„Hocičo," vydýchne Nadia. „Úplne hocičo. Som taká rada, že som s vami."

„Viem presne, čo ti pomôže," povie Autumn a mieri za Clivom.

„Obdivovali sme Chantaline nové šperky," oznámim Nadii. Stručne jej opíšeme Chantalin zážitok s chlapom, ktorým ju po sexe okradol, pretože minule tu nebola. Len vypliešťa oči.

„Bola som krava," hlesne Chantal skľúčene. „A teraz musím vybrať z nášho účtu aspoň tridsať litrov a kúpiť si nové."

V tej chvíli sa Nadia rozplače.

„Všetko bude v poriadku," objímem ju, no som zmätená. Netušila som, že Chantalin problém, aj keď nám obyčajným smrteľníčkam vzdialený, ju takto vezme. „Poznáš ju. Vyrieši to."

„Preto neplače," podotkne Chantal. „Miláčik, čo sa deje?" Servítkou jej utrie slzy. „Niečo s Lewisom?"

Nadia sa priam zadúša plačom.

Autumn sa vráti s kapučínom a lahôdkami pre Nadiu. „Keby sa Lewisovi niečo stalo, neodišla by od neho," uvažuje Autumn a sadne si. „No tak, no tak," tíši Nadiu. „Nemôže to byť také zlé."

„Veru je," namietne Nadia zronene. Autumn jej posunie šálku s kávou. Nadia smrkne a dopraje si poriadny dúšok. Všetky trpezlivo čakáme, kým sa spamätá. Napokon sa pokúsi o úsmev. „Nechcela som o tom nikomu hovoriť," začne. „Je to trápne."

„Miláčik," začne Chantal, „mňa nedávno pretiahol a ošklbal chlap, ktorého som zbalila v hoteli. Je niečo trápnejšie?"

Napätie povolí a všetky sa zasmejeme na jej účet. Nadii to dodá odvahu zveriť sa nám.

„Sme až po uši v dlhoch," vysvetlí. „Ja a Toby. Až po uši." Vyhýba sa našim pohľadom a civie na kávu, bezmyšlienkovito posúva čokoládové bonbóny po tanieri. „Sotva zvládneme splácať hypotéku. Dlhy na kreditkách sa nám vymkli z rúk. Nemám dosť peňazí už ani na jedlo." Znova sa jej rozkotúľajú slzy po lícach.

„Tobymu sa nedarí v práci?" opýtam sa mierne.

„O to nejde," odvetí a utiera si líca. „Práce má vyše hlavy, len keby sa na ňu aj sústredil." Roztrasene sa nadýchne. „Je závislý od online hier. Tak," statočne sa usmeje, „prvý raz som to vyslovila nahlas."

V šoku sa na ňu súcitne pozeráme.

„Každú noc presedí celé hodiny pri počítači a chce vyhrať, no iba čo máme čoraz väčšie dlhy," pokračuje. „Nemôžem sa s ním o tom ani rozprávať. Je presvedčený, že raz sa mu to podarí, že každú chvíľu musí vyhrať. Ťahá sa to celé roky a je to čoraz horšie."

„Och, Nadia." Autumn ju pevne objíme.

„Už sa nemám na koho obrátiť," rozpráva ďalej. „Už dvakrát sme refinancovali hypotéku, aby sme vyplatili dlhy. Lenže vždy sa ocitneme tam, kde sme boli predtým. Teraz nám už banka nepožičia. Dokonca uvažujem, že zájdem do nejakej nebankovky. Neviem, čo si počať."

„Tým množným číslom myslíš asi Tobyho," podotknem.

„To je idiot," uľaví si Chantal.

„Milujem ho," skonštatuje Nadia. „Sme v tom spolu. Netuším, či je jeho hráčstvo choroba, ale viem, že to už nezvláda. Chcem mu pomôcť. Musím mu pomôcť."

Nechcem, aby si myslela, že ju odsudzujem, no musím sa jej na niečo spýtať. „Nemohla by si sa vrátiť do práce?"

„Presne to by som rada urobila," odvetí Nadia, „no Toby o tom nechce ani počuť. Vraj všetko, čo zarobím, utratíme na poplatky za stráženie Lewisa, pretože sa nemá kto oňho postarať. Nepáči sa mu ani to, že by sme ho na celý deň dali do škôlky. Dokonca som zvažovala, že zájdem za svojou rodinou a požiadam ich o pomoc, ale nepochopili by to."

Alebo by to práveže chápali až pridobre, pomyslím si.

„Nemôžeš ísť do práce," namietne Chantal. „Aspoň nie v tomto stave. Najprv sa musíš dať dokopy, až potom môžeš pomýšľať na návrat do zamestnania. Koľko dlhujete?"

Nadii sa trasú ruky. Ako sa jej podarilo tak dlho to tajiť? Smutne sa zasmeje. „Tridsaťtisíc libier," odvetí. „Preto som to už nevydržala. Aká irónia, že je to presne toľko, koľko plánuješ utratiť na šperky."

Tej irónii rozumieme asi všetky, dokonca aj Chantal, a viete, aký majú Američania názor na iróniu. Toto rozhodne stavia moju dilemu týkajúcu sa Marcusa do iného svetla.

„Môžeš ich mať," zahlási Chantal. „Môžeš mať tie peniaze."

Všetky hlavy sa otočia k Chantal.

„Je to jediné praktické riešenie," utrúsi a prebehne pohľadom po našich prekvapených tvárach. Verte mi, Chantal je veľmi praktická žena.

Nadia sa nezmôže na slovo.

„Mám však podmienky," pokračuje. „Choď domov a zruš pripojenie na internet. Ešte dnes."

„To sa Tobymu nebude páčiť," namietne Nadia.

„Povedz mu, že tebe sa nepáči jeho hranie," nedá sa Chantal. „Nadia, nebude to ľahké. Budeš mu musieť povedať, že ho síce miluješ, ale budeš neoblomná, až kým si neprizná, že potrebuje pomoc."

„Čo ak pôjde na internet inde?"

„To je možné, ale aspoň mu to sťažíš."

„Smiešne je," povie Nadia, „že keď som si prezrela niektoré jeho obľúbené stránky, na všetkých majú uvedené kontakty na linku dôvery pre patologických hráčov. Už to by mu malo niečo naznačiť." Smutne pokrúti hlavou. „Nemôžeme byť jediná rodina, ktorú ničí takáto závislosť."

Chantal sa skloní k svojej kabelke. „Vypíšem ti šek," vyhlási. „Plánovala som vyberať peniaze postupne, v menších sumách, aby si to Ted nevšimol, ale kašľať na to. Tvoj problém je väčší než môj." Chantal pyšne ukáže prsteň s očkom z obyčajného skla. „Zatiaľ si musím vystačiť s týmto."

Nadii sa znova chveje pera. „Neviem, čo povedať."

„Potom si musíš nájsť prácu," oznámi Chantal ďalšiu podmienku. „Nech si Toby hovorí, čo chce. Potrebuješ ju, aby sa ti vrátilo sebavedomie a aby si sa zabezpečila. O peniaze sa nebojím, môžeš mi ich vrátiť, keď budeš môcť. Som chápavá úžerníčka." Srdečne sa na Nadiu usmeje. „Uspokojím sa aj s nízkymi splátkami."

„Chantal, to nemôžem prijať," namietne Nadia. „Je to priveľká suma."

„Na to sú kamarátky," mávne rukou a pompézne podpíše šek. „Hneď ráno choď s týmto do banky." Posunie jej šek po stole. „Trvám na tom."

„Keď si nájdeš prácu, môžem ti strážiť Lewisa," ponúkne sa Autumn. „Mám pružný pracovný čas. Nemala by si také výdavky na škôlku a navyše by bol s niekým, koho poznáš."

Nadia sa už neovládne a znova sa rozvzlyká. „Vôbec si vás nezaslúžim."

Všetkým nám zvlhnú oči „A čo môžem urobiť ja?" spýtam sa. „Nemôžem sa starať o deti. Nemám ani peniaze navyše. Pripadám si zbytočná." Tiež som v mínuse, i keď nie až tak ako Nadia. V porovnaní s jej vysokým dlhom je môj prečerpaný účet slabý odvar. „Ako môžem pomôcť?"

„Si milá, Lucy," povie Autumn. „Vďaka tebe sme tu."

Objímeme sa.

„Môžeš nám priniesť ďalšiu čokoládu," navrhne Chantal.

„Tomu hovorím dobrý nápad," nadchnem sa.

25. kapitola

Správa o mojom spôsobe splavovania divokej rieky a odhalenom zadku sa po Targe očividne šíri ako lesný požiar. Nie je ešte ani desať hodín a vždy, keď s nevinným výrazom prejdem okolo stola, hocijakého stola, sprevádza ma chechtanie. Napoludnie už nedokážem kráčať vzpriamene. A stihla som už spratať všetky pohotovostné zásoby čokolády. Zamierim k automatu na kávu a tam sa pri mne pristaví Helen z personálneho oddelenia.

„Lucy!" zaškrieka falošným, prehnane priateľským tónom, ktorý často používajú megery z ich oddelenia. Schvaľujú mi pracovné výkazy, ktoré každý mesiac posielajú do agentúry, preto majú nado mnou moc a ja sa musím tváriť, že ich mám rada. Roztiahnem pery do úškľabku, ktorý by v niektorých častiach sveta azda nazvali úsmevom. „Bože!" pokračuje. „Počula som, čo sa ti stalo počas splavu! Hrozné!"

O tom nepochybujem.

„A Aiden Holby ťa zachránil!"

Presne tak.

„Naozaj ťa ťahal z vody? Fakt sa ti kompletne roztrhla kombinéza? Ozaj ťa chytil za zadok?"

Áno. Tak nejako. Nie, iba ho videl.

„Je taký sexi!" trkoce Helen, vôbec neregistruje, že ma ešte nepustila k slovu. Vzdychnem a stískam tlačidlá na automate na kávu a čaj, ktorý pripomína skôr prístrojovú dosku vesmírnej lode zo Star Treku. Objavia sa prvé kvapky a do plastového pohára neochotne steká hnedá tekutina. „Aj ja by som sa s ním bez váhania vyspala. No radšej si dávaj pozor," zasmeje sa. „Chodí s Donnou z oddelenia spracovania dát. Vyskočila by z kože, keby sa o tom dozvedela."

Chodí s Donnou z oddelenia spracovania dát? Zatajím dych. „Ideál" sa stretáva s inou ženou? Prepána, ako by sa len mohla dozvedieť o tej malej nehode, veď je to tak dobre strážené tajomstvo. Nevrhla som sa predsa do rozbúrenej rieky preto, aby si pán Aiden Holby mohol dokázať, aký je mačo. No keby Donna z oddelenia spracovania dát vedela, že po mne v taxíku vyštartoval, znepokojovala by sa právom. Ten sviniar! Zahráva sa s mojimi citmi, a pritom chodí s inou!

Helen stíska tlačidlá na automate, a tak využijem príležitosť a zdúchnem.

Sedím za stolom, popíjam brečku, ktorú som si namiešala v automate, a od zlosti hltám chrumkavú tyčinku Toffee Crisp. Príde ku mne „ideál" a posadí sa na okraj stola. Vlasy má strapaté presne tak, ako sa mi to páči. Vyzerá, akoby len pred chvíľou vstal z postele. Dnes sa mi však nepáči.

„Už ti vybledli modriny, kráska?"

„Prepáč, ale nemám čas," odbijem ho rázne a s vervou sa prehrabávam vo veciach na stole, akože mám plné ruky práce. „A s kráskou na mňa nechoď."

„Ajajaj," vzdychne. „Vstávala si z postele ľavou nohou? Alebo žeby hormóny?"

„Choď do riti!"

„Ak sa žena takto láduje čokoládou, značí to, že sa blíži menštruácia."

„Aha, a ty si na to odborník, však?" Prestanem sa „ládovať" čokoládou. „Si vedľa ako jedľa."

„Ak to teda nie sú rozbúrené hormóny, tak čo ťa tak naštvalo?"

„Vôbec nie som naštvaná."

„Na toto som trochu odborník," odporuje „ideál". „A ty si očividne naštvaná. Vlastne som takúto nevrlú tvár ešte nevidel."

Mlčím, no pokúšam sa zmeniť výraz na neutrálny.

„Súvisí to nejako s úvodom do splavovania divokej rieky?" zisťuje.

Stále mlčím a zúrivo ťukám do klávesnice.

„Viem, že dnes sa tu všetci na tom bavia, ale podľa mňa ti to šlo veľmi dobre. Máš dva body z desiatich za zručnosť," vyriekne vážne. „A desať z desiatich za umelecké stvárnenie."

„Strať sa," odvrknem som.

„Až keď mi prezradíš, čo ti sadlo na nos."

Prestanem ťukať a opriem sa o stôl. „Prečo si mi nepovedal, že s niekým chodíš?"

„Ideál" sa tvári zmätene.

„Keď si ma pobozkal v taxíku," ozrejmím. „Netušila som, že máš vzťah."

„A záležalo by na tom?"

„Áno. Nedovolila by som ti to."

„Ty si mi nič nedovolila," namietne. „Iba si sedela a tvárila sa ohromene. Príťažlivo ohromene."

Na to som nemala čo povedať, pretože to opísal pomerne presne.

„A v skutočnosti s nikým nechodím."

Ha! Dostala som ho. Prekrížila som si ruky cez prsia. „A čo Donna z oddelenia spracovania dát?"

„Aha, Donna." Pošúcha sa po brade. „Asi pred tromi týždňami sme boli na rande. Čistá katastrofa. No nespadla do vody ani nepredviedla všetkým zadok, takže možno zas až taká veľká nebola. Povedali sme si, že si to musíme zopakovať. To sa už pravdepodobne nestane."

„Aha." Neviem, čo povedať. Helen očividne nemá presné informácie. Človek by si myslel, že megery z personálneho majú vo všetkom prehľad.

„Takže o to ide? Chceš ísť so mnou na rande?"

„Nechcem," zaprskám.

„Môžeme, ak chceš."

„Už som ti povedala, že sa stretávam s niekým iným."

„Jaj, áno," poznamená „ideál". „Asi som zmeškal vlak, čo? Alebo čln?" hurónsky sa zasmeje na vlastnom vtipe.

„Choď preč," odháňam ho. „Otravuj iné pätolizačky."

Zvrtne sa na odchod, stále sa chechce. „Mimochodom, kráska. Práve si napísala *bohjj klmn daf daf ble*. Nemám ti dať skutočnú prácu?"

Líca mám v plameňoch. Neznášam ho. A na dôkaz toho sa pohrabem v kabelke a vylovím z nej elegantnú vizitku Jacoba Lawsona. Naťukám do mobilu jeho číslo. „Dobrý deň, Jacob," ozvem sa, len čo zdvihne. „Tu Lucy Lombardová. Volali ste mi. Rada sa s vami zajtra stretnem, ak to ešte platí."

26. kapitola

Ísť na rande do hotela *Savoy* je oveľa lepšie, než potiť sa na hodine jogy. Poobede som sa pľasla po vrecku a na túto príležitosť som si kúpila priliehavé čierne šaty s ramienkami, nádherne kopírujúce postavu. Sotva som si ich mohla dovoliť. Obula som si sexi čierne lodičky s vysokým podpätkom a okolo pliec som si prehodila bolerko z umelej kožušiny. Keď sa dokníšem na recepciu hotela, kde sa mám stretnúť s Jacobom, dokonca aj ja som presvedčená, že vyzerám skvele. Celá Scarlet Johanssonová, aj bez nafúknutých pier.

Jacob na mňa už čaká, hoci som aspoň raz prišla načas. Mám veľa dobrých vlastností, no dochvíľnosť medzi ne nepatrí.

„Dobrý deň." Jacob ma letmo pobozká na líce a podá mi červenú ružu. Je to také romantické gesto, že skoro upadnem do mdlôb. Niečo podobné pre mňa ešte nikto neurobil. A Marcus už vôbec nie. „Vyzeráte nádherne," pochváli ma.

„Ďakujem," prijmem pochvalu a vzápätí mu navrhnem tykanie. Ani on nie je na zahodenie. Má na sebe čierny oblek s čiernou košeľou, rozhalenou pri krku. Vidieť, že posilňuje, a je opálený, čo nie je pre naše podnebie typické. Hoci je blondiak, vyzerá ako taliansky gigolo – ale v dobrom zmysle slova.

„Stôl máme pripravený." Chytí ma za ruku a vedie do foyeru s výhľadom na bridlicovosivú Temžu. Uvedú nás k stolu pri klavíri. Klavirista behá prstami po klávesoch, tlmene hrá romantickú baladu. *Some Enchanted Evening,* ak sa nemýlim. Vo vedierku s ľadom sa chladí fľaša ružového šampanského. Pre naše potešenie leží na etažéri výber maličkých koláčikov, čokoládových bonbónov a praliniek.

„Dobrý večer, pán Lawson," pozdraví ho čašník. „Rád vás opäť vidím."

Jacob sa mierne začervená, vyzerá vskutku rozkošne. Chodieva sem pravidelne? Zvláštne. Nepovedala by som naňho, že navštevuje hotel *Savoy*. Hodil by sa skôr do reštaurácie *Fifteen* Jamieho Olivera alebo *Oscars* – tam, kde človek narazí aj na menej známe celebrity. Obzerám sa po honosnej sále: nádherné krištáľové lustre, na stenách vitrážové zrkadlá s kvetmi. Autumn by sa tu páčilo. Uprostred sály sa vynímajú orchidey. Ladné tóny klavíra vytvárajú príjemné pozadie. Obklopuje nás tlmený šum vravy – nikto sa nahlas nerehoce ani tu nedunia basy. Je to podnik na úrovni. A Jacob sem chodieva pravidelne. Hm. Zatiaľ je ten muž pre mňa veľkou neznámou.

Čašník nám opisuje jednotlivé cukrovinky. Je medzi nimi torta s penou z bielej čokolády s chuťou čerstvej mäty a malinovým pyré, pralinky z mojej obľúbenej čokolády z madagaskarských kakaových bôbov usušených na slnku na strome v Iráne s jazmínovým čajom, marakujou a limetkami. Dostávam sa do extázy už pri tom opise. Naleje nám šampanské. Jacob mi podá pohár a štrngneme si. „Na nás," povie.

„Na nás," zopakujem zasnene.

Takéto stolovanie sa mi páči – načo sa zdržiavať predjedlom a hlavným chodom, poďho rovno na dezert! Pustíme sa do čokolády a, musím sa priznať, ocitnem sa v raji. Čokoláda, šampanské a príťažlivý muž – čo viac si želať? A presne v tomto poradí. Na toto by som si vážne rýchlo zvykla.

Jacob načne čokoládovú tortu a uznanlivo zahmká. „Toto je najhoršia z mojich nerestí," podotkne. „Pre toto sa budem musieť potiť v posilňovni."

„Vravel si, že pracuješ v zábavnom priemysle, však?"

„Na, ochutnaj toto." Podá mi kúsok torty. „Nie je božská?"

„Kde presne pracuješ?"

„Nuž," odvetí Jacob, „mám veľmi nudnú prácu. Pochybujem, že ťa to bude zaujímať."

„Ale kdeže. Zaujíma ma to."

„Mám na starosti služby."

„Vzťahy so zákazníkmi?"

„Niečo podobné," prikývne. „No rozprávajme sa radšej o tebe."
Lenže problém je, že aj moja práca je doslova ideál nudy. Povedala som ideál? Nie, nie. Dnes nebudem myslieť na „ideála" ani na Marcusa, ani na nijakého iného chlapa okrem príjemného muža, ktorý sedí oproti mne. Ktovie, čo by si pomysleli, keby ma teraz videli. Neverili by vlastným očiam. Dokonca aj ja by som sa mala podchvíľou uštipnúť, aby som sa ubezpečila, že nesnívam. Už dávno som nezažila taký romantický večer.

„Ďakujem, Jacob," odvetím úprimne. „Bol to skvelý nápad."

„Niet za čo," odpovie. „Keď som ťa zbadal v Čokoládovom nebi, hneď mi napadlo, že trpíš rovnakou závislosťou ako ja."

To je pravda.

„A skús toto," povie a podá mi ďalší kúsok torty, pričom sa ma dotkne prstami. „Nadpozemské," vyhlási a teatrálne si pobozká končeky prstov.

Zasmejem sa na jeho vtipe a zahryznem do lahodného čokoládového krému a tenučkej vrstvy cesta. „Je to dobré?" spýta sa môj atraktívny spoločník.

„A ešte ako!" Naozaj je to nadpozemský zážitok. Clive by zažil orgazmus, keby ochutnal niektoré z týchto výtvorov. Vzápätí sa Jacob ku mne nakloní a posieva mi pery zmyselnými nežnými bozkami. Musím sa priznať, že aj mne chýba k vrcholu už len kúsok.

27. kapitola

Presne podľa Chantaliných inštrukcií zašla Nadia v pondelok ráno do banky dať si vyplatiť šek. Otvorila si samostatný účet, iba na svoje meno, a previedla naň peniaze. Toby nebude nadšený, keď mu to oznámi. Odhlásila aj internet a dnes ho deaktivujú. Podľa Chantal by bolo najlepšie vyrukovať s tým naraz, no ona uprednostňovala mierny prístup, hoci v posledných rokoch bola mierna až-až. Postará sa o to, aby Toby s hraním prestal, no pokúsi sa to urobiť tak, aby to bolelo čo najmenej.

Nadii by ani vo sne nenapadlo, že dievčatá ju takto podržia. Stretnutia, ktoré jej spočiatku prinášali najmä možnosť odreagovať sa a deliť o svoju vášeň k čokoláde, sa zmenili na záchranné lano. Už si nevedela predstaviť, čo by si bez nich počala. Pôžička od Chantal ju zachránila v dvanástej hodine. Veľmi sa jej uľavilo. Znelo to ako klišé, ale mala pocit, akoby jej spadlo bremeno z pliec. Jej očarujúca kamarátka, ktorá navonok pôsobila rezervovane, mala v skutočnosti srdce zo zlata. Nadia sa hanbila, že peniaze jej požičala bez najmenšieho zaváhania. Vďaka nej však mohla vyplatiť všetky dlhy a začať od začiatku. Už bude mať financie pevne v rukách. Zruší všetky kreditky a platiť budú len v hotovosti. Iba tak sa vyhrabú z tejto hroznej situácie. Zostáva jediné – povedať to Tobymu.

Popoludní si prezerala pracovné inzeráty v novinách a našla medzi nimi dosť pozícií, o ktoré by sa mohla uchádzať. Toby síce vyletí z kože, no nemajú na výber. Chantal však mala sčasti pravdu, ešte nebola nastavená na prácu. Ani nie tak psychicky, ako skôr emocionálne. Nepracovala už tri roky a sebavedomie jej kleslo na bod mrazu. Ak s tým hneď teraz niečo neurobí, neskôr už nenazbiera odvahu. Jediní dospelí, s ktorými sa v poslednom čase rozprávala, boli dievčatá a občas Toby. Odkedy ostala doma s dieťaťom, jej spoločenský okruh sa žalostne scvrkol.

Zopár tisíc zo Chantaliných peňazí plánovala odložiť na starostlivosť o Lewisa počas prvého mesiaca. Bolo by skvelé, keby jej Autumn naozaj vedela pomôcť so strážením, i keď momentálne z nej nesršalo také nadšenie ako zvyčajne. Nadia dúfala, že ju azda netrápi nejaký problém, na ktorý je sama, tak ako ona. Niet pravdivejšieho výroku než „spoločný žiaľ, polovičný žiaľ". Len čo vyrieši ten svoj, nájde si čas a pomôže Autumn s čímkoľvek, čo ju sužuje.

Toby sa mal čoskoro vrátiť z práce. Lewisa už okúpala a prezliekla do pyžama, aby ho mohol dať ocko hneď spať, a ona zatiaľ nachystá večeru. Možno je zlá matka, no podplatila ho kopou tenkých čokoládových tyčiniek, aby bol ochotný ísť skôr do postele. Do radu pri pokladnici v supermarkete sa postavila s príjemným pocitom, že čochvíľa jej prídu na účet peniaze.

Na večeru uvarila jedno z Tobyho obľúbených indických jedál. Kúpila kura, čerstvé bylinky a koreniny. Chcela, aby mal dobrú náladu, než mu oznámi, že dni jeho hráčskej vášne sú zrátané.

Prešiel cez dvere a vrúcne ju pobozkal. Občas sa v ňom prejavovali záblesky niekdajšieho Tobyho, do ktorého sa zamilovala. Niekde v ňom stále bol a ona dúfala, že ho nájde skôr, než bude neskoro. Spoznali sa, keď Toby prerábal jej kamarátke kúpeľňu. Nebol to veľmi romantický začiatok, to však neznamenalo, že sa budú mať menej radi. Jej rodina s ním ostro nesúhlasila, no ona si ho nedala vyhovoriť. A nemienila sa ho vzdať ani teraz. Azda aj on cíti k nej to isté.

Toby vzal Lewisa do náručia. „Kto je ockov najlepší chlapček?"

„Ja," vyhlásil Lewis hrdo. „Dnes som nakreslil anjelika s modrým srdcom."

„Pre mňa?"

Lewis odbehol, aby ukázal Tobymu svoje dielo. Nadii ho strčil pod nos už skôr, keď prišla poňho do škôlky. Povedal jej, že je to koník. Obrázok však nevyzeral ani ako anjel, ani ako kôň. Hádam bude mať Lewis talent na niečo iné, keďže nebeské bytosti a kone sa mu stvárňovať veľmi nedarí.

„Nechceš Lewisovi prečítať pred spaním rozprávku?" navrhla Tobymu.

„Ánoooo!" skríkol Lewis.

„A mám na výber?" zasmial sa Toby.

Potešilo ju, že dnes má manžel povznesenú náladu. „Ja dokončím večeru," povedala. „Nebuď dlho."

„Dáme si preteky do postele, Tigrík, čo ty na to?" vyzval Toby syna. „Posledný je padavka!"

Vyrútili sa po schodoch a Lewis pritom kričal: „Padavka! Padavka! Padavka!"

Mala by Tobyho upozorniť, že večer pred spaním sa už treba stíšiť. Usmiala sa. Toby bol v mnohých ohľadoch skvelý otec. Možno keby častejšie chodili spolu von ako rodina, ľahšie by sa vzdal online hier, ktoré ho načisto opantali.

~~

Po večeri spratala Nadia zo stola taniere a s Tobym popíjali kávu.

„Lewis sa vždy teší, keď prídeš domov skôr a máš čas uložiť ho do postele," povedala Tobymu.

„Je to skvelý chlapček," odvetil Toby. „Aj keď, samozrejme, nemôžem byť objektívny."

„To je," súhlasila Nadia. „Bola by som rada, keby sme spoločne pracovali na tom, aby sme mu zabezpečili dobrú budúcnosť."

Tobymu potemnela tvár. „Ak narážaš na moje hranie…"

„Presne tak, Toby. Vzdala som sa mnohých vecí, aby som bola s tebou." Medzi prvými to bola láska a náklonnosť jej rodiny. A hneď po nich skvelá práca. Niekedy sa jej dokonca zdalo, že sa vzdala aj zdravého rozumu. „Nebudem sa prizerať, ako rozhadzuješ náš majetok. Mám plán, ako sa zbavíme dlhov. Vzala som si pôžičku." Manžel nemusel vedieť, že jej ju poskytla kamarátka Chantal. „Všetko splatíme a začneme odznova."

Toby chcel protestovať, no nedovolila mu to. „Postupne vyplácam dlhy. Zohnala som niekoho, kto nám postráži Lewisa, kým budem v práci. Autumn nám pomôže." Manžel na ňu hľadel s otvorenými ústami a so zdesením na tvári. „Toby, chcem, aby si mi pomohol. Nič z tohto nemá zmysel, ak ďalej mieniš vyhadzovať peniaze na blackjack a ruletu a ktovie čo ešte."

Stále mlčal. Zhlboka sa nadýchla. „Zrušila som internet, takže doma sa naň nepripojíš."

Toby rýchlo zažmurkal.

„A zruším všetky kreditky, aby sme sa zasa nezadlžili. Ak chceš, aby sme s Lewisom s tebou ostali, budeš musieť súhlasiť, že vyhľadáš pomoc. Je dosť organizácií, ktoré ti budú vedieť pomôcť. A ja ti chcem tiež pomôcť."

Keď zo seba dostala všetko, čo ju ťažilo, pozrela sa na manžela. Potichu plakal. Prešla k nemu a objala ho.

„Mrzí ma to," vzlykal Toby. „Veľmi ma to mrzí."

„Zvládneme to," chlácholila ho mäkko. „Spolu to zvládneme."

28. kapitola

Chantal sedela doma v útulnej pracovni a surfovala po internete. Ted sa ešte nevrátil z práce, zato ona mala voľno už niekoľko hodín. Na večeru plánovala grilovaného lososa so špargľou a šalátom, čo spraví raz-dva. V chladničke sa chladila fľaša lahodného Sauvignonu Blanc.

Cestou domov sa zastavila v Čokoládovom nebi a kúpila čokoládovú tortu, ktorú si dajú ako dezert. Vyzula si topánky, popíjala darjeeling a bezmyšlienkovito chrumkala krekery, aby vydržala do večere. Ak sa bude správať ako príkladná manželka, Ted sa možno nebude priveľmi zaujímať o ich účet a nevšimne si, koľko z neho ubudlo. Striasla sa tej myšlienky. Nemohla utratiť tie peniaze na šperky, hoci boli pre ňu dôležité, keď si Nadia tak zúfala. Kamarátka očividne prežívala ťažké obdobie. Chantal dúfala, že ten šek pomôže Nadii vyrovnať dlhy, vyriešiť manželovu závislosť a ich rodina sa z toho spamätá. Uvedomovala si, že ak sa to Nadii nepodarí, s peniazmi sa môže rozlúčiť. No ak jej naozaj pomôžu vyhrabať sa zo šlamastiky, stálo to za to riziko.

Civela na obrazovku počítača a odrazu pochopila, že nielen Nadiin manžel Toby podľahol vážnej závislosti. Už prešiel týždeň od fiaska so zlodejom v hoteli. Človek by si myslel, že sa poučí z následkov, ale kdeže, surfovala po internete a prezerala si svalnaté mužské telá. Jednoducho si nedokázala pomôcť, cez deň myslela na sex každú minútu, v noci o ňom neprestajne snívala. Napríklad minulú noc ju celú polieval čokoládou Daniel Craig – a to sa jej Craig vlastne ani nepáči. Predminulú noc ju zas obšťastňoval Russell Crowe. Raz sa z toho isto zblázni. Potreba fyzického uvoľnenia akoby sa zväčšovala priamoúmerne s narastajúcim nedostatkom sexu v jej živote. Ako to vydržia mníšky? A ako ľudia, ktorí žijú sami? Alebo ich sexuálna túžba časom ochabuje a vystačia si so šálkou chutnej horúcej čokolády pred spaním? Čím menej Ted po nej túžil, tým viac ho potrebovala. A ak ho nemôže mať, potom, dočerta, potrebuje pohľadať sexuálnu rozkoš niekde inde.

Samozrejme, kamarátky majú pravdu. Je nebezpečné baliť neznámych mužov v bare. Doslova šialené. Sľúbila im aj sebe, že s tým prestane. Naozaj. A možno už má aj nápad, ktorý jej pomôže vyriešiť problém.

Napísala do vyhľadávača slovo „prostitúti", no nabehli iba linky na vedecké práce zaoberajúce sa dejinami mužskej prostitúcie a súvisiace témy – nie erotické stránky, po ktorých tak prahla. Pri slove „gigolo" sa zas objavilo milión odkazov na ten hrozný film *Deuce Bigalow: Európsky gigolo* a rôzne produkty na batérie v nenápadných hnedých škatuliach. Zdá sa, že profesia gigola je na ústupe.

Chantal sa nevzdávala. Po čase jej zišlo na um, že moderného žrebca dnes nájde pod označením „mužský eskort". Zadaním slov „hetero mužský eskort" vylúčila množstvo stránok určených gejom, na ktorých sa predvádzali svalnatí muži so zasneným pohľadom prístupní rozkoši – samozrejme, pre chlapov. Hoci musela uznať, že pri pohľade na niektorých fešákov jej naozaj tiekli slinky. Narazila na stránku, ktorá vyzerala, že je určená výhradne ženám. Názov mačovia nebol práve invenčný a na baneri sa vynímal nahý muž s hadom ovinutým okolo pliec, pred rozkrokom si držal jablko. Bolo to ozaj lacné lákadlo, no inak stránka vyzerala profesionálne. Stálo na nej, že ponúka prvotriedne služby pre podnikateľky, no Chantal o tom pochybovala. Veď uvážte, ženy, ktoré dokážu zaplatiť dvesto libier na hodinu plus náklady na ubytovanie v hoteli, musia mať k dispozícii obrovské sumy.

Chantal sa hrala s klávesnicou. Zaregistruje sa? Je bezpečnejšie najať si na zopár hodín muža z agentúry, než zbaliť ho v bare? Určite by sa nedostala do takej situácie ako nedávno – tento by ju azda neokradol, však? Ktovie, koľko žien využíva takéto služby. Karieristky, ktoré nemajú čas založiť si rodinu, porodiť deti, nájsť si partnera? Muži odjakživa berú rozkoš so ženami ako obchodnú dohodu a neváhajú za ňu platiť. Prečo by sa nemohla karta obrátiť a nemohli najstaršie remeslo využiť aj ženy?

Čisto logicky, toto je najrozumnejšia možnosť. Nie nejaká náhodná známosť s rizikami, ktoré sa s ňou nevyhnutne spájajú. Bude to obchod. Nemôže ju odmietnuť, nemôže utiecť s jej kabelkou. Agentúra si ho predsa už preklepla. Jej spoločník bude čistý, príjemný, a čo je dôležitejšie, bude vedieť, o čo ide. Chantal už dlho oddeľovala emócie od sexu, čo sa kedysi takisto vnímalo ako čisto mužská záležitosť. Lenže platiť za sex? Naozaj by to dokázala? V hlbokom zamyslení si prešla pestovaným nechtom po pere. Koľko žien sedí doma a robí presne to isté? Podnikateľka v nej by rada vedela, koľko objednávok dostávajú takéto stránky každý mesiac. Je to prekvitajúci biznis alebo väčšina žien napokon cúvne? A čo ona? Aký má z toho pocit?

Chantal sa usilovala rozmýšľať o tom triezvo, no neubránila sa príjemnému chveniu v žalúdku. Rozhodla sa. Raz to vyskúša, a ak to nevypáli tak, ako dúfa, bude to aj posledný raz. To by sa dalo. Malo by to byť jednoduché.

V sekcii s romantickým názvom *Nekupuj mačku vo vreci* si prezrela mužov v provokatívnych pózach na farebných fotografiách. Pri niektorých prezývkach – Cukrík, Sexi Johnny, Žrebec, Herkules – v duchu zastonala. Dôkladne si ich všetkých prezrela. Pristavila sa pri mužovi s jednoduchou prezývkou Jazz. Špinavé blond vlasy, výrazné tehličky na bruchu, rozhodne nie mladučký chlapec. Mohol mať krátko po tridsiatke, pôsobil zrelšie než väčšina v ponuke, i keď niektorí určite klamali nielen o veku, ale aj o iných svojich prednostiach. S Jazzom by to mohla byť zábava. Vzrušovalo ju to, šípila hriešne dobrodružstvo. Nie je presne toto ten pocit, ktorým vábia Nadiinho manžela online hry?

Než si to mohla rozmyslieť, klikla na tlačidlo vedľa Jazzovho mena. Objavil sa kontaktný formulár s detailmi o ňom. Čo má napísať? Niečo o sebe? Chantal pokrčila plecami a napísala: *Rada by som sa s Vami stretla, len čo to bude možné.* Nič zložité. Má sa aj podpísať? Samozrejme. Aj tak by ju prezradila jej e-mailová adresa.

Dopísala *Chantal* a odoslala mail. A môže čakať na Jazzovu odpoveď. Usmiala sa a vypla počítač. Bude to jej tajomstvo. Dievčatám o tom nemôže povedať – zabili by ju.

29. kapitola

Autumn mala za sebou ťažký deň. Počas výučby sa pubertiaci s mdlými očami hašterili väčšmi než zvyčajne. Jedno dievča sa pokúsilo porezať iné dievča čriepkom farebného skla pre nejaký domnelý prečin a Autumn len s vypätím síl ukončila bitku, ktorá nasledovala. Sama pritom utŕžila zopár hlbokých škrabancov. Po takýchto incidentoch vždy musí vyplňať kopu formulárov. Niekedy sa čudovala, prečo to vlastne robí. Z jej precíznej výslovnosti sa decká vysmievali – niekedy dobrosrdečne, inokedy nie. Keby jej na tejto práci tak nezáležalo, hneď zajtra by dala výpoveď a odišla by učiť dobre vychované mladé dámy v súkromnej škole pre horných desaťtisíc. No aký by to malo zmysel? V resocializačnom centre mala aspoň pocit, že sa jej občas podarí vniesť trochu svetla do bezútešného života jej klientov – aj keď len na pár hodín.

Autumn po ďalšom vyčerpávajúcom dni túžila iba po jedinom – ísť domov, vyložiť si nohy, otvoriť škatuľku čokoládových bonbónov, ktoré si kúpila v Čokoládovom nebi na prekonanie práve takýchto chvíľ, a počúvať hudbu new age, upokojujúce tóny, ktoré odplavia všetky starosti. Hoci bývala v luxusnej mestskej štvrti, byt nemala zariadený moderne. Obľubovala domácky štýl a väčšina jej nábytku pochádzala z domov jej rodičov. To jej však neprekážalo. Boli to buď starožitnosti, alebo v nej vyvolávali spomienky na detstvo.

117

Nehodili sa síce k rozmanitým etnickým suvenírom, ktoré si podonášala zo svojich ciest po svete, ale ladili s jej štýlom.

Bola na odchode, keď do miestnosti vošiel Addison Deacon. Mal na sebe čierne tričko, na širokom pleci prevesenú bundu. Posadil sa na stoličku za ňou. „Počul som, že si mala náročný deň," povedal.

„Nepatril k najlepším."

„Neber to osobne," poradil jej. „Niektoré dni sú jednoducho také. Človek má pocit, že sa proti nemu spriahol celý vesmír."

„Veru," súhlasila Autumn vážne. Mala slzy na krajíčku. Stiahlo jej hrdlo a jej zvyčajný optimizmus sa topil vo vlnách nesmiernej únavy.

„Vyzeráš vyčerpane," podotkol.

„Som unavená na smrť," priznala.

„Priveľmi unavená na večeru?" opýtal sa. „Nemusí to byť nič nóbl. Môžeme skočiť na pizzu a obstojné Chianti do tej malej talianskej reštaurácie na konci ulice."

Autumn sa usmiala. „To znie dobre."

„Takže máme rande." Addison vstal. „Môžeme ísť?"

„No… ehm… musím ešte zavolať bratovi," zaváhala. „Richard býva teraz u mňa. Bude sa obávať, ak neprídem domov." Nevedela sa prinútiť povedať mu, že v skutočnosti sa ona bojí pridlho nechať Richarda samého doma. Trápilo ju, že nevie, čo stváral celý deň – a polovicu noci. „Neprekáža ti to?"

„Deje sa niečo?"

Nedokázala by mu to vysvetliť bez toho, aby sa nerozplakala. Možno sa mu zdôverí, ak sa posilní zopár pohármi toho obstojného Chianti. Vyzeral ako spoľahlivý muž, ktorému možno veriť. Na rozdiel od jej milovaného brata. „Nič sa nedeje," zamietla. „Len mu rýchlo brnknem."

Richard nedvíhal. Zvláštne. Brat sa takmer vždy ohlásil. Autumn skúsila zavolať na pevnú linku, aj tá zvonila, až kým sa neprepla na záznamník. „Richard," vzdychla. „Ak si tam, zdvihni, prosím." Nehlásil sa.

Autumn si hrýzla peru. „Asi by som mala ísť domov," povedala Addisonovi. „Prepáč."

„Určite?" Aj on sa tváril ustarostene. „Stalo sa voľačo? Nemal by som ísť s tebou?"

Bola to lákavá predstava, no čím menej ľudí bude vedieť o Richardových problémoch, tým lepšie. Pokrútila hlavou. „Môžeme zájsť na večeru inokedy?"

„Pravdaže." Addison vstal a natiahol sa. „Autumn, keby si mala nejaký problém, povedala by si mi to, však?"

„Samozrejme," odvetila. „Samozrejme, že by som povedala." Nedokázala sa mu však pozrieť do očí. „Už musím ísť."

„Aj ja." Zamával jej. „Zatiaľ sa maj."

„Addison," oslovila ho, keď bol už pri dverách. „Spýtaj sa ma na to aj druhý raz."

Roztiahol pery do typického širokého úsmevu. „Dobre," povedal. A dodal: „Môžeš ma zas odmietnuť."

Zasmiala sa. „Radšej nie."

⁓

Dvere do bytu boli odchýlené. Zježili sa jej chlpy na krku. Potlačila vlnu podráždenia. Odkedy sa k nej Richard nasťahoval, stalo sa to pravidlom – za bratom chodila rôznorodá zmes neznámych mužov so zákerným výrazom. Klopali na dvere celú noc. Ešte aj v skorých ranných hodinách ju v spánku rušilo jemné vyklopávanie na vchodové dvere. Po takýchto rušných nociach bola čoraz unavenejšia. Energiu jej nedodali ani zvýšené dávky čokolády. Bude musieť Richardovi dohovoriť, aby s tým prestal, ak chce u nej ďalej bývať. Už to nezvládala. Nemohla mu veriť a teraz jeho vinou musela odmietnuť ponuku na príjemnú večeru s milým mužom. Po dlhom čase ju niekto pozval von, a ona namiesto toho utekala domov skontrolovať brata. Takto to ďalej nejde. Autumn by zaujímalo, čo sa vlastne v Richardovom živote deje a či naozaj podniká kroky, aby svoje problémy vyriešil, alebo sa jednoducho na všetko vykašľal. Čím väčšie starosti si oňho robila, tým menej to vyzeralo, že by ho jeho situácia trápila.

Stolová lampa v obývačke ležala na zemi. Zdvihla ju. Znova sa jej zježili chlpy na šiji. Niečo tu nesedelo.

Čokoládové bonbóny na konferenčnom stolíku akoby sa jej vysmievali; škatuľka kávovej farby previazaná hodvábnou hnedou mašľou sa sem nehodila. Toto bola jej svätyňa, no už jej nepripadala ako domov. Brat a jeho ustavičné návštevy ju znesvätili. Alebo to preháňa? Nemá ten pocit len preto, lebo pridlho žila sama a nevie sa vyrovnať s prítomnosťou inej ľudskej bytosti? Lenže bolo to tak, pri Richardovi sa nedokázala uvoľniť. Pri niekom inom by to možno zvládla. Spomenula si na Addisona. Možno sa mu predsa len mala zdôveriť.

V kuchyni ju privítala kopa špinavého riadu v dreze. Muselo v ňom byť hádam aj desať hrnčekov. Koľko ľudí dnes Richarda navštívilo? Očividne si na obed zohrial polievku. Vedľa sporáka stáli dve prázdne plechovky Heinz, na platni boli dve špinavé panvice a na stole dva taniere so zvyškami jedla. Zarmútil ju však najmä pohľad na poloprázdnu fľašu vodky a dva poháre. Kde trčí brat?

„Rich?" zvolala. „Richard!" Žiadna odpoveď.

Dvere do jeho spálne boli zavreté, a tak jej napadlo, či nespí. Vybrala sa k nim a opatrne načúvala, nijaké zvuky však nerozoznala. Opatrne otvorila dvere. Ako inak, Richard ležal na boku na posteli, vlasy mu padali do tváre a v spánku mu ruka visela z postele. Odstúpila. Vedľa neho uvidela dievča. Útle a iba v spodnej bielizni – ružových nohavičkách a bielej bavlnenej košieľke. Ležalo na chrbte, s rukou nad hlavou. Autumn si s úľavou vydýchla. Ešteže ich nepristihla pri niečom inom ako spánku. Potom si však všimla na dievčine niečo zvláštne. Aj v prítmí, ktoré vytvárali zatiahnuté závesy, vyzerala neprirodzene bledá. Autumn po špičkách vošla dnu, aby sa jej lepšie prizrela. Z úst jej vytekali vývratky. Autumn sa rozbúšilo srdce. Vôbec to nevyzeralo dobre. Jemne ňou potriasla, no ani sa nepohla. Potriasla silnejšie, no stále nič.

„Rich!" skríkla v panike. „Rich! Zobuď sa!"

Zafunel a pokúsil sa posadiť. Zahmlene sa díval na Autumn. Vyzeral ako opitý, no Autumn si domyslela, že do tohto stavu sa nedostal iba vďaka alkoholu.

„Dopekla, čo tu robíš?" oboril sa na ňu. Jazyk sa mu plietol. „Zmizni."

„Richard," zašepkala Autumn. „Tvojej kamoške je zle. Snažila som sa ju zobudiť, ale nereaguje."

„Nič jej nie je," odbil ju a znova ponoril hlavu do vankúša.

„Ale je!" vyštekla Autumn. „Richard, zobuď sa. Musíš mi pomôcť."

Neochotne sa nadvihol na lakte. „Nič jej nie je," zopakoval. „Urob jej kávu."

„Ako sa volá?" naliehala Autumn.

„Načo to chceš vedieť?" urazil sa.

„Povedz mi to." Šúchala dievča po ruke.

„Ehm…" S námahou sa rozpomínal. „Rosie," vyslovil neisto. „Volá sa Rosie, určite."

Zrejme sa nepoznali dlho. „Rosie," prihovorila sa jej Autumn a chytila ju za plecia. „No tak, zlatko." Oči mala vyvrátené a telo ako bez života. „Čo si šľahla?"

„Trochu chľastu, trochu koksu." Akoby mu tými otázkami liezla na nervy.

„Nevyzerá to s ňou dobre."

Richard vzdychol a prevrátil sa. Pozrel sa Rosie do tváre, vzápätí sa prudko posadil. „Doriti!"

Jeho reakcia potvrdila to, čoho sa bála. Rosie mala problém. „Rich, zavolám sanitku."

Schmatol ju za ruku a zadržal ju. „Nemôžeš," žobronil. „Nemôžeš ich sem priviesť. Keby ju záchranári uvideli takúto, hneď by vedeli, že som jej to dal ja."

„Potrebuje pomoc. Čo nevidíš?"

„Viem. Viem." Vyskočil z postele. Mal na sebe iba trenírky. Pustil Autumn a náhlivo si obliekal džínsy. „Odnesiem ju do auta a zavezieme ju na pohotovosť."

„V takomto stave nemôžeš šoférovať," napomenula ho Autumn. „Nemôžeme ju len tak niekde nechať."

„Ak s ňou ostaneme, budú sa nás vypytovať. Budú chcieť vedieť, kto jej dal drogy. Možno zavolajú aj políciu, Autumn. V tomto byte mám veci, ktoré by nemali vidieť."

„Potrebuje okamžitú lekársku pomoc. Ak ju nedostaneme do nemocnice, môže zomrieť."

„Boha, Autumn! Také veci mi nehovor."

„Snažím sa ti pomôcť, Rich."

„Tak ju tam zavez ty."

„Nešoférovala som desať rokov. Možno aj viac. Teraz s tým rozhodne začínať nebudem."

„Doriti!" zanadával Rich. „Keby ťa niekto videl, aj tak by auto vystopovali."

„Rich, čo presne ste tu robili?"

„Poďme taxíkom," navrhol, vyhol sa odpovedi na jej otázku. „Môžeme ju odviezť rovno pred dvere." Veľmi sa potil. Pretiahol si pokrčené tričko cez hlavu. „Ver mi, to bude najlepšie. Musíš ma chrániť."

„Oblečme ju," povedala Autumn. Šla do kúpeľne a vrátila sa s mokrým uterákom.

Rosie sa bezvládne opierala o vankúše. Bratovi sa nejako podarilo navliecť jej minisukňu. Práve jej zapínal blúzku. Autumn sa uľavilo, že sa jej vrátilo trochu farby do líc. Utrela jej tvár vlhkým uterákom a ona zaklipkala očami. „Dobré dievča, Rosie," prihovárala sa jej Autumn a chytila jej drobnú škriatkovskú tvár do dlaní. „Nezaspi. Vezmeme ťa do nemocnice."

Rosie čosi nezrozumiteľne zamrmlala. Richard sa nepokojne prechádzal hore-dolu. „Pomôž mi zísť s ňou po schodoch," naliehala Autumn.

„Radšej ju odnesiem." Odrazu vytriezvel a uvažoval logickejšie. Vzal Rosie do náručia. Autumn šla pred ním, on sa potácal za ňou.

„Počkaj tu, kým privolám taxík," prikázala mu Autumn. Keby stáli na chodníku so ženou, ktorá sa sotva udrží na nohách, väčšina taxikárov by ich obišla širokým oblúkom. O chvíľu k nej zamieril taxík a Autumn otvorila dvere. „Odveziete ma do Westminterskej nemocnice v Chelsea, prosím?" spýtala sa taxikára a potom zamávala Richardovi, ktorý sa zjavil s Rosie v náručí.

„Nevyzerá dobre," poznamenal taxikár.

„Ani jej nie je dobre," odvetila Autumn. „Priveľa pila." Vyčítavo sa pozrela na Richa. „Musíme sa tam dostať čo najrýchlejšie."

„Vy mladí niekedy nepoznáte mieru," neodpustil si taxikár poznámku a pokrútil hlavou. Dupol na plyn a o pár minút už stáli pred nemocnicou.

„Vezmi ju dnu, ja zatiaľ zaplatím," nariadila Richardovi.

Zdvihol Rosie a odniesol ju k dverám, kde ju postavil na zem. Podlomili sa jej nohy, len tak-tak sa na nich udržala. „Tu ti pomôžu," povedal jej. Držal ju za ruky a snažil sa zachytiť jej neurčitý pohľad. „Povedz im, čo si si dala, ale nehovor, kde si to zohnala, keby sa ťa na to pýtali." Postrčil ju k dverám. „Dobré dievča, Rosie."

Nakrátko zaostrila zrak a zachripela: „Som Daisy." Rich ju pustil. Zapotácala sa a na vratkých nohách vošla do nemocnice.

Autumn prišla za ním. „Hádam si ju tam nenechal ísť samu?" zdúpnela. „Musíme sa uistiť, že je v poriadku."

Chcela prejsť popri ňom na recepciu, no Richard ju zadržal. „Je v pohode," presviedčal ju napäto. „Dokáže chodiť a práve sa so mnou rozprávala. Možno sme ju sem ani nemuseli voziť. Stihli sme to včas."

„Ako vieš?"

Vyhol sa jej pohľadu.

„Preboha," vydýchla Autumn. „Už si to zažil."

„Tvrdila, že berie drogy pravidelne," bránil sa. „Asi to nebola celkom pravda. Možno si dala priveľa. Možno jej nesadol alkohol."

„A možno máš šťastie, že ti neumrela v posteli," odvrkla Autumn.

Richard zvesil hlavu.

„Rich, opováž sa dostať ma zasa do takejto situácie," oborila sa naňho. „Nemáš potuchy, ako zle sa cítim. Ak sa jej niečo stane, budem si to do smrti vyčítať." Nechcela ani pomyslieť, čo by sa s tým dievčaťom stalo, keby neposlúchla svoj inštinkt a išla s Addisonom na večeru. Kristepane, fakt nemôže nechať Richarda samého ani minútu, aby nevyviedol nejakú hlúposť?

„Neskôr jej zavolám," povedal nevrlo. „Aby som mal istotu, že jej nič nie je."

„Aký si súcitný, len čo je pravda." V tejto chvíli neverila, že sú príbuzní, každý vyznával úplne iné zásady. A v snahe ochrániť brata ona z tých svojich zľavila.

„Môžeme ísť domov?" opýtal sa Richard skormútene. „Privolám taxík."

Rozpršalo sa, deň ovládol chlad a sivota. Presne ako Autumninu náladu. „Ty pôjdeš peši," poznamenala. „Prospeje ti to." Túžila už byť doma a napchávať sa čokoládou, nech si brat o tom myslí, čo chce.

30. kapitola

Poskakujem v obývačke spolu s Davinou McCallovou. Očividne jej to ide lepšie, no mne nikto nezaplatil milióny libier za dévedéčko s cvikmi. Tejto činnosti sa oddávam iba s najväčším sebazaprením. Kilá čokolády, ktoré som do seba v poslednom čase nahádzala, sa mi už usádzajú na bokoch a nie je to pekný pohľad. Dnes ráno ma pás na sukni takmer uškrtil. Prečo sa mi ten tuk nikdy neusadí na prsiach? Tam by mi to absolútne neprekážalo. Prečo sú kalórie naprogramované tak, že zaútočia priamo na spodnú časť tela? Rast mojej hmotnosti v poslednom čase nespomalilo ani pravidelné vracanie. I keď si všímam, že odkedy nie som s Marcusom, moja potreba vyprázdňovať žalúdok je oveľa menšia. To je dobre, nie?

Mohla by som chodiť cvičiť do posilňovne, no tam to na mňa pôsobí priveľmi demoralizujúco a to neznesiem. Všetky ženy inštruktorkám stíhajú, iba ja nie. Za to im veru platiť nebudem. Zdôvodnila som si to tak, že ak budem cvičiť doma podľa dévedéčka, dostanem sa do formy a potom môžem riskovať aj posilňovňu. To je fér, nie? Mám predsa kopu dévedéčok. Napríklad video s tanečnou hudbou a cvikmi *Pump it Up!* od Erica Prydza s nechutne fit ženami. Ak vás to zaujíma, podľa mňa je to skôr porno než pilates a najdepresívnejšie video s cvičením, aké existuje. Všetky ženy sú také vyšportované a pružné, že na moju psychiku to účinkuje presne naopak. Načo sa vôbec obťažovať s cvičením, keď nemáte najmenšiu nádej, že budete niekedy vyzerať ako ony? Úbohí smrteľníci ako ja zvládnu iba polovicu tých výpadov panvou. Vždy, keď sa o to pokúsim, hrozí mi vážne nebezpečenstvo, že si vykĺbim obe bedrá. Tak či onak, majú na nohách štucne ako v osemdesiatych rokoch. Keď mi začnú liezť na nervy – a to veru netrvá dlho –, môžem si zatancovať salsu s Angelou Griffinovou podľa dévedéčka *Ako som vytancovala dvanásť kíl iba za dva mesiace!* Samozrejme, drahá, veríme ti to. Alebo si môžem otestovať prah bolesti s Nell McAndrewovou a jej *Super snahou, super výsledkami.* Prípadne si môžem predstavovať, ako udieram Marcusa pri tae-bo s Billym Blanksom v *Buď fit, chudni, bav sa a buď silná.* Vypracuj si telo boxera ťažkej váhy.

Vidíš, Davina? Keď ťa budem mať plné zuby, ľahko ťa vypnem. Hodím ťa do skrinky a vyberiem si niekoho iného. Keby to išlo tak ľahko aj s frajermi… Ach jaj. Toto spaľovanie tuku ma ničí najviac. Ešteže kaderníctvo podo mnou nemá otvorené aj večer, inak by si mysleli, že im nad hlavami tancuje stádo slonov. Vyskakujem rozkročmo a rozťahujem pritom ruky, bežím na mieste a vysoko dvíham kolená, robím výpady, dychčím a funím, červenie mi tvár a leje sa zo mňa pot. Vlasy sa mi lepia na čelo a oblečenie sa mi premáča aj tam, kde ho nechcem mať mokré. Preto mám radšej jogu. Pri nej možno nespálim toľko kalórií, ale aspoň nie som naložená vo vlastnej šťave. Cítiť v nej akýsi pokoj. Už teraz viem, že ráno nedokážem pohnúť stehnami, tak ma budú bolieť. Zastavím sa a doplním energiu tyčinkou Twix.

„No tak!" súri ma Davina z obrazovky. „Ešte osemkrát! Osem… sedem…"

Nafúkaná potvora. Neznášam jej čierny cvičebný úbor – zvlášť keď ja mám na sebe iba vydraté staré tepláky a obnosené tričko so škvrnou od čerešňovej zmrzliny Ben and Jerry's Cherry Garcia, ktorá sa vpredu sformovala do príťažlivého vzoru. Fučím a funím ešte viac. Stavím sa, že toto dévedéčko nakrúcali niekoľko dní, takže ona mohla cvičiť nanajvýš päť minút bez prestávky, a teraz sa tvári, že maká spolu s nami. Každý vlások má na správnom mieste a jemné perličky potu jej nad obočie pravdepodobne nastriekala rozprašovačom osobná asistentka. Nemá až takú kondičku – má len bohovského strihača, to je všetko. Možno som však iba žiarlivá zatrpknutá ženská, lebo v skutočnosti by som bola rada ako Davina – bohatá, úspešná, krásna a schopná urobiť šestnásť sed-ľahov bez toho, aby mi sčervenela tvár. Dojem tyčinku. No Davina má aspoň krivky normálnej ženy ako ja, nie je vychudnutá ako tie paličky s hlavou ako lízanka a s BMI, ktoré pripomína skôr číslo topánky. Tie fakt nemôžem ani vystáť.

Uprostred tejto tortúry zazvoní zvonček pri dverách. „Daj pokoj!" odvrknem a lapám dych. Určite mi chce niekto nanútiť lacné plastové okná s dvojsklom, lacný plyn, lacnú elektrinu alebo vernostnú kartu do nejakej lacnej reštaurácie. Ďakujem, neprosím. V živote nepotrebujem nič okrem čokolády. Zvonček zacengá znova. Nijaké významné návštevy ku mne nechodia, takže nemá zmysel ísť otvoriť.

Davina sa rozhodne zrýchliť cvičenia spaľujúce tuk a ešte viac ma vytrestať, a tak usúdim, že krátka pauza veru nezaškodí. Napijem sa vody z fľaše a vyberiem sa k dverám, i keď od námahy zo seba asi nevysúkam ani slovo. Pred dverami stojí Marcus. Keby ma o slová nepripravilo cvičenie, tak ma o ne pripraví pohľad naňho. Opiera sa o zárubňu a tvári sa veľmi roztomilo a vôbec nie kajúcne. Jeho hnedé oči sú číre jazierka zármutku.

„Ahoj, Lucy," prehovorí.

„Ahoj." Na viac sa nezmôžem. Stále dychčím.

„Napadlo mi, že by sme sa mohli porozprávať," vysvetľuje. „Nedvíhaš mi, tak som sa za tebou zastavil."

„Nemám čas, Marcus." Obzerá si ma a ja tiež. Ani zďaleka sa nemôžem porovnávať s dokonale upravenou útlou Joanne, mojou terajšou sokyňou v láske.

„Tuším si dávaš do tela," zhodnotí môj bývalý.

„Snažím sa udržať si kondičku."

„To je obdivuhodné." Marcus našpúli pery a zatvári sa ľútostivo. „Už si jedla?"

Než si vymyslím nejakú lož, pokrútim hlavou. „Nie." Jednu úbohú twixku nemožno považovať za jedlo.

„Dovoľ mi kúpiť ti čínu a ospravedlniť sa za svoje otrasné správanie."

To by som mohla. No nestiahne ma to späť na rovnakú cestu, z ktorej som sa tak dlho pokúšala odbočiť? Namiesto odpovede vzdychnem.

„Čo keby som šiel dnu a počkal, kým sa osprchuješ?"

Naznačuje mi, že smrdím? Pokúšam sa nenápadne si očuchať pazuchy a začínam o sebe pochybovať.

Marcus ma obdarí širokým úsmevom. „Čo povieš?"

Nie som dostatočne silná, aby som dokázala bojovať sama. Pod Marcusovým spaľujúcim šarmom sa do piatich minút roztápam ako tyčinka Dairy Milk z mliečnej čokolády. Neznesiem však pomyslenie, že Marcus sedí u mňa v obývačke, kým ja chodím nahá a mokrá v kúpeľni, preto mu unavene poviem: „Choď do *Lotosového kvetu*." Tam sme kedysi často chodievali. Považovala som ju za „našu reštauráciu". „O pár minút som tam."

Marcus sa zdráhavo odlepí od zárubne. „Ponáhľaj sa, Lucy. Musíme toho prebrať veľa."

Nevrav. Keď odíde, chvíľu sa opieram o dvere. Nezavolám radšej kamarátkam z Čokoládového klubu, nech ma trochu podporia? Ani jedna z nich však nebýva blízko Camdenu, a keby prebiehalo všetko tak ako vždy, skončila by som s Marcusom v posteli skôr, než by prišli. Nie. Toto musím zvládnuť sama. Musím byť silná. Nemusím sa s Marcusom vyspať. Nesmiem dopustiť, aby ma opil sladkými rečičkami, a vrátiť sa k nemu. Keby som bola čo i len trochu rozumná, vrátila by som sa k bláznivému poskakovaniu so starou dobrou Davinou McCallovou a nechala Marcusa čakať samého v reštaurácii. Keby som mala rozum, presne toto by som urobila.

31. kapitola

O dvadsať minút prídem do *Lotosového kvetu*. Marcus sedí pri stole a popíja čínske pivo. Prisadnem si k nemu a objednám si ho tiež. Treba predsa doplniť kalórie, ktoré som tak usilovne vytriasala, no nie? Vládne tu ruch, a tak sedíme pri okne vtesnaní medzi očividne rozhádanou dvojicou a dvomi neupravenými ženami v strednom veku, ktoré sa chrapľavo rehocú. Ani náhodou sa to nevyrovná nádhernej, zrelej, kultivovanej schôdzke s Jacobom Lawsonom v hoteli *Savoy*, čo ma celkom poteší.

Po Marcusovom odchode som utekala do sprchy, no naschvál som si nerobila starosti s výzorom. Prinútila som sa nevyfintiť kvôli nemu. Nezaslúži si to. Vlasy mám ešte vlhké, vykašľala som sa na stylingové prípravky. Rozhodla som sa pre prirodzený vzhľad a použila iba maskaru. Obliekla som si staré džínsy a obyčajný čierny sveter. Dúfam, že si všimne, ako málo som sa kvôli nemu usilovala.

„Vyzeráš skvele," povie Marcus zastreto.

Dopekla! Zvláštne… vždy, keď som šla s Marcusom von, mala som pocit, že preňho nie som dosť dobrá. A teraz je mi to jedno. Fakt. No dobre, nie tak celkom.

„Objednáme si?" opýta sa. „Dáš si to, čo vždy?"

Dočerta, myslí si, že pozná moje „to, čo vždy"? Som podľa neho taká predvídateľná? „Jasné," odvetím a čakám, čo objedná.

„Dám si hovädzie satay a pre dámu poprosím čínske rezance s kuracím mäsom. A k tomu ešte praženú ryžu a krevetové krekery."

Páni! Musím mu uznať, že toto by som si asi naozaj objednala. Marcus sa na mňa usmeje. Správa sa ukážkovo. Prečo sa takto nemôže správať po celý čas? Čašník nám položí na stôl ohrievač so sviečkami.

„Myslím na teba," povie Marcus.

„Aj ja na teba," odvetím. „Len dúfam, že nemyslíme na to isté."

Má toľko slušnosti, aby sa zatváril kajúcne. „Máš plné právo hnevať sa na mňa."

Svätá pravda.

„Len ti chcem povedať, že s Jo to nebolo vážne."

„No dosť vážne na to, aby si ohrozil náš vzťah?"

„Strávili sme spolu len tú jednu noc," vysvetľuje. „Tú osudnú noc." Zdá sa, že by sa na tom aj smutne zasmial, no pohľadom ho varujem, že ja na tom nič vtipné nevidím. „Odvtedy som sa s ňou nestretol."

„A čí to bol nápad, Marcus? Nechala ona teba alebo ty ju? Lebo ja by som povedala, že si sa chcel zbaviť v prvom rade mňa."

Chytí ma za ruku. Akoby sa ma dotkol cudzí chlap. Naozaj sú to tie ruky, ktoré ma len pred vyše týždňom dokázali priviesť do extázy? Už neviem, či o jeho dotyky vôbec ešte stojím.

„Nemôžem uveriť, čo som vyviedol," sype si popol na hlavu.

Smutné a hrozné na tom je, že ja tomu práveže verím. Až priveľmi.

„Dohodli sme sa, že to ukončíme," pokračuje.

„Aké civilizované."

Čašník nám prinesie jedlo a obaja sa doň pustíme. S Marcusom je to nekonečný príbeh. Sme spokojní a šťastní, a potom, ako blesk z jasného neba, na mňa, na lásku, na záväzok zabudne, len čo naňho nejaká ženská zaklipká očami. Vyštartuje po nej a ja medzitým sedím na striedačke, lížem si rany a čakám, kým sa vráti. Je fešák a je s ním zábava, ak chce, no keby som to dopustila, na takejto hojdačke by som mohla trpieť do konca života. Už sa mi ani nechce zisťovať, ako sa začala táto konkrétna aférka.

„Chcem iba teba, Lucy," povie. „To vieš."

„Vieš, že neviem," odvetím sucho. „Odkiaľ by som to vedela, keď mi svojím správaním hovoríš opak?"

„Ak chceš záväzok, nie som proti."

Ak chcem. Hádam o tom niekedy pochyboval? „Čo ak jedného dňa, keď zostarnem a zošediviem a už nebude pre mňa také ľahké spamätať sa, nedokážeš odolať iným ženám? Čo ak si nájdeš takú, ktorú budeš mať radšej? Čo bude potom so mnou?"

„To sa nestane," upiera na mňa úprimný pohľad. „To sa nikdy nestane."

Ako rada by som uverila jeho sladučkým klamstvám. Zvyčajne tu varia dobre, no dnes mi rezance s kuracím mäsom chutia akosi mdlo, samý glutaman. Ťažia ma v žalúdku rovnako, ako ma Marcusove táraniny ťažia na srdci. Tento týždeň mi ukázal, že bez Marcusa sa cítim oveľa lepšie než s ním.

„Napokon, už si sa pomstila," usmeje sa Marcus dobrosrdečne.

Keby radšej chrlil oheň a síru a nesedel tu ako chrabrý bojovník. Ktovie, či už zistil, čo mu to v byte tak páchne. Už to musí cítiť.

Nemôžem sa ho však na to len tak z mosta do prosta spýtať. Marcus, nehnijú ti doma krevety?

„Môžeme sa o tom baviť donekonečna," nalieha na mňa, „ale ja by som radšej na všetko zabudol a pohol sa ďalej."

„Ja som už zabudla a pohla sa." Marcus sa zatvári prekvapene. Odtisnem tanier s nedojedeným jedlom. Nemala som sem chodiť. Ani ho počúvať.

Opriem sa o stoličku. „Stretávam sa s niekým iným. S niekým, kto sa ku mne správa ako k princeznej." Spomeniem si na večer s Jacobom. Jacob bol príjemný, zdvorilý, príťažlivý, romantický. A chce sa so mnou stretnúť zas. Od poslednej schôdzky mi ustavične píše esemesky, niekedy aj desať za deň. Nijaké medové motúzy popod nos, ale veselé správy, ktoré ma hrejú pri srdci. Rande sme si dohodli aj na pondelok, pôjdeme si vypočuť prednes poézie v novom kníhkupectve. Pozriem sa na Marcusa. Je aj on taký dobrý? Napadlo by mu niekedy vziať ma na takéto fantastické rande? Ak sa naozaj snaží získať si moje srdce, nemal by ma pozvať do lepšieho podniku, než je lacná čínska reštaurácia v Camdene? Nemal by sa viac snažiť? Domnieva sa, že kyticou ruží a miskou kuracích rezancov s mäsom odčiní svoju neveru? Mám taký pocit, že mu na mne v skutočnosti až tak nezáleží.

„Máš pravdu," poviem a vstanem. „Nekonečné debaty nemajú zmysel. Som na najlepšej ceste zamilovať sa do niekoho iného. Hoci som si náš vzťah užívala, je načase ukončiť ho."

Marcus otvorí ústa, no slová z neho nevyjdú. To sa naňho nepodobá. Hlas nájde až po chvíli a vykokná: „Kto… je to?"

„Volá sa Jacob," odvetím úprimne. „Veľmi som ťa ľúbila, Marcus." Pohladím svojho bývalého po líci. „Ozaj veľmi. No radšej to skúsim s ním."

32. kapitola

Počkajte, až poviem kamarátkam z Čokoládového klubu, že som odolala Marcusovi, a to úplne sama! A navyše som ho zmäteného nechala sedieť v reštaurácii. Podarilo sa mi to: stará dobrá Lucy si pripisuje bod, hnusný Marcus ostáva na nule. Prvý raz som odmietla vrátiť sa k nemu a zrejme ani on neveril vlastným ušiam. Ha! Ešte ani ja sama tomu celkom neverím.

Mohla by som dievčatám poslať esemesku s tou veľkou novinou, no dnes dopoludnia som v Targe a, čuduj sa svete, práce mám vyše hlavy, preto nemám čas. Jeden z manažérov mi dal asi desať rôznych správ o predajnosti, a tak ich teraz usilovne prepisujem do tabuliek v počítači, až sa mi dymí z klávesnice. Už hodiny som si nedopriala čaj ani prestávku na čokoládu. Vlastne hodinu. Nečudo, že mám pocit, akoby som už blúznila. Ani „ideála" som dnes ešte nevidela, ani raz ma neprišiel podpichnúť. Zazrela som ho iba nakrátko, hrbil sa nad stolom a vyzeral vystresovane. Tak sa však v Targe tvária všetci.

Zazvoní mi mobil. Číslo mi nič nehovorí.

„Lucy?" ozve sa hlas na druhej strane linky.

„Áno?"

„Tu Felicity z Bohýň kancelárie. Ako sa máte?"

„Fajn, ďakujem." V priebehu týždňa mi z agentúry nikdy nevolajú. Hoci sa pravidelne vyhrážam, že im zavolám a požiadam o zmenu pracovného miesta, nikdy som to naozaj neurobila. Tu som už súčasťou inventára. Možno ako mimoriadne užitočná kancelárska stolička. Alebo jedna z tých prekrásnych antikorových kartoték.

„Máme dobré správy," šteboce Felicity. „Vaša zmluva v Targe sa síce v piatok končí, no už máme pre vás skvelú novú prácu."

Chvíľu trvá, kým mi jej oznam prenikne do mozgu. Piatok je zajtra, čo znamená, že mi tu ostáva už iba deň. Nahlas zalapám po dychu.

„Nie je vám nič?" spozornie Felicity.

„Prečo? Prečo?" habkám. „Nikto mi nič nepovedal."

„Nie?" Teraz je prekvapená ona. „Ako to?"

To by zaujímalo aj mňa.

„Nuž," pokračuje Felicity, „zamestnankyňa, ktorú zastupujete, sa vracia do práce a zmluva sa s vami uzatvára vždy len na týždeň."

Tracy Ktovieakosavolá sa vracia? Prečo mi to nikto neoznámil? Zagánim na „ideálovu" kanceláriu.

Felicity ďalej kváka, aká super bude moja nová práca, že tá výzva sa mi isto bude páčiť, že všetci moji kolegovia budú skvelí ľudia a podobné táraniny. Nebude sa mi tam páčiť. Páči sa mi tu. Zapíšem si názov a adresu, vyjachcem zopár zdvorilostných fráz a ukončím hovor. Načisto šokovaná civiem do prázdna. Odchádzam. A to už zajtra.

Potrebujem čokoládu. Najprv však musím hodiť reč s „ideálom". Vpochodujem do jeho kancelárie. Zdvihne zrak a tvárou mu prebehne niekoľko druhov výrazov: zarazený, vyľakaný aj načisto vydesený. „Vedel si o tom!" oborím sa naňho.

„Ideál" zdvihne ruky. „Iba od včera, kráska."

„Myslela som si, že Tracy Ktovieakosavolá je ešte na materskej."

„Tie milé mladé dámy na personálnom si to očividne nesprávne vypočítali." Zdvihne obočie. Možno je to ich krutá pomsta za to, že „ideál" má radšej mňa než ich kamarátku Donnu z oddelenia spracovania dát. „Tracy sa vracia v pondelok."

„Nechodí to v Targe tak, že každého, kto čaká dieťa, vyrazia?"

„Iba ženy," mykne „ideál" plecami. „Spoločnosť očividne začína prejavovať viac súcitu."

„Nemala by som tu ostať ešte aspoň týždeň?" odvážim sa spýtať. „Pomôcť jej, aby sa do toho dostala?"

„To som už skúsil navrhnúť," namietne. „Rozpočet však nepustí."

Chveje sa mi pera.

„Spýtal som sa aj na to, či by ti nenašli miesto v inom oddelení. Bohužiaľ. Alebo či by s tebou neurobili pohovor na iné voľné miesto. Lenže nič voľné vraj nemáme."

„Každú chvíľu tu niekto ochorie," skúšam ďalej. „Alebo to aspoň predstiera."

„Na personálnom ma uistili, že momentálne sme všetci zdraví ako ryby. Alebo to aspoň predstierame."

Chvíľu sa na seba dívame. „Takže je koniec, áno?"

„Kráska, keby som mal tú moc, ver mi, že by som ju bez váhania využil." Tvári sa rovnako skľúčene, ako sa ja cítim. „Tvoja veselá tvárička mi bude chýbať."

„To je na zastupovaní najhoršie," vzdychnem. „Som na jedno použitie."

„Ideál" vstane a takisto si úprimne povzdychne. Podíde ku mne, ovinie mi ruky okolo pliec a jemne si ma privinie na hruď. Milé gesto a mne sa páči. „Si nenahraditeľná," povie.

„Čo keby som ti dala svoje číslo?" navrhnem. „A keby sa niečo vyskytlo, zavolal by si mi."

„Čo keby som ti ja dal svoje číslo?" zopakuje. „Mohla by si mi zavolať a pozvať ma niekedy na večeru."

Rozhoria sa mi líca a asi naňho zízam ako bláznivá, lebo aj on mierne očervenie. Potom rozpačito zavtipkuje: „A tak by sme zistili, či sa niečo nevyskytne. Ha-ha."

Naozaj ma práve pozval na večeru? Alebo mi naznačil, aby som ho pozvala ja?

„Ha-ha-ha," smeje sa ďalej.

A keďže neviem, kam z konopí, zasmejem sa aj ja: „Ha-ha-ha."

33. kapitola

Členky Čokoládového klubu sa netvária veselo.

„Podľa teba to tie potvory urobili naschvál?" spýta sa Chantal.

„Nezdá sa mi, že by tie megery z personálneho boli až také vynachádzavé," pripustím a srknem si čaju. „No keby boli, určite by neváhali."

Zišli sme sa tu v sobotu popoludní, keď je v Čokoládovom nebi vždy rušno. Clive a Tristan sa idú pretrhnúť, aby čo najrýchlejšie obslúžili nekonečný rad zákazníkov. Ich čokoládové dezerty uverejnila luxusná víkendová príloha istých celoštátnych novín, vďaka čomu sa ich podnik dostal na zoznam toho, čo jednoducho nemôžete vynechať. Samozrejme, my sme už ochutnali všetky jeho dobroty. Mojím favoritom je Clivova tortička s čokoládovou a lieskovoorieškovou penou. Raz ju ochutnáte a už navždy vás to zmení. Možno by mi dnes kúsok z nej zdvihol náladu. Alebo radšej kusisko, pre istotu.

Sedíme vzadu na moderne ošúchaných pohovkách a nemienime sa odtiaľto pohnúť. Musíme toho veľa prebrať, a tak oceľovo chladnými pohľadmi odrádzame všetkých záujemcov o naše miesta. Zákazníci si tu dnes podávajú dvere, vyrazili na nákupy a posilňujú sa čokoládou, aby si doplnili energiu na ďalšie nákupy.

„Nemôžem uveriť, že v pondelok nastupujem do novej práce." Ešte som nespracovala, ako bleskovo som v Targe skončila. Dokonca som sa dnes ráno vybrala na jogu, aby som sa zbavila stresu. Ibaže ten chaos v mojej hlave nevylieči ani nepretržité „óm" ani nijaká ásana.

„Možno ti to prospeje," uvažuje Nadia.

„Čo si počnem, ak neuvidím „ideála" každý deň? Iba vďaka nemu som dokázala pretrpieť každý nudný pracovný deň. Komu budem nadávať, že mi kradne čokoládu?"

„Ideál" spolu s obchodným oddelením mi na rozlúčku darovali bonboniéru Milk Tray od Cadbury. Nie je síce moja obľúbená, ale bolo to od nich milé. Aj tak ju s radosťou zjem. „Ideál" predniesol krátky prejav, v ktorom mi ďakoval za môj prínos oddeleniu. Nikto sa nechechtal, čo považujem za dobrú vec, a ak sa mi to len nezdalo, dokonca mu zvlhli oči. Bude mi chýbať.

„Trochu viac stability v práci aj v osobnom živote ti rozhodne neuškodí," poznamená Autumn. Podľa mňa zbytočne. „Ten zmätok ti oslabuje auru. Potom si psychicky zraniteľná."

Ach jaj. Ďalšia starosť navyše. Útechu hľadám v tyčinke z bielej čokolády s vanilkou a olivovým olejom a vychutnávam každý kúsok tejto luxusnej dobroty. Nie je to jednodruhová čokoláda, pretože je vyrobená z kakaového masla, a nie z kakaového prášku (skutočný fanúšik to proste vie), ale je taká skvelá, že Clive si ju nechal v ponuke. Je to niečo ako dospelá verzia tyčinky Milky Bar, to by som však pri Clivovi nikdy nevyslovila nahlas. Zamatová čokoláda sa mi pomaly rozpúšťa na jazyku a od slasti si povzdychnem. Do života sa mi vracia radosť.

„Stále sa máš na čo tešiť. Napríklad na rande s Jacobom," ozve sa Nadia. „Zdá sa, že je skvelý."

„Mne sa javí skôr pridobrý na to, aby to bola pravda," schladí ma Chantal štipkou cynizmu. „Prepáč, Lucy, ale ja v tejto chvíli nemám chlapa."

„S Jacobom ideme na prednes poézie," oznámim hrdo. „Len si to predstavte. Myslela som si, že dnešní muži už ani nevedia, čo to je." V kútiku duše som dúfala, že Jacob sa bude chcieť so mnou stretnúť už cez víkend. To je na single živote najhoršie, soboty a nedele sa nekonečne vlečú, zatiaľ čo zadaným preletia, ani nevedia ako. Viackrát som to Jacobovi naznačila, no tvrdil, že cez víkend nemá čas. Práca mu očividne ukrajuje aj z času mimo bežných pracovných hodín.

„Podľa mňa je skvelý," povie Autumn a vezme si čokoládový mafin s lekvárom.

„Spýtam sa ho, či nemá brata?"

Autumn prudko pokrúti hlavou, až sa jej zvíria lokne. „Bratia skôr lezú na nervy," vyhlási záhadne.

„Stále máš problém s Richom?"

Odloží mafin a predkloní sa. „Nechcela som to nikomu prezradiť," zašepká, „ale už neviem, čo mám robiť." Sprisahanecky sa poobzerá. „Myslím si, že Rich je díler."

Všetky sa na ňu zmätene dívame a ona takmer šeptom pokračuje: „Díler kokaínu." Odmlčí sa, aby sme to spracovali.

Preboha! Autumnin nóbl brat je drogový díler. Nechce sa mi tomu veriť. Pri slove „díler" som si najprv predstavila predajcu akcií alebo niečo podobné.

„Pred pár dňami sme zažili hroznú situáciu," pokračuje Autumn. „Takmer sa u mňa predávkovala nejaká mladá žena. Priviedol ju Rich. Sotva ju poznal. Podarilo sa nám ju dostať do nemocnice včas…" Autumn zmĺkne, v očiach sa jej lesknú slzy.

„No skoro sa vám to nepodarilo," podotkneme.

„Desí ma, že som takmer prijala pozvanie na rande…"

„Na rande?" takmer poskočím. „A s kým?"

„S kolegom," odvetí Autumn. „Je veľmi milý. Keby som s ním šla, to dievča by možno zomrelo."

Rada by som Autumn povedala, že má svoj život a jej brat nech robí vlastné chyby a tak ďalej, no ona jednoducho nie je typ človeka, ktorý by sa dokázal takto odstrihnúť. Možno by som jej mala pripomenúť, že za ten čas, čo ju poznám, ešte nebola na rande a že takúto príležitosť by si nemala dať ujsť bez ohľadu na to, čí život je v ohrození.

„Po tom, čo vyviedol, aj preto, lebo ma vlastne zatiahol do svojho odporného sveta, sa s ním už nedokážem rozprávať. Chvalabohu, tá dievčina je v poriadku. Naveľa som ho prinútila zavolať jej. Neviem sa však zmieriť s tým, že som mu pomáhala, aby som ho ochránila. Ako som len mohla?"

„Autumn, dostala si sa do ťažkej situácie," súcitím s ňou. „Čo iné si mohla robiť?"

„Mala som ísť na políciu," namietne. „Musí s tým prestať, inak to s ním bude ešte horšie."

Podľa mňa to už teraz s ním vyzeralo dosť zle a čoskoro klesne na dno. „Musíš sa s ním porozprávať," radím jej. „A to hneď."

„To som už skúsila, ale Rich všetko popiera."

„Musíš nájsť nejaký nevyvrátiteľný dôkaz," navrhne vždy praktická Chantal. „A potom ho s ním konfrontovať."

„Neznášam konfrontáciu," hlesne Autumn. „Väčšinu života sa jej vyhýbam. Čo ak naozaj nájdem nejaký dôkaz? Mala by som to oznámiť polícii? Stále je to predsa môj brat."

„Možno existuje aj iný spôsob," uvažujem. „Nemôžeš mu povedať, že odvykacia liečba je lepšia než väzenie?"

„Aj to skúšam," povie Autumn. „A on mi na to iba vyhodí na oči moju závislosť od čokolády." Odloží čokoládový mafin s lekvárom a znechutene naň fľochne.

„Čokoláda a kokaín sú dve rozdielne veci," pripomeniem jej.

„Žeby?" opýta sa. „Ja sa jej nedokážem vzdať, rovnako ako sa Rich nedokáže vzdať svojej drogy."

„Ibaže jedením čokolády nikomu neublížiš, nikomu tým neničíš život. Autumn, ak ti vie prišiť iba toto, tak sa chytá stebla. Čokoláda prináša každej z nás štipku útechy v krutom svete."

„Je smutné, že niekto, kto mal všetko, čo sa mu zachcelo, môže tak klesnúť," pokrúti kamarátka hlavou. „Celé dni trávim s pubertiakmi, ktorí sa snažia vyhrabať z bahna, a ťažko sa mi pozerá na to, ako sa moja vlastná krv doň rúti."

Objímem ju. „Stojíme pri tebe. Nech sa rozhodneš urobiť čokoľvek, pokúsime sa ti pomôcť." Rada by som sa jej povypytovala na kolegu a neuskutočnené rande, no zdá sa, že to zaujíma iba mňa, a tak držím jazyk za zubami.

Smrkne a vďačne sa na nás pozrie.

Chantal si vzdychne. „Nadia, nemáš nejaké dobré správy? Musíme sa rozveseliť."

„Veru mám," vyhlási pyšne. „Tento týždeň som splatila dlhy a Toby sa zatiaľ úspešne vyhýba online kasínam. Cez víkend ideme do Hyde Parku, zahráme si futbal a frisbee. Ako bežná rodina. Chantal, ani neviem, ako sa ti poďakovať." Nadia jej stisne ruku.

„Aj ty by si to pre mňa urobila, keby si bola na mojom mieste," povie.

„Vďaka tebe môžeme začať odznova," pokračuje Nadia. „A rozhodne to naplno využijem."

„Rada som ti pomohla."

„Ty nemáš nič nové?" opýtam sa Chantal.

Pokrúti hlavou. „Vlastne ani nie. Po sexe doma ani chýru, ani slychu. Vôbec nič sa nezmenilo."

Som jediná, kto si všimol Chantalin záhadný výraz?

34. kapitola

To je paráda. Stojím pred obchodom Jesmond & Sons a želám si, aby som sa dnes ráno ani neobťažovala vstať z postele. Náladu mám rovnako sivú ako ranná obloha. Mladý, správne uletený, priebojný človek plný života rozhodne netúži pracovať v kníhkupectve.

Navyše, Jesmond & Sons nepatrí k moderných kníhkupectvám na hlavnej ulici s kaviarňou a čašníčkami menom Philippa a Camilla ako to, do ktorého idem dnes večer s Jacobom. Také kníhkupectvo by som ešte zniesla. Ale toto? Ošumelý obchod v zastrčenej uličke vyzerá, akoby doň prišiel jeden zákazník raz za polstoročie. Nápis oznamuje, že sa špecializuje na knihy z druhej ruky o dejinách vojny a vojenskej tajnej službe. Sotva tu nájdem výtlačky z červenej knižnice, ktorými si budem môcť krátiť dlhú chvíľu.

Odhodlávam sa. Kiežby som si obliekla decentný čierny, a nie bledoružový kostým. Než podľahnem pokušeniu zvrtnúť sa a vziať nohy na plecia, prejdem cez cestu a pristúpim k dverám. Môj príchod ohlási príjemné zvonenie zvončeka. Do nosa mi udrie pach stuchnutých kníh a jediné, čo v šere rozoznávam, sú nekonečné rady políc zaprášených zväzkov. V úzkom pásiku slnečného svetla, ktoré preniká cez otvorené dvere, sa vznáša rozvírený prach. Tento rok som asi prvý človek, ktorý sem vošiel. Šuchtavo sa ku mne blíži muž v hnedej károvanej košeli s červenou viazankou, v zelenom svetri a modrých nohaviciach.

„Zdravím," prihovorím sa spevavo. „Som Lucy Lombardová. Poslali ma z agentúry Bohyne kancelárie." Natiahnem k nemu ruku.

„Aha," povie a skúmavo na mňa hľadí ponad okuliare. „Áno. To je milé." Jemne mi stisne ruku. Prsty má ako z lepkavého cesta a šíri sa z neho slabý kvasnicový puch. „Rád vás spoznávam, slečna Lombardová."

Tu ma asi nik nebude volať „kráska". „Ste pán Jesmond, majiteľ?"

„Nie, nie," odvetí s ľútostivým úsmevom. „To je môj otec."

Tento chlap môže mať aj stopäť rokov. „Som najmladší z bratov Jesmondovcov." A *posledný, ktorý ešte žije?* spýtam sa v duchu. Po troch schodoch vyjdeme k písaciemu stolu pri okne. „Už ste niekedy pracovali v kníhkupectve?"

„Nie," odpoviem zdvorilo. „Toto je prvý raz."

„Nie je to nič ťažké," ubezpečí ma pán Jesmond. „Určite sa do toho rýchlo dostanete. Nebojte sa."

Vďačne sa usmejem. Ako zastupujúcu pracovníčku ma obyčajne odsunú kamsi do kúta, zavalia ma prácou, o ktorej zvyčajne nemám ani páru, a potom ma nechajú samu, aby som sa z toho vysomárila.

„Takže," povie pán Jesmond. „Ukážem vám, ako na to?"

„To by bolo skvelé." Pokúšam sa o veselý tón.

„Toto je písací stôl," informuje ma nový zamestnávateľ. „Na ňom je pokladnica." Nie je to nič iné ako obyčajná drevená škatuľa. Ukáže na police. „Toto sú všetky knihy."

Zvláštne, na to som prišla aj sama.

„Keď si zákazník kúpi knihu, vložíte peniaze do pokladnice a potom, ak si to praje, vypíšete potvrdenku." Ukáže mi spomínaný blok. „Potom," pokračuje, akoby prichádzala ťažšia časť, „zapíšete názov knihy a sumu do kolónky ‚predané' v účtovnej knihe." Ukáže mi príslušnú knihu.

„Fíha," poznamenám. Netušila som, že ešte jestvujú firmy, ktoré nepoužívajú počítače. Stavila by som sa, že Jesmond & Sons len nedávno prestali používať brká a abakus. Presne z takýchto miest z dávno minulých čias sa neskôr stávajú múzeá s názvom *Život za našich čias.*

„Čo myslíte, zvládnete to?" Pán Jesmond si robí úprimné starosti, že táto práca možno presahuje moje schopnosti. Žeby som v tom ružovom kostýme budila nesprávny dojem?

„Skúsim to," odvetím. Len dúfam, že ma ranný zhon neprevalcuje skôr, než sa zapracujem.

„Obyčajne to zvládam sám," vyhlási pán Jesmond hrdo, „ale potrebujem tu na pár týždňov výpomoc. Ak to pôjde dobre, možno si vás tu nechám aj dlhšie. Napokon, nemladnem," podotkne.

„Musím ísť do nemocnice. Na testy." Posledné slovo zašepká a ukazuje si nadol na modré polyesterové nohavice. „Močové cesty."

Toľko informácií zasa nepotrebujem.

„Postavím vodu na čaj?" opýtam sa v nádeji, že zdravotný stav mu nebráni piť čaj. Je to dobrá taktika, človek hneď na začiatku zistí postoj k desiatovým prestávkam. „Potom sa môžem začať oboznamovať s knihami."

„To je ohromný nápad," súhlasí energicky. „Kuchyňa je hore."

A tak sa štverám po tmavom úzkom schodisku. V kúte je zastrčená kuchynka s popraskanými sivými kachličkami, pochybne vyzerajúci prietokový ohrievač a niekoľko nevábnych hrnčekov. Mali by tu vyvesiť ceduľu, že pobyt tu môže vážne ohroziť zdravie. Z drezu vanie slabý zápach kanalizácie a celé si to tu pýta zásah komanda vyzbrojeného čistiacim práškom s citrónovou vôňou. Vyberiem najmenej nevábne hrnčeky a poriadne ich vydrhnem v horúcej vode, než do nich urobím čaj a zanesiem ich do obchodu.

„Sklad nájdete vzadu," oznámi mi pán Jesmond. „Budem tam, kým sa tu udomácnite."

Po jeho odchode sa obzerám po miestnosti, rozmýšľam, kde začať. Nevládne tu horúčkovitá aktivita ako v Targe. Ibaže tam som mohla mať roboty až-až, keby som chcela, kým tu vysedím dieru do stoličky a ani to nebude moja chyba. Položím hrnček na stôl a vyberiem sa k policiam. Každú z nich pokrýva hrubá vrstva bieleho prachu. Prezerám si tituly – prvá svetová vojna, druhá svetová vojna, rozličné iné vojny... Netušila som, že ich bolo toľko, ani to, že sa o nich napísalo tak veľa kníh. Vidím tu zväzky o špionáži, taktike, vojnových výpravách a ozbrojených silách; celé oddelenia venované vojenskej vede, vojenskému životu, zbraniam a rôznym vojnovým konfliktom. Všetky mi pripadajú vrcholne nezáživné. A sex sa v nich zrejme nespomína ani slovkom. Nijakí vášniví hrdinovia ako objekty túžob. Tieto knihy však možno pritiahnu zákazníkov, ktorých vojna nielen zaujíma, ale dokonca aj nosia uniformu. Tá myšlienka mi hneď zdvihne náladu. Zoznamovania s literatúrou mám už dosť, a tak sa vrátim k stolu.

Z útrob kabelky vytiahnem bonboniéru, ktorú som dostala od „ideála" a obchodného tímu, a skúmavo si ju obzerám. Bolo od neho veľmi pekné, že mi kúpil darček. Zacnie sa mi po mojom niekdajšom šéfovi. Pán Jesmond je síce veľmi milý, ale o príťažlivosti nemôže byť ani reč. Čo keby som „ideálovi" zavolala a ešte raz sa mu poďakovala? Lenže čo ak si pomyslí, že sa nudím? Radšej ho nechám v domnienke, že mám skvelú prácu, kde sa nestíham ani nadýchnuť, a nikto z Targy mi nechýba. A už vôbec nie on.

Och, potrebujem čokoládu ako soľ, inak tento deň neprežijem. Otvorím škatuľku a vychutnávam vôňu, ktorá z nej stúpa. Je iba pol desiatej, no bonbóny mi musia vydržať celý deň. Fíha, som tu už tridsať minút. Čas beží rýchlejšie, keď sa človek baví, nie? Budem si musieť vyplniť deň predstavami dnešného rande s Jacobom a zobkaním čokolády. Ak každú polhodinu zjem jeden bonbón, do obeda si vystačím s ôsmimi. Vyberám si z ponuky. Najprv si dám bonbón so želé náplňou, potom s kávovým krémom... pomarančovým krémom... a potom lieskovoorieškový. Mňam. Nakoniec si obľúbim asi aj tieto bonbóny.

Nebudem prieberčivá a na stole zoradím osem náhodne vybratých pochúťok. Mohla by som zavolať „ideálovi" a provokovať ho, že mám bonbón so želé a nemusím sa s ním oň podeliť. Zamyslene sa načahujem za mobilom a do úst si hodím spomínaný bonbón. Ktovie, či si nedá aj pán Jesmond, keď sa vráti. Zjem aj bonbón s kávovým krémom, ostáva ich už iba šesť. Asi mi predsa len nevystačia. Skrátim teda interval a rozhodnem sa zjesť jeden každú štvrťhodinu, aby mi dopoludnie ubehlo rýchlejšie. Rovnako prežijem aj popoludnie. Skvelý nápad. Žiadostivo sa zadívam na bonboniéru. Lenže tak sa mi zásoby čokolády rýchlo minú. Nevystačím s nimi ani do šiestej. Keby „ideálovi" na mne naozaj záležalo, kúpil by mi väčšiu škatuľku.

35. kapitola

Presne o pol šiestej vybehnem hore na maličkú toaletu. Tá by takisto potrebovala vydrhnúť. Vyzlečiem si praktickú bielu košeľu a vymením ju za romantickú blúzočku z kvetovaného šifónu, ako stvorenú na čítanie poézie. Nemám čas zbehnúť domov osprchovať sa, tak sa iba rýchlo opláchnem a hojne sa postriekam zmyselným parfumom Anna Sui. Hádam sa Jacob nebude chcieť so mnou priveľmi zbližovať. Ibaže práve v to dúfam. Upravím si mejkap, zjem za hrsť mentolových pastiliek na osvieženie dychu a narúžujem si pery.

Zajtra sem prinesiem plnú tašku čistiacich prostriedkov a dám to tu do poriadku. Moje čokoládové hodiny, ktoré ukazovali, ako ubieha deň, sa osvedčili, no nútili ma myslieť na „ideála" častejšie, než je zdravé. Naozaj som však nemala čo robiť. Nezavítal sem jediný zákazník. Moje sny o svalnatých vojakoch sa rozplynuli ako dym. Veľkoryso to pripisujem faktu, že je iba pondelok a skoro celé popoludnie pršalo, no aj tak… Prepánajána, ako môžu Jesmondovci na tomto zarábať? Obchod by pokojne mohli zatvoriť a mať iba internetovú stránku. Ktovie, či pán Jesmond junior vôbec počul o internete. To najmenej, čo môžem pre tohto milého starčeka urobiť, je vydrhnúť mu obchod od podlahy po strop, aby bol ako zo škatuľky. Množstvo voľného času ma núti nežne spomínať na Targu ako na frajerov z pubertálnych čias. Človek vypustí z hlavy všetko, čo na nich neznášal, a v pamäti mu utkvejú iba ich dobré stránky. Presne také pocity sa ma zmocňujú pri pomyslení na moje posledné pracovné miesto.

„Dovidenia, pán Jesmond," zakričím od dverí. „Uvidíme sa zajtra."

„Prajem vám príjemný večer, slečna Lombardová."

Desaťkrát som ho požiadala, aby ma volal Lucy, a nič. Čo už. Utekám na zastávku a len tak-tak stihnem autobus, ktorý ma dopraví za Jacobom.

Kníhkupectvo, kde sa máme stretnúť, patrí k ultramoderným štýlovým obchodom, v ktorom sú aj kaviarne a predávajú i baliaci papier a blahoželania. Vonku stojí tabuľa s programom napísaným ružovou kriedou. Vojdem dnu a podľa značiek vyjdem na tretie poschodie. Stoličky sú už nachystané na čítanie a okolo stola s vínom a chuťovkami sa hemžia ľudia. Medzi nimi zbadám Jacoba. Má na sebe bridlicovosivý oblek a vyzerá rovnako úžasne, ako keď sme sa videli naposledy. Srdce mi poskakuje v hrudi, a nie preto, lebo som pred chvíľou bežala na autobus.

Usmeje sa na mňa a zamieri ku mne. Pomerne placho ma pobozká na líce. „Ahoj," pozdraví ma. „Som rád, že si mohla včas odísť z práce."

Nepoviem mu, že na odchod z kníhkupectva Jesmond & Sons som čakala ako na spasenie od chvíle, čo som doň ráno vkročila.

„Dáš si niečo?" spýta sa ma Jacob.

„Červené víno," odvetím. „To by bolo fajn."

Kniha, ktorej predaj sa spúšťa, je zbierka básní rôznych autorov. Niektorí z nich sú tu, pristavujú sa pri hosťoch a trochu napäto sa s nimi rozprávajú. Človek ich hneď odhadne ako básnikov, keďže mnohí z nich majú na sebe odev zo zamatu, šály, a podaktorí dokonca slušivé klobúky. Jacob mi prinesie pohár vína a tanierik s chuťovkami. „Dúfam, že som vybral tie, ktoré máš rada."

„Vyzerajú lákavo. To je od teba pozorné."

„Nie som celkom nezištný. Dúfal som, že sa so mnou podelíš o tú s údeným lososom."

Dám mu z nej odhryznúť a on pritom nespúšťa zo mňa zrak. Kým dojedám zvyšok, drží ma za prsty. Zem sa mi pohla pod nohami a dychčím ako astmatička. Jacob sa na mňa usmeje, tvári sa pobavene. Presne vie, čo so mnou robí, a mne to vôbec neprekáža. Dojeme chuťovky a Jacob chytí výtlačok knihy. Prelistuje zopár strán.

„Často čítaš básne?" opýtam sa ho.

„Áno," prikývne nadšene. „Mám ich veľmi rád. Čím romantickejšie, tým lepšie. Zbožňujem verše, ktoré chytia za srdce. A ty?"

Pokrčím plecami. „Zvyčajne na to nemám čas. Takéto udalosti sú pre mňa vzácnosť."

„Potom som rád, že si mohla prísť." Pri svetlách v kníhkupectve mu iskria oči, má ich úžasné. Žeby som vstupovala do nového vzťahu? Odjakživa som túžila po citlivom a kultivovanom priateľovi, ale až doteraz sa mi takí muži vyhýbali. Predstavy väčšiny mužov o citlivosti sa končia pri použití vrúbkovaného kondómu. Možno by som sa tak skoro po rozchode s Marcusom nemala vrhať do ďalšieho vzťahu, no mám pocit, že tento muž je vskutku výnimočný a na takých človek nenarazí na každom rohu.

„Čochvíľa sa to začne," povie mi Jacob vo chvíli, keď sa v duchu rozplývam a od čírej radosti ma obchádzajú mdloby.

Prednes netrvá dlho. Šesť básnikov odetých v zamate stojí pred obecenstvom a číta zopár veršov, väčšinou zábavných alebo romantických, nijaká ťažká filozofia. Jacob ma po celý čas drží za ruku a mňa to rozpaľuje. Je zvláštne dotýkať sa cudzej pokožky po toľkom čase, čo som strávila s Marcusom, ale musím sa priznať, že je to príjemné. Pristihnem sa, že prestávam vnímať poéziu a rozmýšľam, aké by bolo cítiť na sebe viac jeho pokožky.

Keď doznejú posledné verše, všetci zdvorilo zatlieskame a Jacob sa ma spýta: „Smiem ti kúpiť knihu?"

„Ďakujem. To by sa mi páčilo." Postavíme sa do radu a kúpime knihu, ktorú mi podpíšu niektorí básnici. Jacob mi podá hnedú tašku s podpísanou zbierkou.

„Rád by som ťa vzal na večeru," povie. Srdce mi zaplesá. „No musím ísť do práce." Srdce mi spľasne ako jedno z mojich nepodarených suflé.

Nenápadne sa pozriem na hodinky, je iba osem. Priskoro na to, aby sme sa pobrali domov.

„Mám stretnutie, ktoré som už nemohol zrušiť," ospravedlňuje sa.

Viem, že nemá bežný pracovný čas, ale kto organizuje stretnutia takto večer?

Asi sa dovtípil, ako sa cítim, lebo sa spýtal: „Je to problém?"

„Nie. Nie. To nič," zamietnem. „Všetci musíme pracovať."

„Čoskoro ti zavolám," chlácholí ma Jacob. Nežne ma pobozká na pery a mne sa z toho podlomia kolená. „Sľubujem."

Budem sa musieť uspokojiť s horúcou čokoládou a ísť skoro spať, hoci som dúfala vo vášnivý sex a v divokú noc. Ach jaj.

36. kapitola

Chantal oznámila Tedovi, že ide na služobnú cestu a v noci nepríde domov. Nič by sa však nezmenilo, aj keby mu to nepovedala.

Zriedka volala domov, keď bola preč, a on sa jej nikdy nepýtal, kam ide. Keby sa mu po nej zacnelo, jednoducho by jej zatelefonoval. Vybrala jeden z najlepších hotelov v Londýne. Rada tam občas zašla na drink, no nikdy nemala dôvod ostať aj na noc. Keď mala pracovné stretnutie v Londýne, ľahko sa mohla kedykoľvek vrátiť domov. Hotel bol moderný, minimalistický, čistý a praktický, a to jej vyhovovalo.

Taxík prišiel po ňu tesne pred Tedovým príchodom domov. Priviezol ju pred hotel *St. Crispen* neďaleko rušnej štvrte Covent Garden. Chantal sa rozhodla prísť na miesto stretnutia skôr, aby mala čas na prípravu. Dopraje si dlhý horúci kúpeľ, pohár šampanského aj čokoládu na upokojenie nervov. Za spoločníka platí na hodinu, ale mohol by sa zdržať hoci aj celú noc, keď už vysolí za izbu takú sumu. Ľudia prúdili do divadiel alebo na večeru – šťastné páry, ruka v ruke. Pri srdci ju pichla osamelosť, keď si pomyslela, že jej život by mal byť takýto.

Vybrala z taxíka malý kufrík so svojimi vecami, zaplatila vodičovi a vošla do hotela. Prihlásila sa a zvlhli jej dlane, keď oznámila: „Neskôr očakávam hosťa." Ktovie, čo by si recepčná pomyslela, keby vedela, že toho hosťa si objednala a platí mu na hodinu.

„Meno?"

Chantal na okamih spanikárila. Poznala iba jeho prezývku a tá znela zvláštne. „Pán Jazz," povedala po chvíli premýšľania. „Pán Jazz."

„Zavoláme vám, keď príde, pani Hamiltonová. Môžem vám ešte nejako pomôcť?"

„Nie, ďakujem."

Cestou k výťahu začula za sebou ženský hlas. „Chantal! Ako sa máš?"

Chantal sa otočila. V ústach jej vyschlo. Amy Barringtonová bola posledná osoba, ktorú by tu chcela stretnúť. „Amy," povedala veselo. Poznala sa s ňou len zbežne, v posledných rokoch sa stretávali najmä na večierkoch. Jej manžel Lucian pracoval v rovnakej oblasti ako Ted a príležitostne spolu hrali golf. Amy Barringtonová bola známa klebetnica. „Rada ťa vidím," klamala.

„Skvelé, že sme sa tu stretli." Amy ju pobozkala na obe líca. „Ostávaš tu?" zaletela pohľadom na Chantalin kufrík.

„Iba na noc."

„A kde je Ted?" obzerala sa Amy.

„Som tu pracovne," vysvetlila Chantal. „Mám stretnutie kvôli článku."

„A to tu musíš prespať?"

„Niekedy je to jednoduchšie." Chantal vedela, že Amy Barringtonovú nepresvedčila.

„Poď do baru," pozvala ju Amy. „Zatiaľ si prisadni k nám. Lucian práve objednáva drinky."

„Nemôžem," namietla Chantal a už ustupovala. „Musím ísť do izby a pripraviť si poznámky."

„No tak." Amy to očividne rozladilo. „Iba na jeden drink."

„Prepáč, Amy. Inokedy. S Lucianom k nám niekedy musíte zájsť."

„Mám pri sebe BlackBerry," navrhla Amy.

„Poviem Tedovi, nech to dohodne s Lucianom." Chantal jej zamávala.

„Prajem ti pekný večer," povedala Amy. Potom mierne prižmúrila oči. „Vlastne asi nebude až taký príjemný. Vravela si, že si tu pracovne, však?"

⁓

Po stretnutí s Amy Barringtonovou bola Chantal napätá a nervózna. Nemala ju tak odbiť. Mala prijať pozvanie do baru, tváriť sa milo a hotovo. Teraz sa cítila previnilo, akoby ju prichytila pri nevere, a pritom o tú vôbec nejde. Je to obchod. Nijaké emócie. To, čo urobí s týmto mužom, jej vzťah s Tedom nijako neovplyvní. Teď by to asi vnímal inak, ale ona nie.

Rozľahlá izba bola elegantne zariadená v rôznych odtieňoch krémovej, s tmavým dreveným nábytkom. Chantal sa po nej prechádzala a obdivovala obrazy, zaháňala pocit, že sa tu cíti trochu stratená. Vo vedierku s ľadom na stolíku sa už chladilo šampanské. V kúpeľni si vybalila kozmetiku a zadívala sa do zrkadla. Videla v ňom vyrovnanú, pokojnú a sústredenú ženu, hoci sa cítila úplne opačne. Ponorila sa do veľkej vane, nadychovala sa vanilkovej vône soli do kúpeľa a chrúmala čokoládové bonbóny, ktoré si nachystala na okraj vane. Márne sa však usilovala nadobudnúť rozvahu. Voda vychladla, a tak si hodila do úst posledný bonbón, vyšla z vody a osušila sa.

Čo teraz? Hosť príde o pätnásť minút. Má sa znova obliecť? Alebo si prehodí čierno-ružové hodvábne krátke kimono, ktoré si priniesla? Stojí za to niečo predstierať, keď obaja vedia, prečo sa stretli? Rozhodla sa pre čiernu čipkovanú bielizeň a kimono. Nemusela si ani vziať hotovosť. Stačilo si rezervovať stretnutie a eskortná agentúra si stiahne poplatok z jej kreditky. Ak je to také jednoduché, prečo je taká nervózna?

Onedlho ktosi energicky zaklopal na dvere. Mohla to byť aj hotelová služba, ibaže ona vedela, že nie je. V každom prípade, nie bežný druh služby.

Stál pred ňou muž, ktorého si vybrala z internetovej stránky. Potešilo ju, že svoj opis na stránke nezveličil. Bol neuveriteľne pekný. Naživo vyzeral dokonca lepšie než na fotke. Vysoký, opálený a svalnatý. Presne podľa jej gusta.

„Dobrý deň," pozdravil ju a srdečne sa usmial. „Som Jazz."

„Poďte ďalej," odvetila Chantal. „Čakám vás."

Mal na sebe elegantný oblek, košeľu s kravatou a vyleštené topánky. Zvolil vhodný výzor. Keby ste ho stretli na ulici, odhadli by ste ho na úspešného biznismena – možno profesionálneho obchodníka zo City, presne ako jej manžel. Tváril sa prívetivejšie, než si predstavovala, a od kútikov očí sa mu rozbiehali jemné vrásky, ktoré dokazovali, že sa často usmieva. Človeku by ani vo sne nenapadlo, že je gigolo. Jazz položil na konferenčný stolík malý diplomatický kufrík, ktorý držal v ruke. Rozmýšľala, čo v ňom má.

„Dáte si šampanské?"

„Rád," odvetil Jazz. Vystupoval nesmierne sebavedome a uvoľnene. „Otvorím ho."

Odmotal drôt a skúsene vybral zátku z fľaše.

„Nalejem," povedala Chantal. Keď perlivá tekutina plnila poháre, ruka sa jej triasla. Kristepane, mala si vziať niečo na upokojenie. Alebo vypiť polovicu fľaše ešte pred jeho príchodom. „Robím to prvý raz," priznala. Načo predstierať, že vie, ako to na takýchto stretnutiach chodí, keď o tom nemá ani šajnu. „Dúfam, že ma poučíte."

Otočila sa vo chvíli, keď si vyzliekal sako a uvoľňoval kravatu. Vzal si od nej pohár a štrngol si s ňou. Oči sa mu šibalsky leskli, zračil sa v nich prísľub, ba dokonca túžba. Chantal sa zhlboka nadýchla, nečakala to. V duchu sa usmiala. Možno sa nakoniec dobre zabaví.

„Chcem, aby ste si to užili," povedal Jazz. „Nechajte všetko na mňa."

37. kapitola

Chantal sa vrátila domov na druhý deň večer o siedmej. Po stretnutí s Jazzom zamierila do londýnskej kancelárie časopisu *Style USA* a prebrala so šéfredaktorom nápady na ďalšie články. Potom zašla s jednou redaktorkou na dlhý obed do Oscars, aby si vypočula najnovšie kancelárske klebety – kto s kým spáva, kto by chcel s kým spať, koho majú vyhodiť, kto ešte nevie, že ho vyhodia. Chantal sa musela v duchu usmievať. Keby len kolegyne vedeli o jej temnom tajomstve.

Po obede zašla do Čokoládového neba a dopriala si zelený čaj a Clivovu skvelú čokoládu Samana Peninsula vyrobenú zo vzácnych kakaových bôbov z Dominikánskej republiky. Aj Lucy ju mala veľmi rada, ibaže ona obľubuje veľa druhov čokolády. Škoda, že tu dnes kamarátky neboli, no Chantal sa nemohla zdržať tak dlho, aby ich zavolala. Navyše, keby sa dnes stretli, nevydržala by to a vyzvonila by im všetko o divokej noci s Jazzom. Zružovené líca by raz-dva prezradili, ako veľmi ju niečo – alebo niekto – potešilo. Napĺňalo ju zvláštne šťastie. Usadila sa na pohovke a dohodla si stretnutia s niekoľkými vlastníkmi domov, popritom si užívala bohatú korenistú chuť čokolády aj miernu bolesť celého tela.

Už roky sa necítila taká plná života. Končeky prstov, ba aj vlasy na hlave jej zuneli energiou, ktorá jej chýbala. Cítila sa nesmierne sexuálne ukojená. Jazz s ňou strávil tri hodiny. Tri dlhé luxusné hodiny, počas ktorých ju opakovane uspokojoval, ak má použiť staromódne slovo. Zaplatila za klasické romantické zvádzanie. Prekvapilo ju to. Jazz venoval všetku pozornosť jej telu a túžbam. Postláčal v nej gombíky, o ktorých ani nevedela, že ich má. Koľko žien by mohlo povedať, že im manželia doprajú to isté? Jazz bol jednoducho profesionál, dokonalý džentlmen. Bolo ťažké vnímať túto schôdzku iba ako pochybný obchod. Dokonca sa zdalo, že aj Jazz si to užíva. Keby nie, bol by skvelý herec. Zavrela oči a hlavou jej víril prúd zmyselných výjavov. V kufríku mal elixíry, vodičky a hračky od výmyslu sveta ako stvorené na šteklivý večer. Celú ju postriekal vychladeným šampanským a horúcim jazykom ho z nej zlízal. Ešte teraz sa chvela od rozkoše.

Keď Chantal prišla domov a na chodbe položila kufrík na zem, spokojne si vzdychla. Ted sa azda čoskoro vráti z práce. Na večeru spichne cestoviny, aby nejedli neskoro. Priniesla mu aj škatuľku Clivových božských brownies z mliečnej a bielej čokolády. Mal to byť akýsi dar na uzmierenie. Predsa len, trochu ju škrelo svedomie.

„Ahoj." V kuchynských dverách sa objavila hlava jej manžela. Od ľaku takmer poskočila.

„Si skoro doma," povedala.

„V kancelárii som to už nemohol vydržať," poznamenal. „Nadnes stačilo."

Rozopla si kabát. „Škoda, že som to nevedela, mohla som prísť skôr aj ja," podotkla. „Mal si mi zavolať. Zastavila som sa v Čokoládovom nebi a pozri, čo mám." Ukázala mu škatuľku s koláčikmi.

Ted zamľaskal. „Ako šlo stretnutie?"

„Skvele." Prikývla priveľmi horlivo. Náhle jej tajná schôdzka už nepripadala taká úžasná. Pri spomienke na to, kde v noci bola a čo robila, jej prišlo nevoľno. Ako mohla niekomu zaplatiť za sex? Ako to mohla urobiť tomuto mužovi, ktorý pred ňou stojí? Mala sa s ním porozprávať a zistiť, v čom spočíva ich problém. Normálni muži v plnej sile predsa neprestanú spávať so svojimi manželkami, ak na to nemajú dôvod. Dohodovať si schôdzky s prostitútom nie je riešenie.

Chantal už roky hútala, či jej manžel takisto nie je neverný, bola si však istá, že by na to nemal čas, aj keby chcel. Buď trčal v kancelárii, večeral, alebo spal. V Grenfell Martin sa išiel od práce pretrhnúť, na milenku by mu jednoducho nevyšiel čas. Tým si bola istá.

Chantal k nemu podišla a pobozkala ho na líce v nádeji, že sa od nej neodtiahne. Neodtiahol sa, no ani nezareagoval. Nepobozkal ju, neobjal, nepohladil po líci. Vrátil sa do kuchyne. „Chystám šalát na večeru," oznámil. „Dúfam, že si dáš."

„Iste," odvetila. Do hlasu sa jej znova vkradla únava. „Uvarím cestoviny a omáčku. Idem sa umyť a o päť minút som tu."

„V pracovni máš odkaz," informoval ju ponad plece. Vzal červenú papriku a ďalej krájal. „Včera večer volal nejaký muž. Vraj má informáciu, ktorá môže byť pre teba užitočná."

Chantal si uchmatla z dosky kúsok papriky a cestou nahor po schodoch doň zahryzla. „Áno?"

„Vraj ste sa stretli v Jazernej oblasti."

Chantal stuhla krv v žilách. Mohol to byť iba jeden človek. A zavolal jej domov. Srdce sa jej divoko rozbúšilo. Zrejme našiel jej telefónne číslo v mobile v kabelke, ktorú jej ukradol. Dokáže vôbec prehovoriť tak, aby jej hlas znel normálne? „Predstavil sa?" Zdalo sa jej, že má napätý hlas.

Ted sa na okamih zamyslel. „Nie," odvetil. „Nechal iba číslo."

„Čo ešte povedal?"

„Už nič také." Tvár jej manžela nič neprezrádzala. „Vraj bude pre teba výhodné, ak sa mu ozveš čo najskôr. Nechceš mu zavolať teraz, kým dokončím večeru?"

„Vybavím to zajtra," povedala čo najnenútenejšie. „Určite to neponáhľa." Mala však pocit, že je to presne naopak.

38. kapitola

Jacob mi píše, že mu bolo so mnou veľmi dobre a v piatok by ma chcel znova vidieť. Má lístky na charitatívny večierok na pomoc v boji proti rakovine prsníka. Odpíšem mu, že pôjdem rada. Takže budem musieť vydržať celé štyri dni, kým sa stretneme. Dovtedy ma naplno vyťaží nesmierne dôležitá práca v kníhkupectve Jesmond & Sons a zákazníci zaujímajúci sa o vojnovú tematiku.

Dnes som si priniesla tašku plnú čistiacich prostriedkov. Cif s citrónovou vôňou, Mr. Muscle, Mr. Sheen, Windolene, Spring Fresh Bleach a nové balenie nasiakavých utierok. Ak nebudem mať čo robiť, vydrhnem kníhkupectvo od podlahy až po strop. Teraz mám prvú prestávku, pochutnávam si na mätovej čokoláde Aero a rozmýšľam, kde začať. Myslím pritom aj na Jacoba a na to, ako príjemne sa s ním cítim, no keďže som v práci, pochopiteľne, myslím naňho menej než na prácu, ktorej sa práve venujem.

„Máme upratovačku," ubezpečí ma pán Jesmond. Podozrievavo hľadí na tašku s čistiacimi prostriedkami. „Pani Franklinová sem chodieva raz za dva týždne, je presná ako hodinky. S týmto sa naozaj nemusíte trápiť."

Podľa toho, ako to tu vyzerá, sa určite nejde pretrhnúť. Povedala by som, že sa skôr schúli kamsi do kúta a schrupne si. „Rada to urobím," poviem veselo. „A popritom sa tu lepšie rozhliadnem."

„Dnes musím odísť," oznámi mi a ustarostene sa zachmúri. „Zvládnete to tu sama?"

„Určite," ubezpečím ho.

„Čo ak tu bude nával?"

Keby sa sem prihnal plný autobus fanúšikov vojenských dejín a dožadoval sa kopy kníh, prepadla by ma panika. To však nehrozí ani omylom. „Kým sa vrátite, všetko tu bude tip-top."

„Idem do nemocnice," prejde pán Jesmond do šepotu. Znova si ukazuje na modré polyesterové nohavice. Radšej sa tam nepozerám.

O hodinu, po tom, čo sme s pánom Jesmondom vypili ďalšiu šálku čaju a ponúkla som ho tyčinkou Twix, som sa stále nenaladila na upratovanie. No chystám sa na to. Pán Jesmond si vezme klo-búk, zvesí kabát zo stojana a zberá sa na odchod. „Zvládnete to?" opýta sa ma už asi dvadsiaty raz.

„Nema problema," odvetím takisto dvadsiaty raz. „Keď sa vráti-te, nespoznáte to tu."

Nevšímam si jeho zhrozený výraz a s úľavou si vydýchnem, len čo sa za ním zavrú dvere. Sadnem si a rozmýšľam, či by som nemala zavolať „ideálovi" – len taký krátky, priateľský telefonát, aby som zistila, ako sa mu darí bezo mňa –, potom mi však napadne, že bezo mňa sa mu možno darí skvele. Tracy Ktovieakosavolá je možno úžasne výkonná osobná asistentka, vyniká v strojopise, vo vypĺňaní formulárov, v príprave kávy a v iných povinnostiach osobnej asis-tentky. No stavím sa, že nemá v zásuvke také zásoby čokolády ako ja. Odvrátim sa od mobilu. Keby som „ideálovi" chýbala, zavolal by mi. Dala som mu predsa svoje číslo. A ozval sa? Figu borovú.

V tichu sa ozýval hlasný tikot hodín, a tak si neradostne po-vzdychnem a vytiahnem čistiace prostriedky. Keď som o upratova-ní ešte len uvažovala, zdalo sa mi ako dobrý nápad zahrať sa na Kim a Aggie zo šou *Máte doma poriadok?* Teraz, keď nastala hodina pravdy, ma počiatočné nadšenie opúšťa. No bude to užitočnejšie, než presedieť ďalší deň za stolom a krútiť palcami.

Presne na tento účel som si priniesla gumené rukavice a starú zásteru, a tak si ich navlečiem. Uprostred obchodu sú police posta-vené na šírku za sebou, jedna za druhou, rozhodnem sa teda začať spredu. Dnes oprášim a vyleštím police, aby som na pána Jesmonda zapôsobila, a zajtra sa vrhnem na kuchynku, záchod, a možno sa dokonca odvážim zájsť do skladu, hoci z jeho útrob sporadicky do-lieha zvláštny šuchot.

V špinavej kuchyni napustím do vedra horúcu vodu a namo-čím do nej handru. Pri policiach stojí vysoký rebrík na kolieskach, ktorým pán Jesmond dočahuje na vrchné police. Pritiahnem ho k prvému súboru políc a pripravím sa na čistenie oddelenia *Zbrane a vojnové konflikty*. Vyštverám sa po rebríku, vezmem za náruč kníh, zídem s nimi a položím ich na stôl. Usilujem sa ukladať ich v poradí, v akom boli uložené, aby som ich potom nemusela prácne triediť, až ich budem vracať naspäť. Pán Jesmond má očividne svoj systém a ja svoj. Knihy pokrýva dlhoročný prach. Netuším, čo všetko tu pani Franklinová robí, no prachovkou sa určite neoháňa. Než odložím čo i len polovicu kníh, vo vzduchu sa vznáša mrak čierneho prachu, svrbia ma oči a tečie mi z nosa. Utriem police vlhkou handričkou a dúfam, že nerozvírim ďalší jedovatý oblak prachu. Vytriem police dosucha a nanesiem politúru. Hneď to vyzerá lepšie. Spod špiny sa vynorili skutočne nádherné mahagónové police. Odstúpim a obdivujem svoju prácu. Aj fyzická práca je príjemná – aspoň raz za čas.

Usúdim, že lepšie bude odložiť knihy z prvej police naraz, nie po častiach, ako som pôvodne plánovala. Keby som ich odkladala postupne, mohla by som zaprášiť vyčistené miesta, a tak by som si len pridala prácu. A lopotila by som sa ako Sizyfos. To bol tuším ten úbožiak, ktorého nejaký iný chlapík (ktorý teraz pravdepodobne pracuje v manažmente Targy) prinútil po celú večnosť tlačiť balvan hore kopcom, ale moje znalosti gréckej mytológie sú chabé.

Celú polhodinu znášam kopy kníh a vŕšim ich na stole, ktorý pod nimi už takmer nevidieť. Dúfam, že ten autobus fanúšikov vojenskej literatúry nepríde práve teraz, ha-ha-ha! Toľké šliapanie po schodoch určite prospeje mojim stehnám a nosenie kníh zasa bicepsom. Čoskoro potrebujem ďalšiu dávku čokolády na doplnenie síl.

Po ďalšej polhodine je polica prázdna. Všetky knihy sa kopia na stole a na zemi pred ním. Ako len súcitím so Sizyfom! Jediné miesto, ktoré som ešte dôkladne nevydrhla, je najvrchnejšia polica.

Podkašem si zásteru, vezmem vlhkú handru a znova sa štverám po rebríku. Musím sa trochu natiahnuť, aby som na ňu dosiahla, a tak doslova visím z rebríka a vykláňam sa. Vtom sa pod horou kníh na stole rozdrnčí mobil. Som vo vážnom pokušení nechať ho vyzváňať. Potom mi však napadne, že možno volá Jacob alebo „ideál", a tak sa pokúsim dobehnúť k telefónu skôr, než sa zapne odkazová schránka. Ženiem sa dolu rebríkom, ako mi nohy dovolia, a kľučkujem pomedzi stohy kníh. Vrhnem sa k stolu a jednou rukou schmatnem mobil vo chvíli, keď zmĺkne.

V tej rýchlosti zrazím kopu kníh, ktorá narazí do ďalšej a tá do ďalšej, vzápätí kopa kníh zasiahne rebrík a ten sa znepokojujúco zakolíše. Pustím mobil a bežím zachytiť rebrík, aby sa neprevalil. Nestihnem to, a tak mi nezostáva nič iné, iba sa pozerať, ako narazí do prvej police, ktorá sa takisto rozkníše. Pokúsim sa ju zadržať. Kýva sa a vykĺzne mi z ruky. Boky som pred chvíľou vyleštila a sú také pekné a šmykľavé, že sa nedajú zachytiť. Polica sa už nevráti na pôvodné miesto, s vŕzganím sa nakloní a narazí do susednej police. Knihy a rozvírený prach sa rozletia do všetkých kútov. Rozkýva sa ďalšia polica, zastoná a ja s ňou, keď sa znova vrhnem dopredu. Aj táto polica s rachotom narazí do ďalšej police. Takto to pokračuje, až kým sa neprevráti všetkých šesť impozantných políc a nezvalia sa na zem ako opilci v sobotu večer po celodennom nasávaní. Roztvorené knihy sa povaľujú po zemi ako psy, vystavujúce na obdiv svoje bruchá. Vo vzduchu víria kúdoly prachu. V tichu, ktoré zavládne, hodiny hlasno tikajú.

Vyberiem sa k stolu, predieram sa cez rumovisko kníh, až kým sa nedostanem k mobilu. Na displeji svieti neprečítaná správa. Nahnevane stískam tlačidlá. Prišiel hlasový odkaz od Marcusa. Ani sa mi nechce vypočuť si ho. Prsty však majú vlastnú vôľu, vznášajú sa nad ikonou. Asi si ho predsa len vypočujem. *Lucy,* hovorí. *Veľmi mi chýbaš.* Ako často som túžila počuť tieto slová? *Viem, vravela si, že sa stretávaš s iným, ale, prosím, zavolaj mi. Prosím.* Ako mám na toto odpovedať?

Kdesi vzadu niečo zastoná a na zem sa zrúti čosi, čo malo ostať na mieste. Toto všetko je Marcusova chyba.

Ešte sa nedokážem ani pohnúť, keď sa mobil znova preberie k životu. Tentoraz prišla esemeska. Od Chantal. VÁŽNA ČOKO-LÁDOVÁ POHOTOVOSŤ! STRETNEME SA NAPOLUDNIE. Pri pohľade na tú spúšť navôkol mám pocit, že aj ja potrebujem zvolať čokoládovú pohotovosť.

39. kapitola

„Zavolal mi ten chlap z hotela," spustí Chantal. „Domov. Teď to zdvihol."

Všetky svorne zalapáme po dychu. Chantal sa ozval ten zlodej. Preboha! Kamarátka je bledá ako krieda, srší z nej napätie a hlas sa jej chveje.

„Číslo na pevnú linku mal asi z môjho mobilu, ktorý mi ukradol."

„No dopekla!" zmôžem sa na ozaj užitočnú poznámku.

Pomieša kávu a zdvihne si šálku k ústam. Roztrasene ju potom položí na stôl. V čase obeda je v Čokoládovom nebi vždy nával, no podarilo sa nám obsadiť pohovky. Nebolo by od veci, keby nám ich Clive rovno rezervoval, ale na to ho ešte musíme presvedčiť. Všetky sme dorazili do polhodiny po Chantalinej zúfalej esemeske. Uvelebili sme sa tu ako skupinka sprisahancov s kopou čokoládových mafinov, ibaže, ako sa zdá, téma tohto stretnutia vonkoncom nie je príjemná.

„Predstavil sa mu?"

„Nie," pokrúti hlavou. „Nechal iba číslo a povedal, že sme sa stretli v hoteli v Jazernej oblasti."

„Ešteže tak."

„Lucy, šípim v tom hrozbu. Akoby ma varoval, že keď sa mu zachce, môže Tedovi prezradiť, čo sa stalo. Mala som šťastie."

„Nemohla by si sa manželovi jednoducho priznať? Úprimnosť je niekedy najlepšia taktika," navrhne Autumn.

„V tomto prípade určite nie," zamietne Chantal. „Tedovi to nemôžem povedať, veď by sa so mnou rozviedol."

Vymeníme si ustarostené pohľady.

„Už si mu volala?" vyzvedá Nadia a utrie si fúziky z čokoládovej peny.

„Dnes ráno," odvetí Chantal. „Bolo to hrozné. Hovoril tak divne, že som sa čudovala, ako som s ním vôbec mohla ísť do postele bez toho, aby…" Zmĺkne, no vieme, čo má na mysli.

Autumn potrasie hlavou, až sa jej rozvíria kučery. „Sľúb mi, že to už nikdy neurobíš," nalieha na ňu. „Sex s neznámym chlapom je nebezpečný."

Chantal má dosť slušnosti, aby sa zahanbila. Líca jej zahoria. „Vraj mi môže vrátiť všetky šperky…"

„To je dobrá správa, nie?" nedá jej Autumn dopovedať.

Chantal na ňu unavene pozrie. „Ak mu dám toľko, koľko sú hodné, čiže tridsaťtisíc libier. Zrejme si ich dal oceniť."

„Ľudia ako on sa určite poznajú s priekupníkmi," poviem, čím dokazujem, že som v mladosti zabíjala čas pozeraním gangsteriek. Vrhnú na mňa mdlé pohľady. „Viete, tých zákerákov v záložniach v zastrčených uličkách, ktorí ti za ulúpenú korisť dajú mizerné prachy. Chantaline šperky buď roztavia, alebo poputujú k nejakému pofidérnemu dílerovi kdesi v Európe, ak mu nedá to, čo chce."

„Lucy, toto mi fakt pomohlo," ohradí sa Chantal.

„Prepáč."

„Tridsaťtisíc libier je hromada peňazí," skonštatuje Autumn to, čo už vieme.

„A bude mlčať," dodá Chantal.

„No dopekla!" Dnes užitočnými radami len tak prekypujem. Možno ma zablokovali tie rozmlátené knihy a police. Nemôžem im však povedať o katastrofe u nového zamestnávateľa. Riešime oveľa akútnejší problém než to, že som zničila celé kníhkupectvo a pravdepodobne ma za to vyhodia. Navyše by som sa asi rozrevala a kvôli Chantal musím ostať silná. Potrebuje nás.

Nadia sa zmieta v rozpakoch. „Lenže tie peniaze si požičala mne," hlesne. „Čo budeš teraz robiť?"

Chantalina tvár nadobudne temný, odhodlaný výraz. „Budem ich musieť zohnať."

„Vrátim ti ich. Môžem si vziať pôžičku… alebo tak." Ani sama Nadia tomu zrejme neverí.

Chantal jej prikryje ruku dlaňou. „To nech ti ani nenapadne," namietne. „Stále ich potrebuješ viac než ja. Do tejto kaše som sa dostala sama. A tak sa z nej musím sama aj vyhrabať. Odniekiaľ tie peniaze zoženiem."

„Nemôžeš si predsa kúpiť vlastné šperky," zhrozí sa Autumn. „Sú tvoje. Možno by bolo načase ísť s tým na políciu."

„Nie," zamietne Chantal. „To neprichádza do úvahy."

Musím s ňou súhlasiť. Pozrite si hocijaký film o odovzdávaní výkupného a uvidíte, že len čo sa do toho zapojí polícia, všetko ide z kopca. Sviniari vždy uniknú aj s lupom. Tečú potoky krvi a všade sa váľajú mŕtvoly. Teda metaforicky, nie doslova. Zdá sa, že Chantal sa naskytla šanca získať späť svoje šperky a musí ju využiť. „Podarí sa ti zohnať tie peniaze?"

„Bude to ťažké," prizná a žmolí si ruky. „Vybrať z účtu tridsať litrov tak, aby si to Ted nevšimol, si vyžadovalo určitú zručnosť a šikovnosť. A ďalších tridsať?" Chantal pokrčí plecami. „Fakt neviem. Asi by som vybielila účet. Mohla by som predať niektoré obrazy a Tedovi tvrdiť, že som ich dala reštaurovať alebo som ich presunula do podkrovia, alebo zjedla. Viem sa vynájsť. Musím rýchlo niečo vymyslieť. Tomu sviniarovi musím ešte dnes zavolať, ako som sa rozhodla. Chce sa stretnúť v hoteli, kde mu odovzdám hotovosť výmenou za šperky." Chantal si zhlboka vzdychne. „To určite."

Vtom ma osvieti a doslova poskočím. „Nie, nie. Musíš tam ísť," vyhŕknem. „Dohodneš si s ním stretnutie inde, nie v Londýne. Skôr mimo mesta. Možno na vidieku." Kamarátky na mňa s očakávaním hľadia. „Napadol mi skvelý plán," oznámim im vzrušene. „Chantal, tvoje šperky dostaneme."

Ohromene na mňa zízajú, a dokonca aj ja sa čudujem, prečo sa správam ako postava z *Dannyho jedenástky*.

40. kapitola

Pána Jesmonda museli odviezť naspäť do nemocnice, pretože keď zbadal, v akom stave je jeho kníhkupectvo, utrpel silný šok. Vrátil sa s očakávaním, že všetko bude „tip-top", a našiel presný opak. Agentúra mi oznámila, že sa už zotavil, nemá trvalé následky a poslali mu ovocie a kvety na môj účet. Asi je to fér. Zároveň mu poslali do obchodu dve dievčatá zadarmo na celý týždeň, aby ho dali do poriadku. Jedno z nich je bývalá knihovníčka, takže nakoniec im to asi pôjde. Lenže ja som teraz prišla nielen o prácu, ale aj o agentúru. Bohyne kancelárie očividne prišli k záveru, že ja som démon kancelárie, a tak ma vypoklonkovali. Márne som im vysvetľovala, ako sa to všetko udialo a že som mala iba najlepšie úmysly.

Dnes ráno som sa zaregistrovala v inej agentúre a dúfam, že si nevypýta referencie od Bohýň kancelárie, inak som v háji. Doobeda som si v obývačke rozprestrela na koberec veľký hárok papiera a spriadala pre členky Čokoládového klubu plán na prefíkanú lúpež s názvom operácia *Zachráňte Chantaline šperky*. Hryziem pero, pochodujem po izbe a škriabem sa na hlave ako ostrieľaní zločinci z hollywoodskych filmov. Rozmýšľam, že si zaobstarám chlpatú bielu mačku. Lúpež som ešte nikdy neplánovala a zdá sa, že je to fakt zložité. No myslím si, že plán už mám. Chcela som cez obed prebrať s kamarátkami svoj nápad, ale ani jedna nemala čas. Sama poškodená, čiže Chantal, je na služobnej ceste. Očividne veľmi tajnej, podľa toho, ako sa pri zmienke o nej okúňala. Nadia má zasa pracovný pohovor a Autumn sa usiluje vniesť trochu svetla do životov feťákov vrátane vlastného brata. Blíži sa obed a ja nemám čo robiť, a okrem zásob čokolády vlastne nemám doma ani kúsok obstojného jedla. V posledných dňoch som ani nejedla nič iné než čokoládu, nastal teda čas dopriať si niečo výživnejšie a zdravšie. Ovocie, zeleninu, šošovicu – jednoducho niečo, z čoho človeka výdatne nafukuje. Sedím, obhrýzam si nechty a rozmýšľam, čo si počnem.

Mohla by som ísť do posilňovne a cvičiť. V okamihu to zavrhnem. Dnes sa veru nepotrebujem trestať; prísť o prácu je dostatočný trest. Potrebujem niečo alebo niekoho, čo mi poskytne trochu lásky a útechy. Sú obdobia – i keď len veľmi zriedkavé –, keď čokoláda jednoducho nenahradí ľudský súcit. Mohla by som zavolať „ideálovi“, no potom by som mu musela povedať o nehode v Jesmondovom kníhkupectve a že som zase bez práce. Určite by sa šiel popučiť od smiechu a poobede by to už kolovalo po celej Targe. Možno sa mu ozvem, keď sa opäť zamestnám. Čiže asi niekedy v budúcom tisícročí.

Mohla by som sa ozvať Jacobovi a zistiť, či nemá voľno. Má zvláštny pracovný čas, tak by možno bol teraz voľný. Ibaže práve toto chlapov desí, však? Ak im začnete vyvolávať už po pár rande, získate nálepku stíhačky alebo vydajachtivej ženskej, alebo takej, ktorá sa už chce zoznamovať s ich matkou.

Alebo by som mohla zatelefonovať Marcusovi. Iba tak, kvôli starým dobrým časom. Hoci som v podstate jeho vinou prišla o prácu. Prsty sa mi nebezpečne vznášajú nad mobilom. Po päťročnom vzťahu by bolo škoda, keby sme neostali aspoň kamarátmi, no nie? Inak by ten spoločne strávený čas vyšiel celkom navnivoč. Ak človeku neodpustíte jeho poklesky, nezanechá to čiernu škvrnu aj na vašej duši? Tomu by som sa rada vyhla, a ak to dosiahnem krátkym telefonátom s Marcusom, stojí to za riziko. Ťuknem na jeho číslo. Počúvam zvonenie a zhlboka sa nadychujem. Dúfam, že si od toho nebude sľubovať priveľa. Nemal by. Navyše, on sa ozval prvý.

Marcus vyzerá pekne, a keď ho uvidím, pichne ma pri srdci, hoci som si kázala ovládať sa. Má na sebe tmavosivý oblek, bielu košeľu a tmavoružovú kravatu. Páčia sa mi muži, ktorí sú o svojej mužnosti takí presvedčení, že sa nehanbia nosiť ružovú farbu. Čakám naňho pred kanceláriou. Vyjde z otáčavých dverí, stisne mi ruku a pobozká ma na líce.

„Rád ťa vidím," povie. Ja zatiaľ rozmýšľam, prečo som v čase krízy zavolala práve svojmu bývalému. Zvlášť keď jej príčinou je on. To, že niekoho dobre poznáme, zrejme neprináša opovrhnutie, ale útechu.

Ruka v ruke zamierime do kaviarne so stolmi vonku neďaleko Katedrály svätého Pavla. Okolo nás si vykračujú vypĺznuté holuby a ďobú do zeme. Objednáme si grilovanú zeleninu, mozzarellové panini a pohár červeného vína.

„Minule som si myslel, že je to už definitívny koniec," prizná sa Marcus. „Ďakujem, že si mi dala ďalšiu šancu."

„Toto nie je ďalšia šanca," namietnem rozhodne. „Zavolala som ti, lebo mám za sebou fakt hrozný týždeň a chcela som byť s niekým, s kým… sa cítim príjemne. Nič viac."

Marcus sa na mňa nádherne usmeje. „Príjemne?" zasmeje sa. „To je dobrý začiatok. Zatiaľ sa uspokojím aj s tým."

Čašníčka nám prinesie jedlo a víno. Marcus si dopraje poriadny dúšok teplého červeného vína a rázne sa zahryzne do sendviča. Keď sa na mňa znova pozrie, odrazu zvážnie. „Neviem, čo je to so mnou. Naozaj. Keď sme takto spolu, myslím si, že nášmu vzťahu sa nič nevyrovná. Milujem ťa, musíš mi veriť. Lenže potom, keď je všetko okej a priveľmi príjemné, začnem premýšľať o manželstve, deťoch a rodinnom živote do konca života a spanikárim. Preto to robím. Akoby som musel uvoľniť poistný ventil. A neskôr si vždy uvedomím, že som sa dopustil obrovskej chyby…"

„Ibaže to ti nezabráni urobiť to znova."

Pokrúti hlavou.

„Marcus, ide o to, že ak sa k tebe po takejto ‚obrovskej' chybe vždy vrátim, raz skončím ako tie zúfalé ženy, ktoré píšu do časopisov a žiadajú ich o radu. *Milá Cathy, manžel ma stále podvádza. Ja ho stále milujem. Čo mám robiť?*" Alebo budem ako Trisha vzlykať do vreckovky a v titulku bude veľkými písmenami stáť: *„Lucy podvádza manžel!"*

„Takže si dokážeš predstaviť, že by si sa za mňa vydala?"

Teraz som sa zasmiala ja. „Marcus, kedysi som to dokázala. Nemôžem poprieť, že by som sa rada vydala a mala deti. Som síce spokojná aj ako nezadaná, ale nechcem ostať sama celý život. S tebou zažívam to najhoršie. Držíš ma v šachu, nikdy neviem, či som už zasa nezadaná alebo vo vzťahu."

„Aj ja sa chcem oženiť a mať deti," vyhlási. „Raz. No v mojom odbore je to bieda. Každý muž v našej kancelárii, ktorý bol ženatý, je už rozvedený, bez výnimky. Niektorí sa oženili dokonca už tretí či štvrtý raz – a s každou ženou majú deti. Cez víkendy pendlujú medzi rodinami, s každou strávia dve hodiny a popoludnia trávia v mekáči. Toto nechcem. Je také zlé, že si chcem byť absolútne istý, kým sa definitívne rozhodnem?"

Keď to podáva takto, je ťažké namietať.

„Lucy, ešte vždy sme mladí," hudie Marcus. „Nemáme sa kam ponáhľať."

„Chodili sme spolu päť rokov." Teda väčšinou. „Ak to stále nevieš, je možné, že to nebudeš vedieť nikdy." Vzdychnem a dopijem víno. „Mám pocit, že som už pristará na takýto emocionálny zmätok."

Marcus sa zatvári dotknuto. „Čo mám urobiť, aby som ti dokázal, že chcem byť s tebou?"

Na začiatok by si mohol prestať spávať s inými ženami, napadne mi, no nahlas to nevyslovím. Sťažka vzdychnem a odvetím: „Netuším." Dnes nemám silu na debatu o našom vzťahu. Napokon, ani som to nemala v pláne. Tak čo tu potom robím? „Myslím si, že na takýto rozhovor je už prineskoro."

„To nehovor."

Chcem vstať. „Mala by som ísť."

„Nechoď!" prosí Marcus. „Ostaň. Prosím, ešte ostaň."

Zdráhavo si znova sadnem.

Potom akoby ožil. „Viem." Chytí sa za hlavu, akoby dostal nápad. „Nasťahuj sa ku mne. Nastálo."

Isto sa tvárim šokovane. Chcela som od Marcusa iba víno a zopár vtipov. Možno trochu flirtovania a možno aj prosíkania. Toto by mi však neprišlo na um ani vo sne.

„Vážne," pokračuje vzrušene. „Lucy, veď prečo nie? Skúsme to. Hneď teraz. Vybavím si poobede voľno v práci."

Tuším som vrástla do zeme. Toto hovorí vorkoholik Marcus? Vykašle sa na prácu? Nevymenil mu niekto osobnosť?

„Môžeme presťahovať tvoje veci hneď," pokračuje. „Načo čakať?"

Rýchlo žmurkám a otvorím ústa, chcem niečo povedať, no nevyjde zo mňa ani hlások. Marcus chce, aby som sa k nemu nasťahovala! Naozaj by sme do toho šli? Mám dať svojmu zatúlanému bývalému frajerovi ešte jednu šancu? Ešte nikdy ma nepožiadal, aby som sa k nemu nasťahovala. Toto je určite významný pokrok. Ešte nikdy som s nijakým svojím frajerom nebývala a láka ma už len tá predstava. Znamenalo by to, že začína uvažovať o pojme „navždy". Predsa nikoho nepožiadate, aby sa k vám nasťahoval, ak si plánujete vodiť každý večer do bytu iné ženské, nie? Ak by som uňho bývala, kedy by mal príležitosť na neveru? Možno potrebujeme práve toto, posunúť svoj vzťah na novú úroveň. Razom ma zaplaví vzrušenie, chvejem sa od očakávania alebo strachu, alebo čohosi podobného. Naozaj by sme to mali urobiť?

Môj ohromený mozog začína formulovať odpoveď, keď sa vtom Marcus pľasne po čele.

„Nemôžeme," zabedáka. „Nemôžeme."

„Prečo? Prečo?" Práve som si na tú myšlienku začala zvykať. „Prečo nie?"

„V celom byte mám vytrhanú podlahu."

„Podlahu?"

„Asi mám problém s odpadovými rúrami alebo čo," vysvetlí. „Celý byt smrdí. Zavolal som inštalatérov, ale zdroj toho smradu nenašli. Musel som objednať stavbárov. Vytrhali podlahy vo všetkých izbách, ale ani oni nič nenašli."

Moje líca nadobúdajú farbu jeho kravaty. „Naozaj?"

„Smrdí to ako skapatá ryba," pokračuje. „Radšej ťa tam ani nezavolám. Zatiaľ. Rozmýšľam, že sa presťahujem do hotela, kým nezistia, čo to je. No len čo skončia..."

Stisnem pery a zvažujem, čo povedať. Marcus ma tým nadšením takmer nakazil. Takmer som už rozmýšľala, čo si zabalím. Takmer som zabudla na Jacoba a na to, ako veľmi sa mi páči. Takmer som „ideála" považovala už iba za svojho šéfa. Takmer som zabudla, ako nepekne sa Marcus ku mne zachoval.

„Sú to krevety," poviem.

Marcus sa tvári zmätene.

„Ten smrad," vysvetlím. „Je z kreviet. Máš ich v pohovke a pod matracom."

Môj bývalý sa zatvári zdesene. „Dala si ich tam ty?"

„Presne tak."

Chvíľu na mňa mlčky civie. Zatína zuby ako vždy, keď je rozrušený. „Vtedy, keď si mi napchala do oblekov a topánok zemiakovú kašu?"

„Áno."

Marcus si pošúcha obočie. „Asi by som sa mal na tom zasmiať."

„Aj tak by sa dalo na to pozerať," poviem, tvár mám v plameňoch.

„Lenže nemôžem," odvetí Marcus. „Doteraz som vysolil tisíce libier. Na budúci týždeň mi majú priviezť novú pohovku, lebo ten rúž sa z nej nedal odstrániť. Spomínaš si? Napísala si na bielu kožu veľkými červenými písmenami *Marcus Canning, ty neverný sviniar.*"

Spomínam si.

Marcus je očividne v šoku. „Naozaj som si to zaslúžil?"

„Vtedy som si myslela, že áno."

„A teraz?"

„Teraz je mi to ľúto."

Marcus vstane. „Musím sa vrátiť do práce."

„Marcus, naozaj ma to mrzí. Chcela som len, aby sme boli priatelia."

Mlčí. Potom bez slova odíde.

Príde čašníčka po taniere. „Dáte si ešte niečo?"

„Prinesiete mi ponuku dezertov, prosím?"

Donesie mi ju a ja si objednám nie jeden, ale rovno dva obrovské rezy čokoládovej torty so štedrou dávkou krému.

41. kapitola

Hneď na druhý deň sa stretnem s dámami z Čokoládového klubu. Svoj majstrovský plán som už dokončila. Všetkým sa nám podarilo prísť po práci, a keby sme sedeli v krčme, už by sme tu boli po záverečnej. Na dverách visí ceduľka *Zatvorené* a lahôdky Čokoládového neba vychutnávame už iba my. Dážď bičuje okná a Clive zapálil na stolíkoch sviečky, aby zahnal šero. Poviem vám, keby som bola milionárka, Clivovi a Tristanovi by som zaplatila, aby podnik rezervovali iba pre mňa.

„Tvoje šperky dostaneme späť," oznámim Chantal odhodlane.

Zasmejú sa.

„A ako to urobíme, miláčik?" vyzvedá Chantal a odlomí si kúsok zo sušienky s kúskami čokolády.

„Takto." Rozdám im papiere s inštrukciami.

Dnes som pracovala v nejakej anonymnej sivej kancelárskej budove, kde sa so mnou nikto nerozprával. Bolo to príšerné miesto, a aby som to tam vydržala, celý deň som doťahovala detaily operácie *Zachráňte Chantaline šperky.*

Prečítajú si ich. Už sa tak nesmejú.

„Myslíš to vážne," vydýchne Autumn.

„Smrteľne vážne."

„Naozaj si myslíš, že to zvládneme?"

„Musíme to skúsiť," vyhlásim. Sama sa utešujem pravou madagaskarskou čokoládou, tentoraz mliečnou, nie horkou. Je krémová, sladká a vláčna ako čokoláda, akú si pamätám z detstva. Mama bývala čokoholička – to ona ma zaviedla na túto cestu. Potom sa rozhodla, že na to, aby viedla naplnený život, musí nosiť oblečenie veľkosti tridsaťšesť, a tak teraz prežíva iba na šaláte. Je síce nešťastná, no má telo podvyživeného dieťaťa, po ktorom tak túžila. V jej veku budem tučná, ale šťastná.

Obyčajne mi lahodná madagaskarská čokoláda vyliečila všetky boľačky, no teraz ma veru neupokojuje. A ešte sa aj dopúšťam svätokrádeže a zapíjam ju čajom. Ani to nepomáha. „Nemôžeme dopustiť, aby ten chlap Chantal vydieral," poviem mrzuto.

„Za taký krátky čas sa mi asi nepodarí naškriabať toľko peňazí," prizná sa Chantal. „Možno má Lucy pravdu. Mali by sme to skúsiť."

„Ozval sa ti znova?"

„Dnes ráno," odvetí. „Podarilo sa mi dohodnúť posunutie termínu, ale to nemôžem donekonečna."

Už začíname rozprávať ako skúsené zlodejky. Jedna z nás čoskoro vyhlási: „Zaveste ho na hák!" ako Vinnie Jones. Nervózne sa na seba pozrieme.

„Je to vôbec legálne?" zašepká Autumn.

„Iba si chceme vziať späť to, čo patrí Chantal," vyhlásim presvedčene, i keď sa tak necítim. Možno by sme si mali naozaj dávať pozor. „Iný spôsob mi nenapadá."

„Idem do toho," vyhlási Nadia. „Kedy to urobíme?"

„Čo najskôr." Pozriem sa na Chantal a čakám, čo na to ona. Prikývne.

„Potrebujem vedieť kedy, aby som sa uistila, že Toby bude môcť ostať s Lewisom. Nechcem zbytočne platiť opatrovateľku, ak to nebude nevyhnutné," pokračuje Nadia.

George Clooney podobné problémy nikdy nemal. Nevyšla mu niekedy lúpež len preto, lebo niekto z členov *Dannyho jedenástky* nezohnal opatrovateľku? Sotva.

„Čo povieš na svoju úlohu?" opýtam sa Autumn.

Vystrašene vypleští oči. „Urobím to," súhlasí. „Kvôli Chantal."

„A prečo kvôli tomu musíme ísť až na vidiek?" vypytuje sa Nadia.

„Napadlo mi, že to bude lepšie niekde, kam nechodíme bežne." Opäť inšpirácia filmom, tentoraz *Zbaľ prachy a vypadni.* „Na neutrálnom území." Hoci, keď o tom rozmýšľam, vlastne neviem, prečo až tak ďaleko. Nemôžeme to zorganizovať bližšie k domovu? Určite áno. No o tom radšej pomlčím, lebo by mohli začať pochybovať aj o zvyšku môjho prešibaného plánu.

„Je to pekný hotel," skonštatuje Nadia pri pohľade na názov. „S Tobym sme si pred pár rokmi zohnali jeho brožúru. Napadlo nám, že by sme tam zašli na pár dní a oslávili naše výročie, no nemohli sme si to dovoliť. Odjakživa som tam túžila ísť."

Všetky ju pokarháme pohľadom.

„Pardon," ospravedlní sa. „Nejdeme na piknik. Viem."

„Budeme potrebovať aj tabletky na spanie," premýšľam nahlas.

„Tie zoženiem ja," zahlási Nadia. Všetky sa k nej otočíme s nevyslovenou otázkou, na čo sú jej zásoby tabletiek na spanie. Tipovala by som, že k liekom bude mať prístup skôr Autumn. „Koľko potrebuješ?"

„Koľko ich treba na omámenie jedného darebáka?" Uvedomím si, že to asi nebude presný údaj.

„Nechceme ho zabiť," zamieša sa do toho Autumn.

„Ja hej," povie Chantal otvorene.

„Ako sa volajú tie tabletky?" spýta sa Autumn. „Poradím sa s Richardom. Vyzná sa v liekoch na predpis aj v tých ilegálnych. Určite to bude vedieť." Vedela som, že jej kontakty sú neoceniteľné.

„Myslíte si, že sa k nám pridajú aj chlapci?" hodím kradmý pohľad na Cliva a Tristana.

„Opýtajme sa ich," navrhne Chantal. „Hej, chlapci!" zavolá na nich. „Nechcete sa zúčastniť na lúpeži?"

So smiechom si k nám prisadnú. Priniesli aj fľašu čokoládovej vodky a šesť štamperlíkov. Úsmevy im však zvädnú, keď zistia, že naozaj plánujeme „ísť na záťah" a počítame s ich účasťou. O šesť štamperlíkov čokoládovej vodky neskôr obaja prekvapujúco súhlasia.

„Zavolaj mu," prikážem Chantal, takisto posilnenej vodkou. „Zavolaj tomu sviniarovi. Dohodni si s ním stretnutie. Povedz mu, aby si rezervoval izbu v hoteli, lebo nechceš nič vymieňať na verejnosti."

„Určite?" opýta sa.

„Je to tvoja jediná šanca."

Chantal sa zhlboka nadýchne a nájde v mobile jeho telefónne číslo. Všetci sa k nej nakloníme, naťahujeme uši, aby sme čo najlepšie počuli. „Tu Chantal. Stretneme sa v hoteli *Trington Manor*," vybafne naňho bez úvodných fráz. „Poznáte to tam? Fajn." Kamarátka hovorí trochu nezrozumiteľne. „V piatok o deviatej. Rezervujte si izbu. Chcem si byť istá, že nás nikto nebude sledovať."

„Dohodnuté," oznámi, len čo ukončí hovor. Potom do seba prevráti ďalšiu vodku.

„V piatok o deviatej," zopakujem a všetky prikývneme. „Stretneme sa tu po práci. Cesta tam potrvá niekoľko hodín." Chantal bude šoférovať, má najluxusnejšie auto. Ja s Autumn auto ani nemáme. Lúpiť na bicykli by nebolo ono. A je to. Dohodli sme sa.

Clive nám znova ponalieva a štrngneme si. A hoci to nevyznie ako v *Dannyho jedenástke*, nahlas poviem: „Na Čokoládovú štvorku!"

42. kapitola

Moja nová agentúra Anjeli kancelárie mi zohnala novú prácu. Je skvelá. Pracujem pre štýlovú návrhárku, ktorá má vlastný módny salón v Covent Garden. No nie je to super? Rozhodne lepšie než staré kníhkupectvá páchnuce stuchlinou a sterilné počítačové spoločnosti. Som tu už dva dni a ešte som nič nepokazila. Naozaj. Všetky manekýny majú stále na sebe desaťtisícové róby. Nijaké šaty nie sú roztrhané. Nijaká figurína neprišla o ruky ani o iné časti tela. Dubová podlaha sa leskne ako zrkadlo a ešte som sa na nej nešmykla a nezvalila sa na zadok ako klaun v cirkuse. Možno som vo svojom živote konečne dosiahla bod zlomu.

Návrhárka sa volá Floella a je to drobučká Jamajčanka so skvelou povahou a záľubou v topánkach od Jimmyho Chooa. Módny svet si ju nedávno všimol a už oblieka áčkové celebrity. Usporiadala som jej kartotéku a dohodla stretnutia s mnohými klientmi na skúšky šiat šitých na mieru. Viem, ako jej mám pripravovať obľúbenú bezkofeínovú kávu – tri kvapky sójového mlieka a štipku cukru ráno; čistú čiernu kávu poobede. Chcem byť absolútne nenahraditeľná, aby si ma tu nechala dlhšie, alebo ma dokonca povýšila a ponúkla mi trvalé zamestnanie.

Dnes som však mysľou inde. Dnes je deň D. Večer spustíme operáciu *Zachráňte Chantaline šperky* a už teraz sa mi z toho trasú ruky. Vypila som asi desať šálok kávy s kofeínom a zjedla rovnaký počet čokoládových tyčiniek z rýchlo sa stenčujúcich zásob. Samozrejme, dávala som si pozor, aby som na večerných šatách ani na látkach v dielni nezanechala čokoládové odtlačky prstov.

„Lucy," vtrhne mi Floella do myšlienok. „Dnes treba tieto šaty odviezť do hotela *Landmark* na módnu prehliadku."

Odviezť? Ja? Aj toto mám v náplni práce?

„A potrebujem pomôcť naložiť ich do dodávky." Na pohovore som síce tvrdila, že mám vodičák, no naposledy som držala volant pred mnohými mesiacmi. Aj to len v osobnom aute. Neuvedomuje si, že naposledy som šoférovala pred piatimi rokmi a nikdy, ozaj nikdy som neovládala nič také veľké ako dodávka? Očividne nie. Život v Londýne znamená chodiť všade autobusom alebo metrom. Čo teraz? Už sa nemôžem priznať, že nie som veľmi zdatná šoférka. Floella by ma mohla vyraziť a bez pardonu poslať späť do Anjelov kancelárie. Nemám na výber. Musím to nejako zvládnuť.

S pocitom blížiacej sa pohromy vyjdem na zadný dvor – tam som ešte nebola – a uvidím ju. Veľkú – obrovskú – bielu dodávku. Ach jaj. Budem šoférovať bielu dodávku. Súčasťou mojej snahy o nenahraditeľnosť je však aj to, že nebudem protestovať, preto do nej s Floellou naložíme kopu šiat. Všetky sú zabalené v hodvábnom papieri a plastovom vreci a vešiame ich na špeciálne stojany v dodávke. Vo veľmi veľkej dodávke.

„Nemusíš sa hnať," povie mi Floella, zrejme vycítila moju nervozitu. „Moja asistentka Cassie už čaká v hoteli. Zavolám jej, že si na ceste."

„Dobre."

Zmizne v obchode a nechá ma napospas dodávke. Vyštverám sa do nej. Kristepane! Cítim sa ako v kabíne sťahovacieho auta. Sedím a usilujem sa prísť na to, na čo tu všetky tie prístroje, páčky a tlačidlá slúžia, potom však už musím vyraziť. Vyzerá to tu zložitejšie než vo Vauxhall Corse, v ktorej som naposledy sedela za volantom. Roztrasenými rukami ten kolos naštartujem a váhavo ním vyjdem na uličku za obchodom. Snažím sa nešuchnúť autom o tehlové steny, ktoré sú z každej strany. Tvár mi horí a pod pazuchami sa mi rozširujú elegantné mokré mapy.

Zaradím sa do londýnskej premávky a mierim k hotelu *Landmark*. Udržujem stabilnú rýchlosť, neprekáža mi, že ma všetky autá obchádzajú. Nenadávam – ak, tak len popod nos –, iba tuho zvieram volant a pomaly sa šiniem do cieľa. Na New Oxford Street sa už trochu uvoľním. Už nesedím vystretá ako pravítko a do hánok sa mi vracia krv. Zabočím na Tottenham Court Road a na okamih odtrhnem pohľad od cesty. Na chodníku zachytím pohľadom chodca. Je to Jacob. Kráča po ulici s kufríkom v ruke, prediera sa davom. Až teraz si spomeniem, že dnes večer máme ísť na ten charitatívny večierok. Možno práve ten, na ktorý veziem šaty. Načisto som na to zabudla! Pri tom organizovaní lúpeže šperkov mi rande úplne vyfučalo z hlavy. Ako som mohla zabudnúť? Čo som sa zbláznila?

Zastanem pred priechodom cez cestu. Blíži sa k nemu Jacob. Bola by to ideálna príležitosť zrušiť schôdzku a vysvetliť mu dôvod.

Nemôžem mu však povedať, že namiesto účasti na charitatívnom večierku plánujem lúpež. Čo by si o mne pomyslel? Chcem stiahnuť okienko, no netuším, ako spustím to na strane spolujazdca. Postláčam hádam všetky tlačidlá a otvorí sa okno na mojej strane, to som však nechcela. Aj tak z neho zakričím: „Jacob! Jacob!"

Nevidí ma. Mohla by som mu zavolať, ale nechcem dostať pokutu za telefonovanie počas jazdy. Zasvieti mi zelená, šoféri za mnou sú už netrpezliví a dávajú mi to najavo kakofóniou klaksónov. Pohnem sa, no potom mi napadne, že potrebujem dostihnúť Jacoba hneď. Čo ak sa mu poobede už nedovolám? Pomyslel by si, že som hrozná. Dupnem na brzdu a stočím dodávku ku krajnici. Vtom sa ozve strašný náraz a dodávka poskočí dopredu. „Doriti!"

Ďalšie trúbenie. Vyskočím z kabíny a ponáhľam sa dozadu za dodávku. Hlboko do nej je zarytá rovnaká biela. Nárazník má očividne nepoškodený, zato tá moja je zreteľne pomliaždená. Pokrčené zadné dvere sú otvorené dokorán. V druhej dodávke sedia dvaja chlapi, obaja z nej vyskakujú a jeden z nich na mňa kričí: „Hej, čo nepozeráš, kam ideš?! Hlupaňa!"

Okolo prechádza Jacob. Našu malú nehodu si vôbec nevšíma.

„Sekundu," poviem chlapíkovi. „Sekundu. Hneď som späť."

Stojí s otvorenými ústami, kým ja šprintujem za Jacobom a idem si vykričať pľúca: „Jacob!" Formuláre pre poisťovňu s nimi vybavím, keď sa vrátim, teraz musím riešiť niečo dôležitejšie. Ten chlap do mňa narazil, bola to jeho chyba. „Jacob!" Čo je hluchý? Alebo má v ušiach slúchadlá? Neotočí sa.

Vojde do veľkého hotela a mieri na recepciu. Uháňam za ním, no musím počkať, kým z otáčavých dverí nevyjde skupinka biznismenov, až potom vbehnem dnu. Jacoba nevidím. Prebehnem pohľadom po mužoch usadených na recepcii, no ani jeden z nich nie je Jacob. Vtom ho zbadám, ide k výťahom. „Jacob!" zakričím naňho.

Zdvihne zrak a spočiatku sa tvári vyľakane. Možno sa naozaj zľakol. Stojí pri ňom iný pekný mladý muž. Vysoký a tmavovlasý, v dokonalom obleku s tenkými pásikmi.

„Prepáč, prepáč," vydýchnem. „Práve som mala nehodu. Keď som ťa uvidela ísť okolo, vyskočila som z dodávky."

„Nehodu? Z dodávky?" opakuje Jacob. „Nestalo sa ti nič?"

„Mne nič. Len dodávka je trochu preliačená." Vlastne dosť. „Na tom nezáleží," poviem. Zrakom prejdem na druhého muža. Fíha, ozaj je fešák. „Prepáč," ospravedlním sa mu. „Asi máš stretnutie. Nechcem ťa zdržovať."

„To nič," odvetí Jacob, no jeho znepokojený pohľad na druhého muža mi neujde.

„Môžem na minútku?"

Pozrel naňho, či súhlasí. Muž odmerane prikývne a skontroluje hodinky. Jacob od neho odstúpi, chytí ma za lakeť a odvedie ďalej, aby nás chlapík nepočul.

„Dnes večer nemôžem prísť," oznámim mu. „Veľmi ma to mrzí. Mám už niečo iné."

„Aha." Vyzerá úprimne sklamaný.

„Veľmi ma to mrzí," bľabocem. „Keby som to mohla zrušiť, tak to urobím. Lenže potom by som sklamala kamarátky."

„Rozumiem," povie Jacob.

„Čo povieš na víkend?" navrhnem. „Mohli by sme sa stretnúť. Mám voľno."

„Mám prácu," odvetí so skľúčeným úsmevom. Neviem určiť, či neklame. Myslí si, že ma prestáva zaujímať? To určite nie.

„Mohli by sme vymyslieť niečo cez týždeň," vravím proti svojej vôli zúfalo.

„Na väčšinu večerov už mám dohodnuté stretnutia."

Väčšina neznamená všetky. Už mi nič nenapadá.

„V utorok," zachráni ma. „Okolo šiestej budem mať voľno. Nechceš sa so mnou stretnúť po práci v Čokoládovom nebi?"

„Áno," súhlasím rýchlo a chytám sa toho ako topiaci sa slamky. Čo tam po joge. „V utorok môže byť."

Jacobov kolega pri výťahu neskrývane netrpezlivo prešľapuje.

„Musím ísť," povie Jacob. „Čakajú nás klienti."

„Tak sa maj." Zamávam mu.

Druhý muž sa otočí a záhadne sa na mňa usmeje, potom vojde do výťahu s Jacobom. Musím sa vrátiť k dodávke, no ten úsmev mi neschádza z mysle. Chcel mi tým niečo naznačiť?

Vyrútim sa z hotela a šprintujem k autu. Na konci ulice však vidím iba jednu dodávku. Doriti! Tí lumpi zdúchli. Možno mi však zastrčili údaje k poistke za stierače alebo niečo také. Dopekla! S týmto som nepočítala. Dnes sa už nedá veriť nikomu. Čo poviem Floelle? Ako jej vysvetlím tú preliačinu na dodávke? Vezme to lepšie než pán Jesmond, v ktorého kníhkupectve sa môj pokus o upratovanie tak dramaticky zvrtol? Sotva. Skôr vyletí z kože a hodí po mne topánku od Jimmyho Chooa.

Zadné dvere dodávky sú otvorené dokorán. Budem ich musieť niečím zviazať, takto predsa nemôžem jazdiť. Šľak aby to trafil! Veru nemám dobrý deň. Dúfam, že večer to vypáli lepšie. Ak platí, že nešťastie chodí vždy v trojici, čaká ma ešte jedna kalamita.

Pozriem do dodávky a zistím, že práve nastala. Všetky Floelline róby dostali nohy. Neostala tu ani jedna. Auto zíva prázdnotou. Chlapi, ktorí do mňa vrazili, ich všetky vzali. Plánujem vlastnú lúpež a popritom sa sama stanem jej obeťou. Civiem do prázdneho priestoru a uvažujem, čo si, dopekla, počnem. Toto Floelle nijako nevysvetlím. A vôbec sa jej to nebude páčiť.

Ešte vždy v opare ohromenia prejdem pred dodávku. Spod stierača trčí nejaký papier. Zdvihne sa mi nálada. Žeby mi tí chlapi predsa len nechali kontakt? Možno existuje dokonale logický dôvod, prečo tie šaty zmizli. Možno ich zobrali a niekam skryli, aby tu neboli ako na výstave. Roztrasene vytiahnem papier. Pokuta za parkovanie. Obyčajná pokuta za parkovanie. Ak dobre počítam, sú to už štyri kalamity za jeden deň. Moja kvóta sa hádam vyčerpala. Vtom si uvedomím, že sa môžem rozlúčiť s ďalšou prácou – tentoraz vážne skvelou –, a skóre sa zdvihne na päť.

43. kapitola

„Takže toto je tvoje kráľovstvo?" opýtal sa Richard. Netváril sa, že by to naňho urobilo dojem.

„Áno." Autumn sa predsa len podarilo presvedčiť brata, aby sa zašiel pozrieť do resocializačného centra a informoval sa o programe *Choď do toho!*, na ktorom sa zúčastňovala. Ak bude mať šťastie, možno doň bude chcieť vstúpiť aj on. Autumn zariadila, aby ho pustili na jej hodinu a stretol sa s niektorými jej klientmi. Nebolo politicky korektné nazývať ich deťmi, hoci boli deťmi. Zmätenými deťmi, ktoré si ničia život. Napadlo jej, že keby sem brata priviedla, aby spoznal niektoré deti, ktoré si závislosťou od drog kazia život, možno by mu to otvorilo oči. Videl by, ako veľmi sa krutá realita drogovo závislého človeka líši od úžasných účinkov kokaínu, ktoré prezentujú médiá a v ktoré tak verí.

„Vyzerá to tu bezútešne," ohŕňal nosom nad olupujúcou sa farbou na stenách. „Keby som mal tráviť dni v takejto diere, tuším by som si šľahol ešte viac."

Pravdaže, ubytovanie tu bolo skôr praktické než pekné. Stolfordské centrum nenavrhli tak, aby zbieralo ceny za dizajn. Sídlilo v starej tehlovej školskej budove z tridsiatych rokov, ktorá sa už rozpadávala. Značná časť rozpočtu išla iba na to, aby sa budova nezrútila. No miestnosti boli priestranné a dobre osvetlené, i keď v radiátoroch žblnkala voda a pôvodné drevené podlahy boli po rokoch samá diera a plné zažratej špiny.

„Áno," povedala Autumn. „Máš šťastie, že ocko ti môže zaplatiť kliniku, ktorá vyzerá skôr ako päťhviezdičkový hotel. Väčšina drogovo závislých si to nemôže dovoliť."

„Autumn, nezačínaj zasa," zastonal a kráčal za ňou. „Už som ti povedal, že nie som závislý. Beriem drogy iba rekreačne. Mám to úplne pod kontrolou."

„Iste." Brat deň či dva po zážitku s Daisy na pokraji smrti sekal dobrotu, no už sa zase správal neznesiteľne ako predtým. „Nezačína tak s drogami každý? Všetci najprv tvrdia, že to majú pod kontrolou."

„Je to iba kokaín," odsekol podráždene. „Nič iné. Dnes sa dostaneš do nálady za cenu šálky kapučína. Dokonca aj vláda prehodnocuje klasifikáciu drog. Už sa nepovažujú za takú pliagu ako kedysi. Iba ti trochu zlepšia život. Miláčik, užívame ich ako mätové cukríky po večeri. Trocha si šnupneš po káve na povzbudenie. Nie je v tom nič zlé."

„Rich, nerada ti protirečím, ale prišiel si o prácu aj o domov. Podľa mňa si na tom práveže dosť zle."

„Pozri, segra, toto tu je fakt v pohode." Ukázal na chodbu. „Naozaj obdivujem, že chceš konať dobro. A títo uhrovití pubertiaci to určite oceňujú. Asi ťa vnímajú ako záchranné lano, lenže ja nie som ako oni. Ja mám veľmi ďaleko od kartónovej škatule na rohu ulice." Pohŕdavo sa zasmial, až sa Autumn zježili chlpy na šiji. Iba Richard sa dokáže nafukovať aj v takej situácii, v akej sa ocitol.

„Len preto, lebo tvoja sestra býva v peknom byte na Sloane Square," pripomenula mu. „Kde by si inak bol?"

Vošli do ateliéru, ktorý bol jej doménou. Jej klienti ešte neprišli, no steny zdobili ich kreatívne práce. Niektorí vyrobili zrkadlá ozdobené vitrážou s rôznymi tvormi – mačkami, šteniatkami, drakmi – schúlenými v jednom rohu. Krivolaké línie oloveného lemovania prezrádzali, že ich vytvorili neskúsené ruky. Iní boli odvážnejší a vyrobili farebné sklené plôšky do dvier, ktoré zrejme nikdy neuvidia. Na oknách na severnej strane budovy viseli krivé lapače slnečných lúčov a hádzali červené, žlté a zelené odlesky na upratané pracovné stoly. Rada tu trávila čas. Tu bola najšťastnejšia. A ak mohla niečo aspoň trochu zmeniť, vniesť štipku farby alebo spokojnosti do života svojich zverencov, potom to malo zmysel.

Richard jej ovinul ruku okolo pliec a zmierlivo ju stisol. „Vyzerá to tu skvele, Autumn. Robíš naozaj dobrú prácu.“

„Snažím sa,“ odvetila úprimne, hoci niekedy pochybovala, či to stačí. „Čoskoro tu budú moji študenti.“

Ako na povel vošlo vycivené dievča v gotickom odeve a so šticou prefarbených čiernych vlasov s ružovými pásikmi – šestnásťročná Tasmin, závislá od kokaínu. Chodila k Autumn už takmer rok a očividne mala na prácu so sklom talent. Tasmin prešla od výroby vitráží k vypaľovaniu v peci, hľadala sýte farby, miešala ich a vyrábala naozaj pekné dielka. Kým ostatní frflali, že by najradšej išli domov, a trápili sa s výrobou mozaiky alebo podložky pod hrniec, Tasmin celé hodiny sústredene tenkým strieborným drôtom obmotávala kúsky skla, z ktorých po vypálení vznikli módne prívesky a náušnice. Niektoré dokonca predávala kamarátkam za pár libier. Tasmin nabrala sebadôveru a nadchlo to aj Autumn. Nemohla si pomôcť, musela obdivovať jej zručnosť a odhodlanosť. Tešilo ju, že aspoň jednej jej študentke sa tak darí. Tasmin sa vyvíjala sľubne, a predsa bol pre ňu každý deň boj. Autumn bola presvedčená, že keby mala lepšie vzdelanie, dotiahla by to až na univerzitu. Bola veľmi bystrá, i keď niekedy konala nerozvážne a nedávala si pozor na jazyk. Autumn len dúfala, že sa dokáže vymaniť zo svojho súčasného spoločenského okruhu a rozlúči sa s priateľmi, ktorí akoby robili všetko pre to, aby ju stiahli späť. Tasmin často prišla s modrinami. Nijaké dievča ju tu nemalo rado. Pod gotickým mejkapom sa ukrývalo veľmi pekné dievča, preto žiarlili na jej výzor aj na to, že tu odhalila svoj talent na výrobu šperkov.

Škoda, že Tasmin nedokáže vyrobiť briliantový prsteň a náramky. Potom by dnes večer nemuseli nikam ísť. Autumn sa zvieral žalúdok od nervozity, keď si pomyslela, čo ju čaká. Richovi o tom nemohla povedať ani slovo. Čím menej bude vedieť o jej účasti na tomto pochabom pláne, tým lepšie. Mala sa ho spýtať, koľko tabletiek na spanie treba užiť, aby ich obeť spala ako drevo, no budú to musieť len odhadnúť a dúfať, že sa nič nestane. Autumn znova stiahlo žalúdok. Lucy bola presvedčená, že spoločnými silami to zvládnu. Autumn si taká istá nebola. Dúfala iba v to, že ich nikto nechytí.

„Ahoj, Tasmin."

„Zdravím, slečna." Autumn presviedčala svojich študentov, aby ju volali krstným menom, no väčšina z nich stále trvala na tom, že oslovenie „slečna" je najlepšie.

„Toto je môj brat Richard."

Tasmin sa naňho podozrievavo zahľadela, obzerala si jeho čierny kašmírový sveter a značkové džínsy, rovnako ako on študoval jej dierované pančuchy a martensky.

„Radšej pôjdem," povedal Rich celý nesvoj. „Mám ešte nejakú prácu."

Autumn rozmýšľala, čo by to tak mohlo byť. Aspoňže súhlasil, že sem príde. Zdalo sa však, že stráviť čas s deckami a rozprávať sa s nimi je už nad jeho sily. S touto skupinkou sa človek ťažko zbližoval, aj jej to trvalo dlho. No teraz jej Tasmin občas priniesla čokoládovú tyčinku, keďže odhalila Autumninu slabosť. Tak jej asi vyjadrovala obdiv alebo vďaku.

Brat ju pobozkal na obe líca. „Uvidíme sa neskôr."

Autumn prikývla. Rada by ho napomenula, aby si dával pozor, ale tým by ho len podráždila. Vždy, keď sa s ním chcela rozprávať, mala pocit, že musí okolo neho chodiť po špičkách. Kiežby tu bol Addison a urobil to za ňu. Možno by dokázal Richarda presvedčiť, aby sa zapojil do projektu, keďže jej sa to nepodarilo.

Keď Rich prišiel k dverám, prešiel okolo neho vysoký mladík. Aj on si jej brata podozrievavo obzrel. Bol to Fraser, od pätnástich závislý od heroínu a drobný díler. Viedol aj skupinu vreckárov, aby mal z čoho financovať svoju závislosť, a pravidelne pripravoval ľudí na Oxford Street o ich ťažko zarobené peniaze. Autumn ho vnímala ako dickensovského Fagina, no napriek mnohým problémom a zlyhaniam to bol zábavný, milý chlapec so silným glasgowským prízvukom, pre ktorý nerozumela polovici toho, čo vravel. Netušila, čo mu dávajú jej hodiny kreatívnej práce so sklom, ale chodil na ne častejšie než ostatní. Možno preto, lebo sa mu páčila Tasmin. Fraser sa momentálne mocoval s lapačom slnka na kuchynské okno pre mamu, ktorá žila v jeho rodnom Škótsku. Možno bolo dobre, že Richard sa tu dlho nezdržal. Musela s Fraserom čosi prebrať a bude lepšie, keď pri tom brat nebude.

„Zdravíčko, slečna."

„Ahoj, Fraser." Všimla si, že Tasmin práve vyberá z pece svoj najnovší výrobok. Autumn mu kývla, aby k nej podišiel. „Chcem ťa požiadať o láskavosť."

Chlapec sa naklonil nad pracovný stolík k nej. „Do toho."

Autumn stíšila hlas. „Naučíš ma, ako sa kradne z vrecka?"

Ak aj Frasera jej nezvyčajná žiadosť prekvapila, nedal to najavo. Sebavedome prikývol. „Samoška.“

„Dobre,“ povedala. „Musím sa to naučiť ešte dnes.“

44. kapitola

Mám na sebe čierne kokteilové šaty s ramienkami a topánky s vysokánskym podpätkom ako rodená *femme fatale*. Trasiem sa od hlavy po päty, hoci mám pocit, že vo mne horí kotol. Líca mám červené, a pritom zúfalo potrebujem vyzerať pokojne a duchaprítomne. No mala som zlý deň a môj starý dobrý dôvtip si vyberá dovolenku.

Nemusím ani hovoriť, že Floella ma z tej skvelej práce vyrazila, len čo som sa vrátila do obchodu a priznala sa jej s tou nepríjemnosťou. Líca mi horeli od hanby a v ušiach mi zvonilo od Floelliných vyhrážok, „že tú kostnatú belošku zažaluje“. Zaplavila ma chvíľková radosť, lebo ani v najdivokejších snoch ma nikto nenazval „kostnatou“. Potom zavolala na políciu a úsmev mi z tváre zmizol. A to sa snažím držať mimo dosahu ruky zákona, nie hnať sa jej v ústrety. Akoby som nemala dosť starostí. Floelle som sa vyhýbala až do príchodu polície. Chlapcom v modrých uniformách – ktorých Floellina ani moja neutešená situácia až tak nezaujímala – som to vysvetlila a usilovala sa pritom nevzbudiť dojem, že mám sklony k zločinu. Naposledy som videla Floellu jačať do telefónu, keď volala s poisťovňou. So stiahnutým chvostom som sa odplazila preč. Moje krátke obdobie osobnej asistentky čoskoro slávnej módnej návrhárky sa náhle skončilo, a keďže teraz je zo mňa len uzlík nervov, cítim sa mizerne.

Všetky sa stretneme v Čokoládovom nebi pripravené odštartovať operáciu *Zachráňte Chantaline šperky* a všetky sa tvárime nervózne. Kaviareň je už zavretá a sme tu samy. Chantal sa prechádza hore-dolu, Autumn si opakuje akúsi hipisácku mantru a Nadia striedavo hryzie svoje nechty a sušienku s čokoládovými kúskami.

Chantal je celá v čiernom a vyzerá, akoby sa chystala vykradnúť banku, chýba jej iba kukla s otvormi na oči. Nadia má na sebe džínsy a bundu, akú by isto nosil zločinec. Autumn zvolila nadýchanú kreáciu z mušelínu a tizianovská hriva jej voľne splýva na plecia. Asi som jej mala povedať, že ak má doma čosi, v čom aspoň vzdialene pripomína drsniačku, má si to obliecť. Pochybujem, že mnohí zlodeji sa obliekajú ako folkoví speváci. Nuž, čo sa dá robiť. Je najvyšší čas a musíme si švihnúť.

Naši komplici Clive a Tristan sa ukrývajú za pultom a tvária sa nenápadne. Prejdeme k nim a oni vyložia na pult škatuľku s bonbónmi.

„Lucy, je tu dvanásť bonbónov," oznámi mi Clive vážne. „Polovica z nich obsahuje Nadiine tabletky na spanie. Použili sme vlastnú zmes brazílskych kakaových bôbov a rozdrvené tabletky sme zamiešali do čokoládovej polevy. Náplň má príchuť zeleného a čierneho kardamómu, čo im dodáva korenistú chuť s nádychom dymu, preto by v nich tie lieky nemalo byť cítiť."

Mňam. Až sa mi zbiehajú slinky. „Ako ich rozoznám?"

„Tie bez tabletiek majú navrchu dve ryhy. Tie s tabletkami tri."

„Takže bez tabletiek dve ryhy, s tabletkami tri."

„Presne tak."

„Nemôžem aspoň jeden ochutnať?" Plesne ma po ruke.

„Nie!" zamietne Clive dôrazne. „Ovládaj sa. A nezabudni, nesmieš ich pomiešať. Odpadnúť má on, nie ty."

„Dúfam, že som to množstvo odhadla správne," znervóznie Autumn. „Richarda som sa na to radšej nepýtala, inak by ma podozrieval."

„Riadili sme sa vlastným úsudkom," povie Clive.

„Na základe čoho?"

„Na základe slepej ignorancie," dodá. „Dúfam, že sme do tých bonbónov dali dostatočné množstvo, aby to človeka na chvíľu odrovnalo."

„Čo ak si dal priveľa?"

Vymeníme si znepokojené pohľady.

„Určite to bude v pohode," ubezpečím nás, i keď o tom aj ja trochu pochybujem. „Chlapci, ďakujem vám za pomoc."

„Len dúfam, že sa nestretneme vo väzenskej kantíne." Clive si teatrálne položí ruku na hruď.

„Radšej si švihnime," súri nás Chantal. Tvár má strhanú, bielu ako krieda. „Ešte ti chýbajú šperky."

Ozdobí ma bižutériou, ktorú kúpila na tento účel. Naoko briliantovým náhrdelníkom, dvoma náramkami a náušnicami, ktoré pripomínajú dvojkarátové brilianty. „Vyzerajú ako pravé?" Nie je tu zrkadlo, nemám sa teda v čom poobzerať.

„Dúfam," odvetí Chantal.

„Poriadne ho opi," poradí mi Nadia. „Potom si nevšimne, že sú to napodobneniny."

Dúfame, že náš objekt si toho veľa nevšimne.

„Vyzeráš úžasne, Lucy," vydýchne Autumn.

„Ďakujem." Utriem si vlhké dlane do šiat. „Hádam si to bude myslieť aj niekto iný."

„Chlapci, zaželajte nám veľa šťastia," obráti sa Chantal ku Clivovi a k Tristanovi.

Obídu pult a vyobjímajú nás, akoby sme sa vydávali na nebezpečnú výpravu. V istom zmysle aj áno.

„Vráťte sa celé,“ povie Tristan. Marí sa mi, že sa mu v oku dokonca zaleskla slza.

„Vrátime,“ vyhlásim statočne. „Zvládneme to ľavou zadnou.“

„No predtým nás čaká dlhá cesta autom,“ poznamená Chantal a veľavravne sa pozrie na hodinky.

Ako veliteľka by som mala vliať svojmu vojsku sebavedomie, a tak vystriem plecia a zdvihnem hlavu. „Hor sa do boja!“ zavelím.

45. kapitola

Neviem, aké auto má Chantal, no isto je drahé a vonia ako nová kožená kabelka. Vezieme sa v napätom tichu, každá pohrúžená do vlastných myšlienok. V ruke stískam bonboniéru a v duchu si ustavične opakujem úlohu, ktorú zahrám v hoteli. Ide mi z toho vybuchnúť hlava. Stavím sa, že dievčatá sú na tom rovnako.

„Chantal, pusti nám niečo veselé,“ poviem. „Čaká nás síce vážna úloha, no nemusíme prepadať beznádeji.“

Kamarátka vloží do prehrávača cédečko a o chvíľu už znejú tóny *Walking on Sunshine*. Čoskoro všetky spievame spolu s Katrinou and the Waves. Slnko sa už skláňa nad horizont. Ako môžeme mať pochmúrnu náladu, keď nám vyhráva taká skvelá melódia? Vytiahnem z kabelky rodinné balenie sladových guľôčok v mliečnej čokoláde Maltesers, skvele vychladených klimatizáciou v aute, a dám ich kolovať. Nálada v aute sa zaraz zdvihne. Clive by vyletel z kože, keby videl, že sa tešíme z masovo vyrábanej čokolády, ale niekedy vám pomôžu práve staré dobré cukrovinky. Napríklad škatuľka lentiliek ma bleskovo prenesie do čias základnej školy.

O hodinu dorazíme k hotelu *Trington Manor*, práve nám vyhráva *Mr. Blue Sky* od Electric Light Orchestra. Keď Chantal prechádza cez vysokú kovanú bránu a pod pneumatikami škrípe štrk, naraz sa zhlboka nadýchneme. Prišli sme včas. Chantal vypne Electric Light Orchestra v tom najlepšom.

Trington Manor je päťhviezdičkový hotel s vlastným wellness centrom. Ohromene civiem. Vyzerá to tu vznešene a nádherne. Pobyt v ňom by som si veru nemohla dovoliť. Môžem iba snívať, že sa raz dostanem aj na takéto miesta – i keď nie za takýchto okolností. Tajne som dúfala, že Marcus ma vezme na podobné miesto a požiada o ruku. Ach jaj. Ďalší sen, ktorý sa rozplynul. K honosnému vchodu do hotela prídeme za súmraku.

„Trasú sa mi kolená," prizná sa Chantal. „Mám pocit, akoby ma ten chlap nielen okradol, ale aj zneuctil, aj keď to bola len moja hlúpa chyba."

Jemne ju potľapkám po kolene. „Dostaneme tvoje šperky," ubezpečím ju. „To ti ten pocit aspoň trochu vynahradí."

„Dúfam, že to pôjde hladko," povie roztrasene. Prvý raz vidím, že ani Chantalino sebavedomie nie je neotrasiteľné.

Otočím sa na sedadle a prihovorím sa dievčatám. „Všetky vieme, čo máme robiť?"

Nadia a Autumn energicky prikývnu. Pred hotelom sa nachádza obrovské umelé jazero a z fontánky uprostred neho vyskakuje skupinka delfínov. Spomalíme a hľadáme voľné parkovacie miesto.

Vtom Chantal zhrozene zalapá po dychu. „To je on!" ukazuje pred seba. „To je on. Ten, ktorý vystupuje z bieleho mercedesu."

Všetky zatajíme dych. Páni, ten gauner je fakt švihák. Vysoký, tmavovlasý, atletická štíhla postava. Jednoducho krásavec. Nečudo, že naša kamarátka neváhala skočiť s ním do postele. Túto časť ich stretnutia by asi nemusela až tak ľutovať. Z diaľky nevyzerá ako typický zloduch. Skôr také zlatíčko. V ruke nesie čierny diplomatický kufrík a mieri rovno do hotela.

„Stavím sa o stovku, že moje šperky má v tom prekliatom kufríku," skonštatuje Chantal trpko.

„Len si tie peniaze nechaj," poradím jej. Ak náš plán vybuchne, zíde sa jej každý penny.

„Čo keby sme ho zrazili a zobrali mu ho?" navrhne Nadia.

„Za to by nás určite zatkli," schladím ju. „Navyše, nevieme naisto, že tam má Chantaline šperky."

Náš objekt zaparkoval pri jazere. Pohneme sa, až keď vyjde po širokom schodisku a stratí sa na recepcii. Chantal zastaví oproti jeho autu.

Mojou úlohou v tejto lúpeži je zabaviť ho rozhovorom pri bare, aby mali dievčatá čas vybehnúť do jeho izby a uchmatnúť šperky. V tejto chvíli sa mi to javí ako fajn vyhliadka. Bonbóny s tabletkami na spanie poslúžia ako pohotovostná záloha. Chantal bude na ich schôdzku akože meškať a ja ho budem zatiaľ zvádzať v bare. Vďaka môjmu šarmu ochotne strávi so mnou čas. Zvládnem to. Je to ľahké ako facka. Koľko mužov mi už podľahlo? No nič, radšej to nerozoberajme, inak sa mi ešte väčšmi roztrasú kolená. Tie tony ligotavej bižutérie, ktorú mám na sebe, sú extra návnada.

„Ako sa volá?"

„Predstavuje sa ako John Smith." Chantal na mňa veľavravne pozrie.

„Mohol si vymyslieť aj príťažlivejší pseudonym."

„Tiež si myslím."

Pozriem do zoznamu úloh a poviem: „Zavolaj mu, že budeš meškať a stretneš sa s ním v bare."

Chantal sústredene vyťuká číslo a do telefónu rázne oznámi: „Meškám. Prídem čo najskôr." Hovorí, akoby dohodovala obchod.

Keby som nebola jej kamarátka, aj by som sa jej zľakla. „Stretneme sa v bare. Potom pôjdeme do tvojej izby kvôli výmene."

Zavesí. „Dúfam, že ten gauner si nemyslí, že dostane aj niečo iné."

Znova sa zvrtnem k Nadii a Autumn. „Pripravené?"

„Ako inak," odvetí Nadia vážne.

„Autumn, my ideme prvé," pripomeniem jej, aj keď asi netreba. Naša kamarátka v hipisáckych šatách sa odhodlane chmúri. Autumn má nezávideniahodnú úlohu ukradnúť Johnovi Smithovi z vrecka kartu od izby – túto zručnosť si osvojila len dnes popoludní. Dúfam, že je učenlivá študentka a jej klient kriminálnik ju to naučil dobre, lebo od toho závisí veľa. Kým ja s ním budem trkotať v bare, dievčatá mu prehľadajú izbu a potom, ak všetko klapne, budú upaľovať aj so Chantalinými šperkmi. Aké jednoduché!

„Asi by som si mala dať do nosa na odvahu," povie Autumn rozochvene.

Podám jej ďalšiu čokoládovú guľôčku.

„Ďakujem." Vďačne ju hryzie.

Usúdim, že aj ja sa potrebujem posilniť, a tak si zvyšok guľôčok nasypem do úst. „Prajem nám veľa šťastia," poviem skôr, než načisto podľahnem nervozite, a vystúpim z auta.

46. kapitola

S Autumn vojdeme do hotela vo chvíli, keď recepčná podáva pánovi Johnovi Smithovi kartu od izby. „Číslo dvestosedemdesiat," oznámi mu spevavo. „Na druhom poschodí. Dúfam, že sa vám pobyt u nás bude páčiť, pán Smith." Držíme sa bokom, aby nás nezbadal.

Vyzerá to tu honosne. Koberec je hrubý hádam aj desať centimetrov a obe sa doň zaboríme. Usilujeme sa pôsobiť nanajvýš nenútene. Na závratne vysokých podpätkoch sa nebezpečne kníšem. Autumn kráča v espadrilkách oveľa istejšie. Vo vstupnej hale sú rozmiestnené farebne zladené pohovky burgundskej a polnočnej modrej farby, tieň na ne vrhajú vavríny v terakotových črepníkoch. Uprene sledujeme, ako si náš objekt berie kartu od izby a mieri k výťahu. Ten chlap sa výzorom nelíši od kultivovaného biznismena – vystupuje sebaisto a vyrovnane. Kto by si bol pomyslel, že je zlodej a podvodník?! No výzor – zvlášť ten pekný – môže klamať.

Keď sa náš pán Smith vydá na cestu do svojej izby, zavolám Chantal a Nadii a informujem ich o aktuálnej situácii. V žilách mi prúdi adrenalín. Je to také vzrušujúce, až ma to vyšťavuje. A uvedomujem si, že ešte pred niekoľkými týždňami som žila pomerne jednotvárne. „Ubytoval sa," šepkám do telefónu, „a nesie kufrík do izby."

Ukončím hovor a otočím sa k Autumn. „Idem do baru a posadím sa. Ty tu postávaj, kým sa pán Smith nevráti. Mohla by si ísť k tomu stojanu s brožúrkami pre turistov a tváriť sa, že si ich prezeráš. Budeš mať odtiaľ dokonalý výhľad na výťahy."

Autumn prikývne. Vyzerá vydesená na smrť.

„Zvládneš to, uvidíš," ubezpečujem ju a povzbudzujúco jej stisnem ruku. Nechám ju na recepcii a zamierim do baru.

Vládne tu pokoj. Barman bezmyšlienkovito leští poháre za zaobleným mahagónovým barom na vzdialenej strane miestnosti. Klavirista, ktorý oplýva väčším talentom než nadšením, behá prstami po klaviatúre malého krídla v kúte a vyludzuje typickú pomalú melódiu. Hrá pieseň *My Way* a tá vo mne vyvolá spomienky na rande s Jacobom v hoteli *Savoy*. Teraz som mohla byť s ním a nie tu… Vzdychnem si a obzerám sa po bare. Na dvoch pohovkách umiestnených oproti sebe sa tlačí skupinka podnikateľov. Zdá sa, že sa dobre bavia, chechcú sa, až sa chytajú za bruchá. Pri iných stoloch sedia páriky. Prejdem k baru, nohy ma odrazu odmietajú poslúchať, a mám pocit, akoby ma všetci sledovali. Úporne zachovávam pokoj a vysadnem na barovú stoličku, z ktorej mám výhľad na recepciu a Autumn, ktorá postáva za rastlinou v kvetináči a stojanom s turistickými brožúrami. Tvári sa, že jedna z nich ju mimoriadne zaujala, no keď sa na ňu pozriem, nenápadne mi ukáže zdvihnutý palec.

„Čo vám ponúknem, madam?" pritiahne moju pozornosť barman.

„Fľašu šampanského, prosím."

„Máme kvalitné Duvall-Leroy."

„Môže byť." Nemám potuchy, aká je to značka.

„Jeden pohár?"

„Dva," odvetím. „Očakávam spoločnosť."

Barman položí predo mňa dva úzke poháre na šampanské a zmizne, vzápätí sa vráti s fľašou bublinkového nápoja. Skúsene ju odzátkuje a nasmeruje šumivý prúd do pohára. S rukou nad druhým pohárom hodí na mňa veľavravný pohľad.

Pokrútim hlavou. „Ešte tu nie je."

Nechá ma teda osamote. Chytím pohár, rozpačito sa napijem a vyložím na bar bonboniéru. Láskyplne ju pohladím. Títo drobčekovia sú moja poistka. V duchu si opakujem: dve ryhy – bezpečné, tri ryhy – s tabletkami. Jeden chutný bonbónik by som si veru dopriala. Budem si však musieť vystačiť len s pohľadom, tým hádam nič nepokazím.

Nadvihnem veko, zavanie spod neho príjemná vôňa vanilky a korenia. Mňam. K šampanskému sa budú skvele hodiť. Takmer neodolám, voľky-nevoľky odtiahnem ruku. Ako povedal Clive, musím sa ovládať. A tak sa napijem šampanského a užívam si šumenie bubliniek v ústach. Celý deň som nejedla – dokonca ani čokoládu –, pretože som mala od nervozity stiahnutý žalúdok. Zisťujem, že to bola pekná hlúposť, bublinky mi udierajú rovno do hlavy. Určite mi ružovejú líca a zreničky sa mi rozširujú ako animovanej postavičke. Príde ku mne barman a naleje mi ďalší pohár, ani nestihnem protestovať. Vypijem aj ten a on mi znova doleje.

Osamelo sedieť v bare je ozaj nepríjemné. Ešteže v skutočnosti nečakám na nikoho, kto nechodí a nechodí, inak by som naozaj upadla do depresie. Niekoľkí podnikatelia po mne hádžu očkom. Tvárim sa, že ich nevidím, nechcem, aby so mnou začali flirtovať, keď sa objaví náš objekt.

Po chvíli, ktorá trvala hádam celú večnosť, sa konečne otvoria dvere výťahu a vynorí sa z neho pán John Smith – chlapík s hroznou prezývkou a nechutnými zvykmi po sexe. Naťahujem krk, aby som videla Autumn. Schmatne kôpku brožúr zo stojana a kráča k nemu. Uprostred haly doňho vrazí a všetky brožúry jej popadajú na zem. Autumn sa mu ospravedlňuje, kým jej ich náš objekt zbiera. Pochopiteľne, nepočujem, čo hovoria, no zdá sa, že Autumn sa darí. Od hraných rozpakov pozdvíhané brožúry zasa skončia na podlahe.

Náš objekt sa vystrie a so šarmantným úsmevom jej ich podá. Autumn naňho koketne žmurká. Dúfam, že svoju úlohu splnila. Pán Smith pokračuje do baru a Autumn zamieri k východu z hotela. Zdvihne ruku a veselo mi zamáva kartou od izby. Skrývam víťazný úsmev. Zvládla to. Autumn mu ju naozaj ukradla z vrecka. Uľaví sa mi a oslávim to šampanským. Zatiaľ prebieha všetko podľa plánu.

„Ako to, že kráska ako vy tu sedí sama?" ozve sa vedľa mňa hlas. Otočím sa a zbadám jedného z tých podnikateľov. Žiadostivo na mňa hľadí.

To je katastrofa. Vidím, ako si John Smith sadá na konci baru. On má so mnou konverzovať, nie tento šašo! „Čakám spoločnosť," precedím cez zuby.

„Nebude vám prekážať, ak si k vám prisadnem?" nedá sa odbiť a tacká sa ku mne.

„Bude," odseknem nevrlo.

„No tak," ľľaboce. „Dovoľte mi kúpiť vám drink."

„Už jeden mám. Ďakujem." Prac sa, ty idiot! Náš objekt ma zameral. Chmúri sa.

„Malý drink neuškodí." Zrejme ide o jeho hrdosť, pretože kolegovia ho pozorne sledujú a škeria sa.

„Ďakujem, ale naozaj nie," namietam rozhodne.

Tvár má brunátnu, netvári sa nadšene.

„Počuli ste dámu." Hlas prišiel od konca barového pultu, akoby prehovoril Clint Eastwood. Prekvapí ma, že tú vetu vyriekol pán Smith. Podvodník džentlmen. To už je niečo.

„Čo sa staráš, kamoš?"

„Dáma povedala nie," poznamená pán Smith pokojne. „Nechajte ju na pokoji."

Chlap vyzerá, že si to s ním vybaví ručne-stručne, potom však k nemu podíde kolega, ktorý očividne vybadal, že situácia už nie je zábavná a môže sa nepekne zvrtnúť, a odtiahne ho. Muž sa tvári zahanbene. „Pardon," ospravedlní sa kolega zaňho. „Nemyslel to tak. Trochu viac si vypil." Asi sa mu to nestalo prvý raz.

Nasadím zmierlivý výraz, no ruka sa mi trasie. „To nič."

Kolega naviguje dotieravca späť k ich skupinke a všetci sa neisto zasmejú.

A je to tu. Teraz alebo nikdy. Zdvihnem pohár na prípitok a nakloním ho k pánovi Smithovi. „Ďakujem," poviem mu. „Za ochranu."

„Niet za čo." Je to naozaj fešák. Keby som sem neprišla kvôli operácii *Zachráňte Chantaline šperky* a nevedela o jeho temnej stránke, určite by ma pokúšalo prihovoriť sa mu v bare.

„Nevypijete si so mnou šampanské?" navrhnem mu. „Aspoň ma ochránite, než príde moja spoločnosť."

Usmeje sa na mňa, no váha. Spanikárim. Čo ak sa nechytí? Čo potom? Nápadne pohnem rukou, aby sa môj obrovský falošný briliant vábivo zaleskol. Možno to zabralo, pretože po chvíli vstane a prisadne si ku mne. „Aj ja na niekoho čakám," povie. „Obchodne."

Akoby som nevedela, kamoško! Rýchlo nalejem šampanské do druhého pohára a podám mu ho, aby sa cítil zaviazaný ostať pri mne aspoň na jeden drink. Stihnú sa mu dievčatá vlámať do izby? Musím ho tu zdržať čo najdlhšie. „Som Lucy Brownová," predstavím sa. Ak môže mať on takú neoriginálnu prezývku, prečo nie aj ja.

„John Smith," odvetí.

Štrngneme si a v tej chvíli zbadám za oknom tri hlavy. Kamarátky cezeň nakúkajú, ako pokračuje plán. Teraz už musím byť iba vtipná, šarmantná a zvodná dovtedy, kým mu neprehľadajú veci. Radšej si ešte srknem šampanského. Hlavy miznú.

„Na môjho rytiera v žiarivej zbroji," prednesiem.

Zasmejeme sa. *Veď počkaj, ty gauner!* pomyslím si.

47. kapitola

Chantal, Nadia a Autumn počkali, kým sa im recepčná neotočí chrbtom, prebehli cez halu a vrútili sa do výťahu, len čo sa otvorili dvere. Autumn zvierala svoju korisť. „Izba číslo dvestosedemdesiat," oznámila členkám Čokoládového klubu.

Všetky si nervózne hrýzli pery, Norah Jonesová a jej pieseň *Come Away With Me* ich vôbec neupokojila.

„Dúfam, že to vybavíme rýchlo," povedala Chantal takmer bez dychu.

Dvere výťahu sa otvorili na druhom poschodí. Opatrne z neho vyzreli. Nik nebol nablízku. Bok po boku sa zakrádali po prázdnej chodbe, hľadali izbu číslo dvestosedemdesiat. Len čo ju našli, prebehli kartou cez čítačku a vkĺzli dnu. Podobné izby sa nachádzajú v hociktorom hoteli hocikde na svete; čisté, pekne zariadené a úplne bez nápadu. Pán Smith zrejme nevyužil nič, čo tu ponúkali. Podnos s potrebami na prípravu čaju ležal nedotknutý, na obrazovke televízora dosiaľ stálo *Trington Manor víta pána Smitha.*

Chantal si pripomenula, že už raz bola v hotelovej izbe kvôli tomuto chlapovi. Prevrátil sa jej žalúdok. Chcela si iba vziať svoje šperky a vypadnúť odtiaľto. Smithov kufrík ležal na toaletnom stolíku vedľa televízora. Vybrala sa rovno k nemu, schmatla ho a hodila na posteľ. Všetky sa s očakávaním okolo nej zhrčili. Chantal však rýchlo zistila, že je zamknutý. „Dopekla!" udrela po ňom päsťou.

„Počkaj. Pozriem sa, či ho nedokážem otvoriť," navrhla Autumn. „Dnes poobede som dostala od svojho klienta zopár užitočných lekcií."

Vytiahla z kabelky pilník na nechty a vsunula ho do zámky na kufríku. O minútu veko povolilo. Prekvapilo to aj samu Autumn.

„Fantastické!" vykríkla Chantal a zahrabla doň. Nič. Ani stopy po náhrdelníku, prsteňoch a náramkoch. Iba dnešný výtlačok *Financial Times*, ešte neprečítaný. Slzy mala na krajíčku. Aký hlúpy, nedomyslený nápad! Mala vedieť, že to nevyjde.

„Musíme prehľadať celú izbu," navrhla Nadia. „A hneď. Neviem, ako dlho zvládne Lucy zabávať toho chlapa, kým mu to nebude podozrivé."

„Tak si radšej švihnime," súhlasila Autumn.

„A čo trezor?" navrhla Chantal. „Pozrime aj doň." Postupne otvárala skrine, až kým ho nenašla vzadu na polici. Samozrejme, malý trezor bol takisto zamknutý. Otočila sa k Autumn. „Do tvojho repertoáru asi nepatrí aj vlámanie do trezoru, však?

„Ale áno, no prebrali sme len základy," priznala kamarátka bez štipky irónie. „Na viac nám nevyšiel čas."

Nadia a Chantal sa zachechtali. Autumn sa hrdo usmiala.

„Si naša záchrana, Autumn," povedala Nadia. „Dúfam, že zelení sa nedozvedia o tvojich nových schopnostiach. Inak ťa zapíšu na čiernu listinu."

„Dajte mi pár minút," poprosila ich. „Vy zatiaľ prehľadajte zvyšok izby."

Autumn sa sústredila na otváranie trezoru a Nadia so Chantal zatiaľ nazreli pod posteľ, matrac a vankúše, do všetkých skriniek a zásuviek, za záclony, nad garnižu a do smetných košov. Overili si dokonca aj to, či Chantaline šperky nie sú prilepené lepiacou páskou na spodnej strane stoličiek. Nič však nenašli.

„Musia byť v tom trezore," usúdila Chantal. „Nikde inde."

„No tak, Autumn," súrila ju Nadia. „Snaž sa." Obe sa posadili na posteľ, zhlboka si vzdychli a čakali.

O chvíľu Autumn potichu povedala: „Bingo."

„Dobré dievča!" vykríkla Chantal. Spolu s Nadiou utekali k trezoru, pri ktorom čupela ich kamarátka.

„Nič," hlesla Autumn a neveriacky pokrútila hlavou. „Vôbec nič."

„Dopekla, kde môžu byť?"

„Nemôže ich mať u seba vo vreckách?" opýtala sa Nadia.

„Keď som mu šmátrala vo vrecku po karte od izby, nič som nenahmatala," odvetila Autumn. „Možno som len mala šťastie a rýchlo som ju našla. Nemala som čas ani príležitosť prehľadať ho dôkladne. Mohol ich mať skryté priamo na tele."

„Dočerta!" Chantal sa nadýchla. „A čo teraz?"

48. kapitola

Chichocem sa ako bláznivá. Povytiahla som si šaty, aby som odhalila stehno, a zvodne som si nechala spadnúť ramienko šiat. Posledných dvadsať minút, alebo aj dlhšie, usilovne nalievam Johna Smitha bublinkami. Pijeme už druhú fľašu. Trval na nej, vraj ju zaplatí. Zdá sa, že jemu stúpa alkohol do hlavy pomalšie, zato ja som už poriadne pripitá.

Podnikatelia nedávno zdvihli kotvy aj párikov pomaly ubúda, všetci sa vytrácajú do izieb. V bare nás ostalo už len zopár. S Johnom Smithom únavne tárame o ničom a ja klamem, až sa práši. Myslí si, že som vedúca marketingového oddelenia počítačovej spoločnosti a ja si o ňom myslím, že je úlisný darebák. Hádže kradmé pohľady na hodinky a mám dojem, že moja spoločnosť ho už tak nebaví. Zato moje falošné brilianty si viackrát obzrel. Znova mu predvediem náramok s dvadsaťjeden briliantmi – hodný dvadsaťjeden libier. Zvoní mi mobil, preto siahnem do kabelky. Len dúfam, že mi mama nechce vykladať o hádke so susedom, novej farbe vlasov, ako je v Španielsku horúco v porovnaní s Britániou alebo čo dnes jedla. To sú jej zvyčajné témy a zásadne volá nevhod. Ako je možné, že ma vždy zastihne uprostred krízovej situácie? Rýchlo prijmem hovor. „Áno?"

„Tu Chantal," zašepká kamarátka.

Odvrátim sa od pána Smitha, aby nezachytil ani slovo nášho rozhovoru. Hádam má dobrú správu.

„Potrebujeme viac času," oznámi. „Prehľadali sme izbu od zeme po strop, ale tie prekliate šperky tu nie sú. Ani v kufríku, ani v trezore. Nemôžeš mu opáčiť vrecká?"

Vyzerá to tak, že uspávacie bonbóny sa mi predsa len zídu.

„Dobre," odpoviem. „Čoskoro sa ozvem." Ukončím hovor a nenútene myknem plecami. „Tak kamarátka nepríde," poviem. „Asi tu ostanem sama," dodám koketne.

„Áno," súhlasí.

Upriem zrak na bonboniéru. „Môžeme sa teda pustiť do jej narodeninového darčeka."

„Čokoládu veľmi nemusím," namietne pán Smith.

Ten chlap je úplný magor. Ako nemôže mať rád čokoládu? Nejde mi to do hlavy. V tejto chvíli mi však nejde do hlavy oveľa viac. Prepánajána, prečo som sa tak nadšene vrhla na tie bublinky? Motá sa mi hlava.

„Lenže toto nie je obyčajná čokoláda," bľabocem. Keby len vedel. Otvorím škatuľku, vyberiem bonbón a vábivo mu ho predvádzam. Nakláňam sa k nemu, aby som ho mala rovno nad výstrihom a falošným briliantovým príveskom. Hotová reklama na čokoládu. „Veru nie. Tieto bonbóny vás prenesú do čokoládového neba. Sú ručne vyrobené z najvyberanejších kakaových bôbov, ktoré vyrástli na plantáži hlboko v tajuplnej Brazílii. Plnené krémom s chuťou najlepších toboliek zeleného a čierneho kardamómu, čo im dodáva korenistú a sviežu chuť s nádychom dymu." Usilujem sa vložiť dym aj do svojho hlasu. Clive by bol na mňa hrdý. „Každý kúsok sa vám priam rozplynie na jazyku."

„Ponúknite sa," nabáda ma. Akoby ním môj nadšený opis vôbec nepohol.

„Sú ako stvorené k šampanskému." Na dôkaz si znova chlipnem.

„Pokračujte."

„Nechcem jesť sama." Skusmo našpúlim pery. Ach jaj, žena vamp zo mňa nebude. Zrejme preto som s Marcusom vydržala tak dlho. Mala som na túto úlohu nominovať Nadiu. Je príťažlivejšia než ja. V tejto chvíli sú asi všetci príťažlivejší než ja! Podávam mu bonbón s tromi ryhami. „Aspoň vyskúšajte."

Zľahka mi ovinie prsty okolo zápästia a priťahuje si moju ruku s bonbónom k ústam. Zatajím dych. Skočil mi na to. Dá si čokoládu a plán nám vyjde.

„Mňam," povie. „Fakt dobré."

Zjem bonbón s dvoma ryhami. Je vynikajúci. Netuším, kedy zaúčinkujú tabletky na spanie, preto by som ho mala čo najskôr odlákať od barového pultu, keby tu náhodou omdlel.

„Čo keby sme sa presunuli na pohovku?" navrhnem. „Bude to pohodlnejšie." John Smith sa znova zatvári neisto. Očividne rozmýšľa, či by sa nemal poistiť pre prípad, že by sa Chantal so sľúbenými peniazmi neukázala. Láskyplne si pohladím falošný briliantový prívesok za necelých pätnásť libier a ešte raz upozorním na rovnaký falošný náramok. Zasvietia mu oči. „Vaša kolegyňa vás zbadá aj tam."

„Mal by som jej zavolať," zachmúri sa. „Dosť mešká."

„Až o chvíľu," navrhnem. „Keď sa usadíme."

Vezmeme vedierko so šampanským a prejdeme cez bar. Vyberiem pohovku v kúte s výhľadom na dvere. Sadnem si vedľa neho, nasmerujem nohy k nemu, aby dobre videl reč môjho tela. Nalejem mu šampanské a znova ho vynukujem čokoládou. Našťastie ho už nemusím prehovárať. Vezme si bonbón s tromi ryhami. Vzápätí sa ku mne prisunie a ponúka mi ho. Čo teraz? Nemôžem odmietnuť, však? Nakloním sa k nemu, odhryznem polovicu bonbónu a nadchýnam sa: „Mňam."

Dúfam, že ten kúsok na mňa nezaúčinkuje a neskolabujem. Zvyšok bonbónu si pán Smith hodí do úst. Za iných okolností by som si napchala do úst ďalší bonbón, no teraz musím chvíľu počkať.

Začínam sa cítiť ospalá. Prečo mám pocit, že ten kúsok na mňa účinkuje rýchlejšie než na náš objekt? Vyberiem zo škatuľky ďalší z Clivových smrtonosných výtvorov. Ryhy sa mi zlievajú dokopy. Je to ten nebezpečný bonbón s tromi ryhami alebo bezpečný s dvoma ryhami? Je to čoraz ťažšie. Sústredene naň žmúrim. Vidím tri ryhy, jednoznačne.

Pán Smith zdvihne ruku. „Už mám dosť."

„Ešte jeden na cestu," prehováram ho, a než stihne protestovať, vložím mu ho do úst. Ostane mi príjemne teplo a ako z diaľky sa počujem, ako sa ho pýtam: „Nie je tu nejako horúco?"

John Smith si uvoľňuje kravatu. „Veru," pritaká. „Myslím si, že je." Vzápätí sa zrúti na vankúše. Chvíľu čakám, no naša obeť sa nehýbe. Ústa má otvorené. Vyzerá, akoby si hodil šlofíka po výdatnom nedeľnom obede. Rýchlo sa poobzerám, či si ho niekto v bare nevšimol. Nie. Barman práve obsluhuje na druhom konci baru. Sedí tu už len jeden či dva páry. Je to v suchu.

Potrasiem hlavou ako pes, ktorý si vytriasa vodu z kožucha, usilujem sa zaostriť zrak. Alkohol a tabletky sú veľmi zlá kombinácia, zvlášť keď má človek v pláne dôležitú lúpež. Náš objekt potichu chrápe. Prisuniem sa k nemu, aby sme vyzerali ako v dôvernom rozhovore. Keď sa nikto nepozerá, prezriem mu vrecká. Skontrolujem ich všetky, ešte aj tie pri rozkroku, pričom strúham grimasy. Po Chantaliných šperkoch ani stopy. Dopekla, kam ich dal? Mohli by sme ho takéhoto omámeného niekam odviezť a tam ho mučiť, kým sa mu nerozviaže jazyk. Potom, i keď som poriadne opitá a asi aj pod vplyvom tabletiek, si uvedomím, že som asi videla priveľa hollywoodskych filmov.

49. kapitola

Šperky som síce nenašla, no pán Smith má vo vrecku kľúče od auta, a tak ich vezmem. Spravíme mu rýchlu prehliadku auta. Pre istotu vezmem aj mobilný telefón a peňaženku. Znova sa obzriem, či ma nikto nevidí, a nastavím Johna Smitha do takej polohy, aby vyzeral, že si len príjemne zdriemol. Kdežeby ho niekto omámil, okradol a oklamal!

Na vratkých nohách odídem z baru a vyjdem z hotela. Čerstvý vzduch ma doslova vyfliaska. Rozoznám blikajúce reflektory Chantalinho auta, a tak sa potácam k nej.

Chantal, Nadia a Autumn sa už krčia v aute. „Tak ako?" vyhŕkne Chantal, len čo si k nej sadnem.

„Spí ako bábätko," oznámim. „Clivove bonbóny zabrali."

„Ani ty nevyzeráš veľmi čulo," poznamená Autumn.

Veru, mám problém zaostriť zrak. „Musela som zjesť kúsok bonbónu s tabletkami," vysvetľujem. „Aby ma nepodozrieval."

Chantal si obhrýza necht. „A šperky?"

„Nijaké som nenašla," priznám a ľútostivo stisnem pery. „Prehľadala som mu všetky vrecká, ale nič. Vôbec nič. No mám toto," ukážem im kľúče od auta.

Členky čokoládového klubu zajasajú.

„Neviem, ako dlho tam bude ležať," poviem. „Tak mu rýchlo prezrime auto." Zaraz vyskočíme z auta a zamierime k mercedesu pána Smitha. Podám kľúče Nadii, je viac pri zmysloch než ja.

Odomkne auto a sadne si na sedadlo vodiča.

„Otvor kufor," prikáže jej Chantal.

Nadia stisne nejaké tlačidlo a dvere kufra sa zdvihnú. Leží v ňom luxusná kožená taška. A pri nej dámske kabelky, väčšinou značkové: Prada, Chanel, Dolce & Gabbana. Tento chlapík očividne rád okráda prachaté ženy. Ešteže som držala svoju dvadsaťlibrovú koženkovú kabelku z Nextu mimo jeho dosahu.

„Páni!" vydýchne Chantal. „Pozrite sa na toto!"

„Zdá sa, že neokradol iba teba," skonštatuje Autumn.

Kamarátka sa prehrabáva v kabelkách, po chvíli jednu vytiahne. „Táto je moja," vyhlási. „To je moja kabelka." Otvorí ju a prehľadá. „Nijaké šperky," spľasne sklamane. „Je tu však môj mobil aj peňaženka." A v nej, na náš úžas, všetky jej kreditky, dokonca vyzerajú nedotknuté.

„Nechce sa mi veriť, že ten chlap ich ešte nevybielil," začuduje sa Nadia.

„Hneď som ich zablokovala," vysvetlí Chantal. „Aj keby sa o to pokúsil, ďaleko by nezašiel. To bola jediná rozumná vec, ktorú som urobila."

Chantal vyberie z kufra veľkú tašku, v ktorej sú zrejme veci na prespanie. Zhŕkneme sa okolo nej. Prebehne po nás pohľadom a otvorí zips. Vtom na štrku zaškrípu kroky. Stuhneme. „Doriti!" zanadáva Chantal.

Mieri na nás lúč z baterky. Priam počujem, ako mi búši srdce. Čo ak je John Smith mimoriadne odolný proti účinkom tabletiek na spanie? S tým som pri tvorbe plánu nepočítala.

„Všetko v poriadku, dámy?" opýta sa hlas. Spoza kufra auta sa vynorí hlava strážnika.

„Áno," odvetí Nadia. „Všetko v poriadku."

„Idete sa ubytovať do hotela?"

„Áno," zopakuje. Je z nás asi jediná, ktorá nemá také stiahnuté hrdlo, že sa nezmôže ani na slovo.

„Tak si dávajte pozor a vezmite si všetky cennosti dnu. Nenechávajte nič v kufri," varuje nás. „Chodím síce na pravidelné obchôdzky, no už sme tu zaznamenali sériu krádeží. Opatrnosti nikdy nie je dosť."

„Ďakujeme," odvetí Nadia. „To je dobrá rada."

„Nepotrebujete pomôcť s batožinou?"

„Nie," pokrúti Nadia hlavou. „Zvládneme to. Cestujeme naľahko."

Naľahko? Odkedy ženy cestujú naľahko? Určite sa dovtípi, že klameme.

„Tak vám želám príjemný pobyt, dámy." Nežnejšie pohlavie očividne nepozná. Kývne nám a ide svojou cestou.

Len čo je preč, nahlas si vydýchnem.

„To bolo tesné," skonštatujem a znova nasadím výraz ako George Clooney.

„Švihnime si, nech môžeme odtiaľto vypadnúť," súri nás Nadia.

Tuším je to nákazlivé.

Nadia sleduje strážnika a Chantal rozopne tašku. Sú v nej košele, čistá spodná bielizeň a ponožky. „A toto je môj laptop!" zvolá radostne. „Určite je to on. Minulý rok som ho poškriabala." Prstami poláska drobný škrabanec na veku. „Spoznala by som ho kdekoľvek." Podá ho Autumn.

V cestovnej taške nájdu aj koženú kapsičku. Chantal ju vyberie, po krátkom váhaní roztiahne šnúrku a vysype si jej obsah do dlane. Nemá vo zvyku podliehať emóciám, no teraz okamžite vybuchne do plaču. Díva sa na svoje milované šperky.

„Dokázali sme to," hlesne roztrasene. „Dopekla, dokázali sme to!"

Objímeme sa a od šťastia poskakujeme v tieni veľkého mercedesu.

„Nemôžem tomu uveriť," čuduje sa Chantal. „Získali sme ich späť. Všetko. Všetko je tu." Chantal pobozká zásnubný prsteň s obrovským briliantom. „Ďakujem, dievčatá." Utrie si slzu. „Zo srdca vám ďakujem."

„Vezmeme všetky kabelky a pokúsime sa ich vrátiť majiteľkám," navrhne Autumn.

„Dobrý nápad," súhlasí Chantal.

„Ešte sme neskončili," ozve sa Nadia.

Zmätene sa na ňu pozrieme.

„Toto auto by sa skvele vynímalo uprostred jazera, čo poviete?"

„Áno," nezaváha Autumn. „Máš pravdu." Popoludnie venované zločinu má očividne negatívny vplyv na jej politicky korektné zmýšľanie.

„A čo náš kamoš strážnik?" spýtam sa.

„Tak si švihnime, než sa vráti," súri nás Chantal.

„Do toho." Nadia sa poobzerá, či je vzduch čistý, potom si sadne za volant. Zaradí neutrál a odistí ručnú brzdu. Chantal vloží šperky do kapsičky a skryje si ju do vrecka. Postavíme sa za auto a celou silou sa doň zaprieme. Dobré dámy z Čokoládového klubu stonajúc tlačia auto, až sa kolesá rozhýbu a pohne sa k jazeru.

Odstúpime a sledujeme, ako auto pomaly naberá rýchlosť a pokojne sa šinie dolu svahom k vode. Vzápätí sa katapultuje do čiernoty. Dvojtonové vozidlo sa so silným šplechnutím zrúti do vody a s bublaním sa potápa pod hladinu. Nakoniec zastane s kufrom vypínajúcim sa k nebu.

„Najradšej by som kričala od radosti," poznamená Chantal.

Auto naposledy zabuble z hĺbok vodného hrobu.

„Radšej zmiznime," nabáda nás Nadia, „skôr než si nás niekto všimne."

„Alebo kým sa náš kamoš podvodník nepreberie," doplní Autumn.

Pochybujem, že pán John Smith bude skákať od radosti, keď sa zobudí, a nerada by som bola pri tom. „Vzala som mu aj mobil a peňaženku," oznámim hrdo. „Chantal, dúfam, že ti už nebude môcť zavolať."

„Má v peňaženke aj vodičský preukaz?"

Prezerám ju a nájdem ho. „Áno. V skutočnosti sa volá Felix Levare."

„Aj to môže byť vymyslené meno." Chantal si ho vezme. „No nechám si ho ako poistku," dodá.

Z peňaženky vyberiem aj zväzok bankoviek. „Toto môže ísť na charitu," poviem a šmarím peňaženku aj mobil do jazera. S uspokojujúcim špľachotom miznú bez stopy. Strčím peniaze Autumn do ruky. „Vezmi si ich a kúp svojim feťákom čokoládu."

Vloží si ich do vrecka. „Ďakujem."

Chantal ma pevne objíme. „Lucy, bol to naozaj fantastický plán. Dobrá práca. Ani nevieš, čo to pre mňa znamená."

Nestihnem však pri tejto príležitosti vysloviť nijakú múdrosť, pretože sa naplno prejaví účinok tabletiek na spanie primiešaných v čokoládových bonbónoch. Podlomia sa mi kolená a upadnem do hlbokého, bezsenného spánku.

50. kapitola

Chantal odviezla Lucy domov. Kamarátka prespala celú cestu z *Trington Manoru*, hlasno chrápala na zadnom sedadle. Pred domom sa hlavná osnovateľka zločinu síce nakrátko prebrala, no Autumn trvala na tom, že ju odprevadí do bytu. Potom ju uložila do postele, ešte vždy v šatách s ramienkami.

Chantal sa cestou po Londýne v duchu usmievala. Najprv zaviezla Autumn domov a potom Nadiu k jej autu, ktoré mala zaparkované pri Čokoládovom nebi. Nemohla uveriť, že sa tento večer skončil takým úspechom. Všetky jej krásne šperky ležali v bezpečí jej kabelky. Katastrofa sa nakoniec zmenila na víťazstvo. Tak sa jej uľavilo, že by samu seba najradšej vyobjímala, a za to vďačila svojim vynachádzavým dievčatám z Čokoládového klubu. Kto by si bol pomyslel, že sa jej raz dostane požehnania v podobe takých skvelých kamarátok? Naozaj im vďačila za veľa. Odteraz si bude dávať na svoj majetok – aj na seba – oveľa väčší pozor.

Domov prišla pomerne neskoro, no na prízemí sa svietilo. Ted asi ešte pozeral televíziu alebo počúval hudbu. Zaparkovala a položila si koženú kapsičku so šperkmi do lona. Život jej uštedril lekciu, aby vytriezvela. Spokojne si povzdychla a nastokla si obrúčku aj zásnubný prsteň. Potešilo ju, že manžel ešte neleží v posteli, cítila sa priveľmi rozrušená na to, aby zaspala. Ktovie, ako sa vôbec dokážu upokojiť herci po zvlášť vydarenom predstavení. Vystúpila z auta a zastala. Vlastné nohy akoby jej nepatrili.

„Ahoj, miláčik!" zavolal Ted z obývačky, len čo vošla dnu. „Ideš neskoro."

„Dnes som pracovala ďaleko," povedala. Vlastne ani neklamala. Iba sa nezmienila, aká práca to bola.

„Prinesiem ti niečo?" opýtal sa. „Vyzeráš unavene."

„Nie, nie som unavená," odvetila a šúchala si boľavý krk. „Som iba vystresovaná."

„Čo keby som ti uvaril bylinkový čaj?"

„Skôr by mi pomohol veľký pohár červeného vína."

„Prečo nie?" utrúsil Ted. „Dám si aj ja."

Hodila kabelku na pohovku, uvedomila si, aký je to príjemný pocit, a potom sa posadila vedľa nej. Natiahla sa a uvelebila na mäkkých vankúšoch. Zaplavili ju upokojujúce tóny sýteho tenoru Andreu Bocelliho, ktorého manžel počúval.

O chvíľu sa Ted vrátil s veľkou fľašou Cabernetu Sauvignon. Na podnose niesol dva poháre, syr, krekery, olivy a malý strapec bieleho hrozna. „Vyzerá to dobre," zhodnotila uznanlivo.

Manžel si k nej prisadol. „Miláčik, dnes si mi chýbala."

Chantal sa naňho usmiala. „Aj ty mne."

„Daj si víno a potom ti pomasírujem krk."

Rozmýšľala, prečo je k nej taký vľúdny, ale nechcela sa na to pýtať a pokaziť náladu. Správal sa, akoby mal zlé svedomie on, a nie ona. Chantal sŕkala víno, natrela si lahodný camembert na celozrnný kreker a s pôžitkom doň zahryzla. Mala chuť aj na čokoládu – jemnú, mliečnu a upokojujúcu. Doje syr a pôjde sa pozrieť, či ju nenájde v kuchyni. Celý deň bola taká nervózna, že nedokázala jesť – Lucy vravela, že je na tom rovnako –, no teraz bola hladná ako vlk.

Ted jej vyzul topánky, položil si jej nohy do lona a hladil jej chodidlá.

„Hm," zahmkala vďačne. „Toto je skvelé." Chantal si až teraz uvedomila, aká je napätá. Položila tanier na zem a oprela si hlavu o vankúše. Manžel jej vsunul teplé ruky pod nohavice a masíroval jej lýtka. Odjakživa skvele masíroval, no už dlho jej neurobil masáž. Celé mesiace sa vyhýbal akémukoľvek intímnemu kontaktu – aj hladeniu chodidiel, nôh alebo krku.

„Vyzleč si nohavice," prikázal jej. Prekvapene si všimla, aký má zastretý hlas. Oči mu potemneli od túžby po nej.

Nadvihla boky a Ted jej pomohol vyzliecť nohavice, rukami jej putoval po stehnách. Hral sa s čipkou na leme nohavičiek, potom sa o ne zakvačil prstami a stiahol jej aj tie. Sklonil sa k nej a horúcimi bozkami jej posieval brucho, boky, stehná. Chantal vbehli slzy do očí. Bolo to už dávno, čo sa chcel Ted s ňou milovať. Až teraz si uvedomila, že sa pre to cítila vyprahnutá ako púšť, nemilovaná.

Ted jej rozopínal blúzku, bozkával každý kúsok odhaľujúcej sa pokožky. Rozopol jej podprsenku a Chantal ostala nahá. Aj on sa vyzliekol a ľahol si na ňu, ich údy sa preplietli. Keď do nej vošiel, Chantal už bola pripravená. Zatajila dych od rozkoše a pritiahla si ho k sebe. Milovali sa jemne a nežne a ešte nikdy sa jej to nepáčilo tak ako teraz.

Potom ich Chantal prikryla dekou a ležali si v náručí, pili víno a počúvali oduševnený spev Jamesa Blunta. Nevedela, čo vyvolalo u Teda túto zmenu, no vedela, že sa jej to veľmi páči. Prečo to nemohlo byť takéto stále? *Toto chcem*, pomyslela si Chantal. Ležať v manželovom náručí, nie v hotelovej izbe s chlapom, ktorého pozná sotva desať minút, nespávať s nikým bez emocionálneho spojenia a lásky. Oprela sa o manžela. „Veľmi ťa ľúbim, Ted.“

„Aj ja teba, miláčik.“ Bezmyšlienkovito ju hladil po vlasoch. Potom si odkašľal a spýtal sa: „Neprekáža ti, že sme nepoužili ochranu?“

Nosom mu poláskala krk. „Zajtra zbehnem do lekárne a kúpim si núdzovú tabletku.“ Stŕpol a ona sa naňho pozrela. „Čo je?“

„Vždy musí byť po tvojom, však?“ opýtal sa.

Načisto ju ohromil. „Čo tým chceš povedať? Máš na mysli antikoncepciu? Veď nechceme, aby som otehotnela. Nechceme rodinu.“

Posadil sa. „Nechceme?“ opýtal sa sarkasticky. „Alebo nechceš iba ty?“

„Nikdy sme nechceli deti,“ odporovala. „Často sme o tom predsa hovorili.“ Hoci nie v poslednom čase, to musela Chantal pripustiť. „Neznášame deti. Neznášame deti svojich kamarátov. Si úplne hotový, keď k nám príde Kyle s Larou aj s chlapcami a všade nechávajú čokoládové odtlačky. Idú ti prasknúť ušné bubienky od ich kriku. Len čo odídu, musíš si dať za hrsť analgetík.“

„Veci sa menia," povedal. „Už sa o ničom nerozprávame. Náš vzťah sa riadi tvojimi pravidlami. Buď bude po tvojom, alebo nijako. Čo ak už mám toho plné zuby?"

„Takže preto si sa mi vyhýbal?" dovtípila sa. Vytiahla si deku až po krk, náhle sa za nahotu hanbila. „Vyhýbaš sa rozhovorom so mnou. Vyhýbaš sa mi v spálni."

„A aký by to malo zmysel?" opýtal sa Ted. „Načo je nám sexuálny život, keď nemá zmysel?"

„Chceš tým povedať, že sex máme mať iba vtedy, ak sa pokúšame o dieťa?" Jeho scestný názor ju ohromil. Dotkla sa jeho ruky, no on ju odtisol. „Preto so mnou nespíš?"

Vstal a natiahol si boxerky a džínsy. Zovrel sa jej žalúdok, keď si pomyslela, že ešte pred chvíľou prežívala extázu v jeho náručí. Ako rýchlo sa to zvrtlo.

„Tvoj neukojiteľný apetít je nechutný," poznamenal úprimne. Vyhýbal sa jej pohľadu. „Je mi zle, keď si pomyslím, že to nepovedie k ničomu."

„Kedy si to začal takto vnímať?" dožadovala sa odpovede. „Prečo si mi nič nepovedal?"

„Pokúšal som sa." Manžel nahlas sklamane vzdychol. „Ibaže ty počuješ len to, čo chceš počuť. Už nie sme manželia. Sme iba ľudia, ktorí sa delia o dom a je to pre nich pohodlné. Lenže ja chcem viac. Chcem manželku, ktorej na mne tak záleží, že berie do úvahy aj moje želania. Chantal, chcem rodinu. Túžim po deťoch. A ty nie."

„Porozprávajme sa o tom," navrhla. „Ľúbim ťa."

„Niekedy to však nestačí," odvetil.

51. kapitola

„Dlho si to bez nás nevydržala," podpichne ma „ideál". Nohy má na stole a ruky založené za hlavou. Na tvári široký úsmev. Zvláštne, mám pocit, že za ten čas, čo som bola preč, nejako opeknel.

Stojím pred jeho stolom a cítim sa ako školáčka na koberčeku pred riaditeľom – samoľúbym sviniarom. „Nik iný ma nezamestná," priznám. V tom vyhlásení je zároveň pravda, ktorá je priveľmi hrozná na to, aby som sa ňou zaoberala. Targu, politicky nekorektný stroj na výrobu stresu, vnímam ako svoj duchovný domov.

Jediným pozitívom môjho návratu je to, že sa mi podarilo presvedčiť Nechutného Dereka z podateľne, aby odoslal všetky zachránené kabelky z našej lúpeže pôvodným majiteľkám, a to na účet Targy.

Ako prvé som dnes ráno vložila všetky kabelky do čierneho vreca na smeti – srdce mi zapišťalo najmä po kvalitnom a isto poriadne drahom kúsku od Pradu – a taxíkom som sa s naším úlovkom odviezla do Targy. V každej kabelke sme našli niečo, podľa čoho sme identifikovali majiteľky. So záujmom som si prezerala údaje iných žien, ktoré Chantalin džentlmenský zlodej okradol. Bola to pestrá zmes dôverčivých dám. Hádam sa aj ony poučili tak ako moja kamarátka. Derek balil kabelky a popritom sme sa rozprávali. Asi by som mu mala priniesť čokoládu ako poďakovanie za pomoc.

Po našej megaúspešnej piatkovej operácii na záchranu Chantaliných šperkov som sa chvíľu zaoberala predstavou, že budem plánovať lúpeže na plný úväzok. O tomto svojom skrytom talente som doteraz netušila, no nie som zasa až taká skromná, aby som neuznala, že mi to šlo skvele. Zločinnosť je predsa rozvíjajúci sa priemysel, nie? V temných zákutiach podsvetia je určite práce vyše hlavy. Priam vidím svoje meno na dverách do kancelárie – *Lucy Lombardová, majsterka zločinu.* Musela by som si zohnať nejaké príslušenstvo, povedzme uslintaného dobermana, jednu až dve deformácie tváre a možno nejakú formu šialenstva, ktoré zahŕňa vážnu mentálnu poruchu. Zišlo by sa mi aj veľa technologických vychytávok. Najmä stroj na kŕmenie žralokov ľuďmi, ktorí konajú dobro, a tím holohlavých svalovcov. Pekný sen. Pozdávalo sa mi to čoraz viac. Rozhodla som sa však, že ešte naposledy vyskúšam prácu na strane zákona.

Precitnem zo zamyslenia a znova sa sústredím na „ideála". Je ponižujúce vrátiť sa tak skoro, zvlášť keď sa pán Aiden Samoľúby Holby očividne vyžíva v mojich rozpakoch. Na stole má rozsiahlu zbierku kancelárskych hračiek vrátane Newtonovej kolísky – mám sto chutí mu do tých gúľ strčiť.

„Ostatní nevedia, o čo prichádzajú," povie a usiluje sa vyznieť úprimne.

Nezmienim sa, že „ostatní" prišli o usporiadané rady vzácnych kníh s vojenskou tematikou a o niekoľko stojanov s nechutne drahými róbami. Neprezradím mu ani to, že som na čiernej listine každej agentúry, ktorá v meste niečo znamená, a že návrat sem si vyžadoval uplakaný, prosebný telefonát s tými odpornými gorgónami z personálneho oddelenia. Zároveň som im sľúbila obrovskú škatuľu bonbónov z Čokoládového neba. Každý týždeň im donesiem jednu po celý nasledujúci mesiac.

„Tušil som, že Tracy to čoskoro vzdá," povie „ideál". „Materstvo a práca jednoducho nejdú dohromady. Porodíš niekoľko detí a mozog sa ti scvrkne. Bola ešte horšia než ty."

Hádam to myslí ironicky, ale nie som si tým celkom istá. „Nuž," poznamenám, „som rada, že nemáš odo mňa privysoké očakávania. Dúfam, že ich splním."

„Ideál" sa zasmeje. „Priniesla si čokoládu?"

„Je Russell Crowe sexi Austrálčan?"

„Fajn. Od tvojho odchodu mám nebezpečne nízku hladinu cukru." Spojí si prsty do striešky a uprene sa na mňa díva veľkými hnedými očami. „Kráska, bez teba tu bolo ticho ako v hrobe."

„Mohol si mi zavolať," vyhŕknem a vzápätí by som sa za to najradšej nakopala. Nechcem, aby sa Aiden Holby dozvedel, že prenikol do mojich myšlienkových procesov, kým som bola preč.

„Veď som ti aj volal," ohradil sa. „Presne sedemnásť ráz. Majiteľke toho telefónneho čísla, ktoré si mi dala, som už parádne liezol na nervy."

„Ty si mi volal?"

„Nie. Volal som nejakej Marcii. Zdala sa mi síce veľmi milá, ale oznámila mi, že je nanešťastie vydatá a že mám zrejme zlé číslo."

Prekvapene otvorím ústa. „Nedala som ti zlé číslo."

Vytiahne z vrecka zhúžvaný papierik, dôkladne ho rozloží, vystrie na stole a posunie mi ho.

Prezriem si číslo. Jedna číslica nesedí. Zhrozene na ňu pozerám. Nemôžem uveriť, že nedokážem ani len správne napísať svoje telefónne číslo. Ako môžem nadviazať hlboký a zmysluplný vzťah, ak neviem napísať ani vlastné telefónne číslo? Civiem na „ideála". „Nemôžem tomu uveriť."

„Pochopil som to, neboj sa," vyhlási.

„Nebolo čo chápať," ohradím sa. „Naozaj som urobila chybu. Jedna číslica je nesprávna."

„Aha, ten starý trik s jednou nesprávnou číslicou."

„Prečo si mi volal?"

„Chcel som ťa pozvať na večeru."

„Aha."

„Išla by si?"

„Ehm… no, ehm…"

„Alebo sa stále stretávaš s niekým iným?"

„S Jacobom," odvetím. Cez víkend mi dvakrát volal. Prvý raz, aby mi oznámil, že piatkový charitatívny večierok bol veľký úspech, i keď jedna návrhárka, bohužiaľ, musela odriecť účasť, lebo jej poobede niekto ukradol z dodávky všetky šaty, a tak museli rýchlo zohnať náhradu. Keď mi to hovoril, mala som čo robiť, aby som do mikrofónu hlasno nedychčala. Zároveň sa spýtal, či platí naše utorkové „rande" v Čokoládovom nebi. Jednoducho, či som si ja hlupaňa zasa na ten deň nechtiac nenaplánovala niečo iné. Ozval sa aj v nedeľu, chcel sa iba tak porozprávať počas voľna medzi dvoma stretnutiami. Ten chlap drie ako kôň. Očividne má veľmi náročnú prácu. Čo sa mňa týka, celý víkend po úspešnej lúpeži šperkov som prežila ako v mrákotách. Hoci ma napĺňala eufória, že sa nám to podarilo, nevládala som vstať z pohovky. Namiesto skákania v obývačke s Davinou som sa liečila kilami čokolády. Nevdojak sa usmejem a spomeniem si, že „ideál" čaká na moju odpoveď. „Naozaj by som s tebou rada šla na večeru," poviem. „Nemôžem uveriť, že som taká krava."

Aiden sa na mňa díva, akoby on tomu veril.

„Ale áno," priznám váhavo, „stále sa stretávam s Jacobom."

„Ideál" odrazu prejde do profesionálneho tónu. „Nuž," poznamená trochu dotknuto, „potom sa nič nestalo, lebo aj ja sa s niekým stretávam."

Rozprávame sa skôr ako deti na ihrisku než dospelí ľudia, ale aj tak ma pichne žiarlivosť. „Nevrav."

„So Charlotte z call centra."

Počula som, že je to štetka. Pekná, ale štetka. Bystrá, ale jednoznačne štetka. V skutočnosti by sa hodila na manažérsku pozíciu, no to by nesmela byť taká štetka. „Je milá,“ zmôžem sa na odpoveď.

„Aj ja si myslím,“ pritaká „ideál“ a chlapčensky sa začervená, až sa mi chce kričať. Nabetón spolu spávajú. Našepkáva mi to ženská intuícia. Sotva odtiaľto vytiahnem päty, už preťahuje inú ženskú. Ak si ten chlap myslí, že sa s ním podelím o čokoládu, je na veľkom omyle.

Uškrnie sa na mňa. „Akú čokoládu si dnes priniesla?“

Palec na nohe zaryjem do odporného hnedého koberca. „Tyčinky Twix.“

Veľavravne sa na mňa pozrie a ja sa s povzdychom hrabem v kabelke. Vyberiem tyčinky, roztrhnem obal a jednu mu podám. Bez váhania sa do nej zahryzne. Dokážem vôbec tomuto chlapovi niečo odmietnuť? Jednoducho mám slabú vôľu. Keby som za niečo stála, odbila by som ho, nech si ide vypýtať tú prekliatu čokoládu od štetky Charlotte. Ešteže som sa nepriznala, že v kabelke ukrývam aj tyčinky Mars a Snickers. Až taká hlúpa zase nie som. Ha! „Idem sa radšej pustiť do práce,“ poviem.

„Blíži sa ďalší teambuilding,“ informuje ma „ideál“ s úškrnom. Ach jaj. Splavovanie divokej rieky asi nestačilo. Ak si práve predstavuje, ako mi vytŕča nahý zadok z roztrhanej kombinézy, nech si ma neželá. „Radšej si prebehni detaily a ubezpeč sa, že máme všetko zariadené.“

„Čo tentoraz? Večera v Ivy? Deň v orientálnych kúpeľoch?“

„Motokáry!“ Zaiskria mu oči. Jeho súťaživý duch si príde na svoje. Paráda. Takže motokáry. „Ideš s nami?“

„Ako inak,“ nenútene pokrčím plecami.

„Skvelé.“ „Ideál“ sa znova oprie o stoličku a spokojne si prekríži ruky. A ja by som sa najradšej nakopala za to, aká som hlúpa.

52. kapitola

„Ako to šlo, slečna?" vyzvedal Fraser.

Hodina sa skončila a on sa tu zdržal, aby mohol hovoriť s Autumn medzi štyrmi očami. Stál uprostred rozvalín svojho úsilia o kreatívnu tvorbu, po pracovnom stole sa povaľovali úlomky skla. Krivolaký lapač slnka, na ktorom pracoval posledný mesiac, postupne nadobúdal tvar. Z jej študentov bol Fraser najväčší neporiadnik.

Zo škatuľky s dobrotami, nakúpenými za peniaze, ktoré jej dala Lucy po lúpeži, vytiahla tabuľku mliečnej čokolády Dairy Milk od Cadbury a podávala mu ju.

„Za čo?" začudoval sa Fraser.

„Ako poďakovanie od mojej kamarátky aj odo mňa."

„Dáte si?"

Veľmi dobre vedela, že Fraser si rovnako ako všetci študenti všimol jej vášeň pre čokoládu v akejkoľvej podobe. „Rada."

Odlomil si z tabuľky dve kocky a vrátil ju Autumn, ona si z nej odlomila tiež. Vychutnávala lahodnú chuť a zhovievavo sa naňho usmiala. Pod drsným výzorom, vyholenou hlavou a mnohými pírsingmi sa ukrývala jeho nežnejšia stránka. Autumn bola rada, že vďaka nej prenikla na povrch.

„Ako to šlo?"

„Veľmi dobre," odvetila s náznakom hrdosti v hlase. „Vďaka tvojmu odbornému školeniu."

„Dostali ste tie šperky?"

„Všetky," potvrdila. „Som ti nesmierne vďačná. Za jeden večer som ukradla kartu od izby, otvorila zámok a dostala sa do trezoru."

„To je skvelé, slečna!" zasmial sa Fraser.

„Veru," pritakala, „prekvapila som samu seba." Autumn pokrútila hlavou, akoby stále ešte neverila, čo sa jej a kamarátkam z Čokoládového klubu v piatok večer podarilo. Kto by si bol pomyslel, že plachá, nevýrazná, politicky korektná Autumn Fieldingová má takýto skrytý talent. „Prosím, len si to nechaj pre seba, inak by ma odtiaľto vyhodili. Veľmi by ste mi chýbali." Dúfala, že Addison Deacon sa nikdy nedozvie o jej zločineckých sklonoch. Z nejakého dôvodu jej odrazu veľmi záležalo na tom, aby mal kolega o nej dobrú mienku.

„Nikomu to nepoviem," sľúbil jej Fraser vážne. „Aj medzi zlodejmi sa dbá na česť."

„Obyčajne by som nad takýmto správaním neprižmúrila oko," skonštatovala Autumn, „ale mala som naň dobrý dôvod. Možno sme spoločne pomohli zachrániť kamarátkino manželstvo." Prísne sa pozrela na svojho mladého zverenca. „Pamätaj, že zločin sa nevypláca."

Fraser pokrčil plecami. „Slečna, zistil som, že áno. Niekedy."

„Nuž, Fraser," vzdychla, „pre nás oboch bude lepšie ostať na správnej strane zákona."

„Možno pre vás," odvetil rozhodne. „Vrátite sa k svojmu pohodlnému životu. Ja ostanem niekoľko mesiacov čistý, no stále budem len bývalý feťák bez strechy nad hlavou. Robiť len správne veci môže byť niekedy ťažké."

„Viem," odvetila mierne. „No aspoň sa snažíš. Ak môžem pre teba niečo urobiť…"

„Môžete po mne spratať, slečna," usmial sa šibalsky. „Narobil som tu pekný bordel a už musím letieť na stretnutie."

„Tak choď." Ukázala na dvere.

„Ste skvelá!"

„Dúfam, že je to legálne!" zavolala za ním. Iba jej priateľsky zamával. Niekedy je lepšie nevedieť.

Autumn upratala Fraserov stôl aj celú triedu, potom nasadla na bicykel a tak ako každý deň, znova riskovala život v hustej večernej premávke. Nádejala sa, že večer možno stretne Addisona, no odvtedy, čo ju pozval na večeru, ho nevidela.

Zamkla bicykel o zábradlie. V obývačke sa svietilo, takže Richard je doma. Bolo načase, aby sa prestal podaromnici presúšať po byte a poobzeral sa po poriadnej práci. Čím väčšmi sa blížila k domovu, tým väčšmi jej oťažievalo srdce. Túžila si vyložiť nohy a dopriať si hrnček horúcej čokolády. Deň prežila len vďaka myšlienke na obľúbené čokoládové vločky Charbonnel et Walker, ktoré má v skrinke. Chcela byť sama. Hoci svojho rozmaznaného brata mala rada, už ju unavovalo počúvať, ako sa ponosuje na svoj ťažký životný údel. Mal by sa vymeniť s niektorými z detí z centra – až potom by zistil, čo je ťažký život. Keby bola na jeho mieste a žila by u svojej sestry za päť prstov a šiestu dlaň, cez deň by sa aspoň o niečo snažila – upratala by, možno by nachystala večeru. On však nepohol ani prstom. Nepreukázal jej ani štipku vďačnosti za jej pomoc. Autumn potláčala rastúce podráždenie. Ako si môže myslieť, že dokáže pomôcť svojim klientom, keď nemá vplyv ani na svojho brata?

Dvere do bytu boli otvorené. V poslednom čase to však nebolo nič nezvyčajné. V ktorúkoľvek dennú aj nočnú hodinu ustavične prúdili za Richardom pochybné existencie a zatvoriť za sebou dvere by ich asi priveľmi obťažovalo. Zhlboka sa nadýchla a vošla dnu. Pri výjave, ktorý sa jej naskytol, zabudla vydýchnuť.

Byt sa zmenil na rumovisko. Výplň vytekala z rozrezaných pohoviek na podlahu ako črevá. Oba konferenčné stolíky boli prevrátené, časopisy, ktoré mala na nich naskladané na kôpke, boli roztrhané na kusy a všade po izbe sa váľali črepiny. Knihy povyhadzované z políc ležali na zemi. Všetky lampy boli rozbité.

„Richard?!" skríkla. „Richard!" Bez odpovede. Jediný zvuk vydávalo jej búšiace srdce. Nech tu bol ktokoľvek, zdalo sa, že je už dlho preč. Autumn aj tak zdvihla stojan sklenenej lampy po babke. Počas toho besnenia tienidlo odletelo. Niesla ho pred sebou ako palicu pre prípad, že by sa musela brániť.

Pomaly našľapovala cez tú spúšť, nohy sa jej triasli. V kuchyni boli všetky zásuvky povyťahované a ich obsah vyhádzaný; nože, vidličky, lyžice ležali pod stolom. Aj skrinky boli pootvárané a plechovky a balíčky s potravinami vysypané. Pod nohami jej chrupčala ryža, šošovica, múka a cukor. Medzi nimi spoznala aj svoje vzácne čokoládové vločky Charbonnel et Walker. Takmer jej to vohnalo slzy do očí.

Na zemi ležalo aj to málo, čo bolo v chladničke – jogurty, tofu, niekoľko zvädnutých mrkiev. Ešte aj dvere na rúre boli otvorené. Ak ju vykradli, dopekla, čo tu hľadali, že to tu museli prevrátiť hore nohami? A, dofrasa, kde trčal jej brat, keď sa tu preháňalo ľudské tornádo? Stuhla jej krv v žilách. Preboha, Richard tu asi bol!

Rozbehla sa do jeho spálne. Strácala pôdu pod nohami, keď si uvedomila, čo hrozné sa mohlo stať. Čo ak sa tu vyzúrili chlapi, ktorí z nejakého dôvodu išli Richardovi po krku? Sotva hľadali jej zásoby čokolády, skôr zásoby úplne iného druhu. Ktovie, čo sa deje na odvrátenej strane bratovho života. Ona o tom isto nemá ani páru. Čakala, že v spálni uvidí Richarda, no nebolo po ňom ani stopy. Všetky zásuvky a skrinky boli otvorené, ich obsah rozhádzaný po izbe. Na nočnom stolíku ležali peniaze – zväčša drobné mince, no tých sa nikto nedotkol. Peniaze teda isto nehľadali. Väčšmi ju však znepokojil Richardov mobil, ktorý tu zbadala. Brat bez neho nikam nechodil. Bolo to jeho záchranné lano. Srdce jej vyskočilo do hrdla, keď nahlas zavolala: „Kristepane, braček, čo si zase stváral?!"

Autumn sa dovtípila, že jej izbu nevynechali, no aj tak sa tam vybrala. Nebola sklamaná. Jej spodná bielizeň bola rozhádzaná na posteli. Neveľký obsah šatníka ležal na zemi. Otupená si sadla na peľasť, stojan lampy jej vykĺzol z ruky. Takže toto je ten pohodlný život, ktorý mal Fraser na mysli, však? Znova sa poobzerala po chaose v miestnosti. Čo má urobiť? Zavolať na políciu? Rich by zúril, keby sem nabehli. Mala by počkať, či sa brat neohlási. Možno zajtra príde s kajúcnym výrazom a nejakou nevierohodnou výhovorkou a ona sa zbytočne znepokojuje. Napokon, nebolo by to prvý raz.

Teraz mohla robiť len jediné – zamknúť dvere a dúfať, že všetko dopadne dobre. Rozhodne sa netúžila ocitnúť zoči-voči ľuďom, ktorí to urobili, nech to bol ktokoľvek – predpokladala však, že to boli obchodní partneri jej brata. Noc strávila na pohovke, vyzbrojená stojanom z lampy pre prípad, že by si zmysleli vrátiť sa. Nemala by zavolať dievčatám a poprosiť ich o pomoc? Lucy by isto pribehla a prečkala s ňou noc, keby ju o to požiadala. Najlepšie však bude nikoho do toho nezaťahovať. Poradí si sama.

Autumn pokrútila hlavou. Čo sa mohlo Richardovi stať? Vyzeralo to vážne. Ak sa do niečoho zaplietol… je to veľmi zlé? Po lícach sa jej rinuli horúce slzy. Utrela si ich nohavičkami, ktoré jej prišli pod ruku. Mohla sa iba modliť, že pri prvom náznaku problémov vzal nohy na plecia a teraz sa niekde ukrýva, možno u nejakého kamaráta. Ak mu vôbec nejakí kamaráti ostali. Mohla iba čakať, či sa brat nevráti. Upínala sa na túto nádej, i keď možno planú.

53. kapitola

Nadia sa usmiala na syna, ktorý sa jej hral pri nohách, a dojedla čokoládové celozrnné sušienky, o ktoré sa podelili. Lewis dokázal zjesť toľko čokolády čo ona, ibaže v porovnaní s ňou bol živé striebro, hýbal sa oveľa viac a všetky kalórie hneď spálil. To je rozdiel medzi trojročným a tridsaťtriročným človekom. Na zemi po celej obývačke bola rozložená hračkárska farma so zvieratkami a Lewis pomedzi ne bezstarostne lozil.

„Toto je modré prasiatko," oznámil jej.

Kľakla si k nemu a vzala si od neho modré prasiatko. Vyzeralo skôr ako kravička a bolo hnedé. Zo skúsenosti vedela, že pravdu má skôr ona. Ďalšia z výhod, keď má človek tridsaťtri rokov. Musí tráviť s Lewisom viac času a naučiť ho rozpoznávať farby. Aj zvieratká z farmy. Cez víkend osláv i jej syn štvrté narodeniny, mohla by to byť skvelá príležitosť vybrať sa na vidiek, na niektorú z fariem pre deti. Tie sú dnes dosť obľúbené. Azda by sa tam Lewis naučil odlíšiť prasiatka od kravičiek. Musí zistiť, či má Toby na sobotu naplánovanú prácu; v poslednom čase jej mal veľa, bral všetko, čo sa mu naskytlo. Keby v sobotu nemohol, vybrali by sa na výlet v nedeľu.

„Slon," vyhlásil Lewis a ukázal jej ďalšieho nešťastníka. Bola to ovečka.

„To je ovečka," opravila ho. „Ovečka."

„Ovečka," zopakoval syn.

„Ako robí ovečka?"

„Mú," odpovedal presvedčivo. „Mú. Mú. Mú."

Očividne ju čaká veľa práce.

Boli časy, keď ju materstvo na plný úväzok nudilo na smrť a prahla po spoločnosti dospelých a inteligentnej konverzácii – alebo hocijakej konverzácii –, no vzácny čas, ktorý mohla tráviť sama s Lewisom, učiť ho, ako to na svete chodí, alebo sa s ním iba hrať ako teraz, jej predsa len bude chýbať. Dnes ráno jej prišla pracovná ponuka. Minulý týždeň bola na pohovore a potešilo ju, že sa jej tak rýchlo ozvali. Robila by na čiastočný úväzok, čo sa jej rozhodne pozdávalo, a iba v čase počas vyučovania. To znamenalo, že keď bude Lewis chodiť do školy, bude ho potrebovať postrážiť len cez prázdniny. Náplň práce je zaujímavá – bude písať propagačné články pre miestne noviny. Nie síce na tej úrovni, na akú bola zvyknutá, no nemohla nad tým ohŕňať nosom. Nevýhodou je mizerný plat, pri čiastočnom úväzku nič výnimočné. Množstvom práce sa vyrovná plnému úväzku, ibaže je natlačená do menšieho počtu hodín a s horším finančným ohodnotením. V tejto chvíli si však nemohla vyberať.

Nadia chcela vrátiť Chantal peniaze čo najskôr a s takýmto platom to pôjde ťažko, i keď kamarátka si nestanovila nijaký úrok a trvala na tom, že počká, dokedy bude treba. Nadia však aj tak mala zlé svedomie a chcela vyrovnať dlh čo najrýchlejšie. Aj Toby tomu rozumel a naozaj sa veľmi snažil. Rozposlal zákazníkom kopu faktúr a Nadia sa nádejala, že čoskoro im prídu nejaké peniaze. Toby sa už zúčastnil na niekoľkých sedeniach programu *Skoncujte s hraním*, a hoci ho veľmi nenadchli, tešilo ju, že s tým nesekol.

Nadia sa usmiala. Keby len manžel vedel, čo stvárali v piatok večer. Chvalabohu, že získali späť Chantaline šperky od toho gaunera a všetko šlo podľa plánu. Toby sa nazdával, že sa iba stretla s dievčatami v kaviarni. Ktovie, čo by si pomyslel, keby mu prezradila, kde naozaj boli a čo robili. Nikdy by mu nenapadlo, že aj ona by dokázala klamať. Radšej si to však nechá pre seba. Nič sa nestane, ak bude mať aj ona tajomstvo. Iba Boh vie, čo všetko jej on kedysi zatajil. Našťastie, je to za nimi. Možno mu to jedného dňa povie a schuti sa na tom zasmejú.

„Baf-baf," zaštekal Lewis a zachmúril sa. „Nemôžem nájsť Bafbafa."

Znova sa sústredila na syna. „Určite tu niekde je." Súčasťou súpravy zvieratiek bol aj čierno-biely ovčiarsky pes s odhryznutým chvostom, Lewis ho mal najradšej. Nadia ho hľadala medzi zvieratkami. Baf-bafa nebolo. Všimla si, že nechýbal len pes, ale aj rozheganý traktor s vlečkou plnou brvien, postavička farmára v tvídovom saku, niekoľko ohrád na zvieratá a plôtikov, zopár vietnamských prasiatok a kanvice na mlieko, aké sa na farmách nepoužívajú možno aj päťdesiat rokov. Kde ich videla naposledy? „Baf-baf by mohol byť v skrinke s hračkami," povedala mu. „Počkaj tu, mamička sa tam ide pozrieť."

Vstala, natiahla si chrbát a vybrala sa hore do Lewisovej izby. V skrinke s hračkami vládol zvyčajný neporiadok. Ktovie, či by aj dievča malo taký neporiadok, keby mali dcéru. Potom si však spomenula na svoju rozhádzanú izbu a usúdila, že asi nie. Keby sa im s Tobym podarilo o pár rokov vyhrabať z dlhov, mohli by pomýšľať na ďalšie dieťa, než bude Lewis priveľký. Bolo by fajn mať aj dievčatko.

Prehľadávala poličky s hračkami, presúvala macíkov, puzzle, autíčka a bagre na jednu stranu. Pokrútila hlavou. „Tento chlapec by mohol urobiť burzu hračiek," zauvažovala nahlas. „Nečudo, že nám ustavične chýbajú peniaze." Asi tú burzu naozaj zorganizujú.

„Ponáhľaj sa, mami!" zakričal Lewis spod schodov.

„Spočítaj zatiaľ všetky ovečky," zavolala. „To sú tie s bielymi kožúškami a čiernymi hlavičkami. Hneď som dolu."

Hľadala ďalej a o chvíľu nahmatala škatuľu s chýbajúcimi kúskami z farmy vrátane ohryzeného Baf-bafa. Ťahala škatuľu k sebe a zavadila o čierne pútko. Potiahla silnejšie a škatuľa ťahala aj pútko. Objavila sa robustná čierna taška. Čierna taška na notebook.

S divoko tlčúcim srdcom ju vybrala. Naozaj to bol notebook. Nový notebook. Prečo je ukrytý v Lewisovej skrinke na hračky? Okamžite sa to dovtípila a zovrelo jej žalúdok. Prešla s ním do pracovne a zapojila ho do prípojky na telefón. Roztrasene ho zapla a čakala, kým ožije. Klikla na ikonu internetu. Samozrejme, internet nabehol. Toby má očividne znova prístup na internet.

Zašla do histórie a jej podozrenie sa čoskoro potvrdilo. Opäť navštevoval online kasína. Manžel ju podrazil. Tentoraz však prefíkanejšie zahladil stopy. Po všetkom, čím prešla, požičala si peniaze od Chantal a vyplatila ich dlhy, teraz začal hrať tajne. Zrejme si zaobstaral aj novú kreditku, čo dnes vôbec nie je ťažké, veď banky sa idú pretrhnúť, aby nalákali zákazníkov na ľahké úvery. Ibaže splácať už také ľahké nie je. Prišlo jej nevoľno. Ako dlho potrvá, kým opäť spadnú do dlhov? Nadia sa odhlásila, zaklapla notebook a vložila ho do tašky. Prešla do Lewisovej izby a vrátila ho do skrýše. V duchu plakala, no musela ostať silná. Tentoraz to však už tak nenechá. Musí sa to skončiť. Len sa musí rozhodnúť ako.

Nadia vzala škatuľku s kúskami z farmy a s ťažkým srdcom schádzala po schodoch. Nech sa stane čokoľvek, jej syn to nesmie pocítiť. Znamenal pre ňu celý život. Jej jedinú radosť.

„Aha, čo pre teba mám," žiarivo sa naňho usmiala.

„Baf-baf!" vykríkol. „Našla si ho."

Nanešťastie to nebolo jediné, čo našla.

54. kapitola

Ted sa so Chantal takmer celý víkend nerozprával. Po ich takmer fantastickej piatkovej noci sa presťahoval do voľnej izby. To ešte nikdy neurobil. Správal sa k nej vrcholne ľahostajne. V golfovom klube sa dokonca zdržal dlhšie než obyčajne, večeru zjedli prakticky v úplnom tichu okrem niekoľkých zdvorilostných fráz a potom civel na televíziu až do noci a vôbec si ju nevšímal. Chantal to liezlo na nervy ešte viac než zvyčajne. No ako chce, túto hru môžu hrať dvaja. Ak ju mieni trestať tým, že sa od nej ešte viac odtiahne, nájde si potešenie inde.

Chantal sa natiahla na pohovku a sŕkala dobrý Shiraz. Vzrušilo ju už pomyslenie na Jazza a jeho pevné mladé telo. Tá prezývka nebola ktoviečo, ktovie, ako sa volá v skutočnosti. Mal však kopu iných kvalít. Hľadať uspokojenie u gigola nie je ideálne – ktorá žena by sa chcela ocitnúť v takejto situácii? No ak sa to nedá inak, čo iné jej zostáva? Vo svojom veku sa rozhodne nevzdá sexuálneho života. Musela priznať, že Tedov názor na deti ju šokoval. Doteraz ich ani jeden z nich nechcel a ľutovali kamarátov, ktorí ich mali na krku. Kedy zmenil názor? Ak s ňou však nechce spávať, tento problém s ním vôbec nebude musieť riešiť.

Prečo si však Ted nedokázal s ňou sadnúť a rozumne sa o tom porozprávať? Žeby preto, lebo vedel, že na dieťa by ju nikdy nenahovoril? Ona sama pochádza z nefunkčnej rodiny a nechcela, aby sa to opakovalo. Nemienila priviesť na svet potomka, aby nezažil to, čo zakúsila ona. Nepamätala si, že by jej mama či otec povedali, že ju ľúbia. Bola jedináčik a považovali ju za nutné bremeno. Deti boli v tých časoch nevyhnutnou súčasťou rodiny – nebolo na výber. Neznamenalo to, že po narodení prvého dieťaťa sa z ľudí automaticky stali skvelí, starostliví rodičia. Tí jej venovali všetok čas práci, a tak často bývala doma sama a musela sa nejako zabaviť. Niekedy sa učila, inokedy vytiahla z barovej skrinky whisky a popíjala, potom doplnila fľaše vodou. Ako študentka sa usilovala excelovať v nádeji, že si tým jedného dňa získa ich náklonnosť, obdiv a lásku. Márne. Samé jednotky ešte neboli dôvod na pochvalu. Bola talentovaná hudobníčka, ako sa od nej očakávalo. Ibaže odo dňa, keď odišla z domu, sa klavíra už nedotkla.

Jej rodičia stále žili, no v Chantalinom živote už hrali iba bezvýznamnú úlohu. Kontakt sa obmedzil na občasné previnilé telefonáty a zasielanie vianočných pohľadníc a narodeninových prianí. Aj keby sa stretávali častejšie, nepochybne by našli niečo, čo by neschvaľovali. Dojem na nich neurobil dokonca ani Ted, keď im ho predstavila ako svojho nápadníka, hoci bol pekný, šarmantný a mal skvelé vyhliadky. Čo by si pre ňu priali? Nezáležalo im na tom, aby bola šťastná? Len si predstavte, akí by z nich boli starí rodičia, keď sa nezaujímali ani o vlastné dieťa. A prečo by mala Chantal chcieť dieťa? Aby naň preniesla svoje neurózy? Aby sa z jej rozmaru cítilo neisté a nemilované? Dieťa jednoducho nikdy nemala v pláne a predpokladala, že Ted to vníma rovnako. Zdá sa, že sa mýlila.

Ani jeden z nich sa nevedel ospravedlniť, takže tento stav tak skoro nepominie. Aby sa rozptýlila, poslala Jazzovi e-mail a navrhla mu stretnutie ešte tento týždeň. Ak ju manžel nechce, neznamená to, že sa medzitým nemôže zabaviť. Podľa nej bolo bezpečnejšie užiť si s Jazzom, než riskovať, že zbalí v bare ďalšieho gaunera. Práve nad tým rozmýšľala, keď do izby vošiel Ted a hodil jej do lona hárok papiera. Bola na ňom odpoveď na jej e-mail Jazzovi, jednoduchá otázka: *Čo povieš na štvrtok večer? Jazz*

V ústach jej vyschlo, pozrela na Teda.

„Jazz?“

Chantal nechala papier spadnúť na zem. „To je klient.“

Z očí mu šľahali blesky hnevu. „To si nemyslím, Chantal.“

„Mysli si, čo chceš,“ odsekla chladne, hoci vnútri sa triasla. „Prečo ťa to tak zaujíma?“

„Zaujíma ma to rovnako ako to, prečo nám na účte chýba vyše tridsaťtisíc libier.“

Zovrel sa jej žalúdok. „Požičala som ich kamarátke. Mala problémy.“

„Nechceš mi povedať ktorej?"

„Nie," zamietla Chantal. „Nechcem."

„Cez týždeň som sa rozprával s Lucianom Barringtonom. Vraj ťa Amy stretla v hoteli *St. Crispen* a správala si sa zvláštne. Že si sa s ňou ani poriadne nebavila."

„Tá ženská je klebetná až hrôza. Skôr by bolo zvláštne, keby som šla s ňou a Lucianom na drink, na ktorý ma nahovárala."

„Na recepcii sa vraj na teba pýtal istý mladý muž menom Jazz a potom zamieril do tvojej izby."

Chantal hľadela pred seba. Mohla popierať, vyhovárať sa, trvať na tom, že to bol klient, presviedčať ho, ale načo? Možno nastal čas vyjsť s pravdou von. Pevne stisla pery a zhlboka sa nadýchla. „Som vinná v plnom rozsahu," vyhlásila rozhodne a otočila sa k manželovi. „Stretávam sa s inými mužmi."

„Mužmi? Takže ich je viac?" Ted silno zovrel ruky do pästí, až mu obeleli hánky.

„Áno." Vzdorovito zdvihla bradu, najradšej by sa však hodila na zem a vzlykala. Niekde v hĺbke vždy vedela, že tento deň – deň zúčtovania – raz nastane, no netušila, že to bude tak bolieť.

„V tom prípade sa už nemáme o čom baviť."

„Ted…" začala.

„Vypadni!" oboril sa na ňu. „Prac sa mi z očí!"

Vstala a vybrala sa k nemu. Teraz, keď už to vedel, jej bolo zle, zdvíhal sa jej žalúdok. Chcela ho poprosiť o odpustenie, no nevedela ako. „Nechcem, aby sa naše manželstvo skončilo," hlesla a váhavo sa dotkla jeho ruky. Odtiahol sa. „Chcem, aby to bolo medzi nami také ako predtým. Mali by sme sa o tom porozprávať. Mali by sme prebrať, ako ďalej."

Na manželovej tvári sa zjavil výraz bolesti a odporu. „Chantal, my dvaja sa budeme rozprávať už len cez právnikov."

55. kapitola

Poslala som dievčatám esemesku, aby sme sa po práci stretli v Čokoládovom nebi na rýchly drink a obľúbenú čokoládu. Jacob príde až o hodinu, tak mi napadlo, že zatiaľ môžem so spolupáchateľkami prebrať udalosti piatkového večera. Keďže som krátko nato odpadla, nemali sme príležitosť poriadne to osláviť. A zároveň by som rada predstavila členkám Čokoládového klubu svojho nového frajera. Nech vidia, že dokážem priťahovať aj úžasných, milých mužov, nie iba emocionálnych upírov.

Práve usilovne zmenšujem kopu praliniek so šampanským a dokazujem teóriu, že menej nie je vždy viac, keď dorazí Chantal. Dopadne na pohovku vedľa mňa a s ťažkým povzdychom si o ňu oprie hlavu. Je zamĺknutá väčšmi než zvyčajne. Vyzerá unavene a strhane. Bezmyšlienkovito si vezme jednu z mojich praliniek a hodí si ju do úst. Inokedy by spokojne zahmkala, teraz z nej nevyjde ani hlások.

„Problémy?"

„A ešte aké," vydýchne.

Nazdávala som sa, že keď sme tak štýlovo získali späť jej ukradnuté šperky, bude ešte týždne chodiť s hlavou v oblakoch. Premkla ma panika a prehlušila pôžitok z praliniek. „Ozval sa ti pán John Smith, zlodej džentlmen?"

„Nie," zamietla. „Problémy mám doma."

„Objednám ti drink," navrhnem. Vyzerá, akoby sa jej zišla aspoň dvojitá brandy. „Potom mi všetko vyrozprávaš."

„Horúcu čokoládu, prosím," povie Chantal. Odcupitám za Clivom po objednávku.

O chvíľu už kamarátka stíska v ruke hrnček, z ktorého stúpa para. Hneď vyzerá lepšie. Čokoláda má naozaj liečivú silu. Vedia to ženy na celom svete. Chantal počká, kým jej čokoláda zázračne dodá energiu, potom sa na mňa pozrie. „Ted ma vyhodil z domu," prizná. Na môj šokovaný pohľad odpovie pokrčením pliec. „Všimol si, že nám na účte chýbajú peniaze, a moje vysvetlenie ho nepresvedčilo."

„Nadia sa bude cítiť hrozne," šepnem.

„Nehovor jej to," požiada ma Chantal. „Má dosť svojich starostí. O tie peniaze vlastne ani nejde. Skôr o iné… pálčivejšie problémy."

„Stále spolu nespávate?"

Chantal sa neveselo zasmeje. „Verila by si tomu, že keď som sa v piatok vrátila domov, užili sme si vášnivý sex na pohovke? Prvý raz po mesiacoch." Znova sa zasmeje na tej irónii. „A potom z neho vypadlo, že chce deti." Ohromene na mňa civie. „Môj názor na deti pritom pozná. Všetci ho poznajú."

„Možno si to ešte rozmyslí," chlácholím ju. „Alebo ty."

„Nechcem deti," trvá Chantal na svojom. „Nikdy som ich nechcela ani nebudem chcieť."

„A Ted sa už rozhodol?"

„Áno."

„Takže je koniec?"

Prikývne. „Vyzerá to tak."

„Čo si počneš? Kam pôjdeš?" opýtam sa jej. „Keby som nebývala v takom kamrlíku, mohla by si ísť ku mne. Spať na pohovke, kým si niečo nenájdeš."

„Dnes ráno som sa zbalila, obvolala kamarátky a kontakty a našla človeka, ktorý mi na pár mesiacov prenajme byt." Chantal sa chabo usmeje. „Poobede som sa presťahovala do zariadeného bytu s dvoma spálňami v Islingtone."

„Fíha." Ohromujúca rýchlosť.

„Nuž, viem sa vynájsť," prizná so skrúšeným výrazom.

Než zareagujem, vo dverách sa objaví Autumn s Nadiou a idú k nám. Sadnú si, vyzlečú si bundy a odložia kabelky. Vzápätí príde Clive s notesom v ruke. „Ako sa majú moje drahé dievčatá?"

„Fajn." Výraz „ako-tak" by bol presnejší, no potom by som to musela siahodlho vysvetľovať a my v tejto chvíli potrebujeme najmä čokoládu. Náš vážený hostiteľ si zapíše objednávky a uteká uspokojiť naše potreby. Zdá sa, že ani Autumn, ani Nadia neoplývajú najlepšou náladou.

„Tak to vysypte," povzbudím ich.

Nadia spustí prvá. „Zistila som, že Toby znova hrá," vyhŕkne. „Odchádzam od neho."

So Chantal vybuchneme do smiechu.

„Čo je?" zarazí sa dotknuto. „Čo je na tom smiešne?"

Po tvári mi tečú slzy a sama neviem, či od smútku alebo od radosti. „Nič," poviem a snažím sa ovládnuť. „Vôbec to nie je smiešne."

„Nuž," ozve sa Chantal, „ja som práve odišla od Teda."

Už sa usmieva aj Nadia. „Dokonale načasované," dodá a vyčerpane sa zachichoce. „To sme teda pekná partia nešťastníc."

Konečne sa upokojím a spýtam sa: „Kam pôjdeš? Čo budeš robiť?" Asi to nie sú vhodné otázky, no zaujíma ma to.

„Ešte neviem," prizná.

„Nasťahuj sa ku mne," ponúkne sa Chantal. „Prenajala som si parádny byt a mám voľnú izbu."

Nadia pokrúti hlavou. „Pochybujem, že so svojím napnutým rozpočtom utiahnem také nájomné, Chantal."

„To nie je problém. Zaplatíš mi toľko, koľko budeš môcť," navrhne jej vážne. „Radšej budem bývať s niekým, koho poznám, než byť sama medzi štyrmi stenami. Budeme spolu zase mladé, slobodné a nezadané."

„Ja až taká slobodná nie som," opraví ju Nadia. „Zabudla si na Lewisa?"

Chantal na drobca očividne nepomyslela, no rýchlo sa spamätá. „To nič," povie veselo, i keď predsa len priškrtene.

„Určite?"

„Jasné. Zvládneme to."

Vymenia si smutné pohľady. „To by som rada," hlesne Nadia a stisne jej ruku. „Aspoň si trochu oddýchnem."

„Takže sme dohodnuté," vyhlási Chantal. „Napíšem ti adresu. Keď budeš pripravená, presťahuj si ku mne veci."

Clive nám prinesie podnos vrchovato naložený dobrotami a položí ho na stôl. „Dámy, zdá sa, že toto dnes potrebujete ako soľ," povie a ani netuší, akú má pravdu. Všetky sa na ne bez váhania vrhneme.

„Aj ja som už sama," ozve sa Autumn potichu. „Richard zmizol."

Tentoraz sa nezasmejeme, vieme, ako veľmi sa Autumn o brata strachuje.

„V byte mám totálnu spúšť," pokračuje, hlas sa jej láme, „a môjho drahého brata niet."

„Och, Autumn."

„Odvtedy sa neozval." Nešťastne si povzdychne. „Napadlo mi, že pôjdem na políciu a ohlásim, že je nezvestný, ale ako by som im to vysvetlila? Richard by ma zabil, keby som ich do toho zatiahla. Netuším, čo mám robiť. Asi mi neostáva nič iné, len čakať."

Ani jedna z nás nevyrukuje s ničím múdrym.

„Lucy, dúfam, že aspoň ty neriešiš nijaký problém," nalieha Nadia. „Aspoň jednej z nás sa musí dariť."

„Mám sa dobre," poznamená. „Som šťastná. Marcus zmizol z môjho života a mám úžasného nového frajera. Lepšie to ani nemôže byť."

„Chvalabohu," vzdychne Nadia.

„Jacob tu bude čo nevidieť," oznámim svojim najlepším kamarátkam, „a chcem vás s ním zoznámiť. Neviem, či je ten pravý, ale mám ho veľmi rada."

„To je super," povie Chantal. „Choď do toho."

Hanblivo sa usmejem. „Do tohto vzťahu vkladám veľké nádeje."

Ako na zavolanie sa vo dverách objaví Jacob.

56. kapitola

Jacob vojde do Čokoládového neba. V sexi tmavom obleku a s mierne strapatými blond vlasmi vyzerá skvele. Nadúvam sa od pýchy. Tento chlap ide na rande so mnou! Ha!

Keď ma zbadá, zamáva mi a zamieri k nám. V tej chvíli Chantal nahlas zalapá po dychu. Tentoraz nie od extázy z čokolády, ale od hrôzy. Jacob sa zarazí v sebavedomej chôdzi a žiarivý úsmev mu mierne pohasne, no kráča ďalej k nám. Chantal si nervózne hryzie peru, reč jej tela prezrádza mimoriadny nepokoj.

„Čo je?" spýtam sa. „Čo sa deje?"

Zavládne ticho. Autumn a Nadia sa tvária rovnako zmätene ako ja.

Jacob k nám pristúpi. „Ahoj," pozdraví priveľmi veselo.

„Ahoj," odpoviem. Hlas sa mi chveje, hoci neviem prečo. Asi by som mala vstať a pobozkať Jacoba na privítanie alebo niečo také, no neurobím to. A tak Jacob nad nami rozpačito stojí a ja sedím, akoby som vrástla do pohovky. „Rada ťa vidím," ozvem sa. „Toto sú moje kamarátky. Autumn, Nadia a... Chantal." Všimnem si, že môj frajer a kamarátka si vymieňajú úzkostné pohľady. V zmätenom mozgu mi zabliká žiarovka. „Ale to už asi vieš."

„Ahoj, Chantal," pozdraví ju Jacob potichu. Celý nesvoj si poťahuje golier košele.

„Ahoj, Jazz," povie Chantal.

„Jazz?" Pozriem na ňu a očakávam vysvetlenie, no ona zaryto mlčí. Prehovorí Jacob.

„Tvoju kamarátku poznám. Pracovne."

Mám však pocit, že nepatrí ku klientom, s ktorými robila rozhovory do časopisu *Style USA*. Nazvite to ženskou intuíciou alebo to pripíšte mojim primnohým skúsenostiam s Marcusovými neverami, no šípim, že medzi tými dvoma rozhodne niečo je – iskra, chémia, spoločná minulosť. Nemám poňatia čo, ale chcem to vedieť. „Ako to?" vyzvedám. „Odkiaľ sa poznáte? Z akej práce?"

„To by ti asi mala vysvetliť Chantal," odvetí Jacob. Jeho sebaistota sa vytratila, odrazu vyzerá osamelo a zraniteľne.

Otočím sa k Chantal a vyzvem ju: „Prosím, povedz mi, o čo ide."

Kamarátka má sklonenú hlavu a odmieta ju zdvihnúť.

„Lucy, keď sa to dozvieš, asi sa ku mne už nepriznáš," povie Jacob smutne, „ale ak áno, veľmi ma poteší, keď mi zavoláš. Rád som sa s tebou stretával, i keď to trvalo len krátko. Je s tebou zábava. Myslel som si…" odkašľal si, hľadal slová. „Myslel som si, že by sme mohli mať výnimočný vzťah."

Nenachádzam slová. Mlčky sa dívam, ako sa Jacob otáča a odchádza.

Dievčatá sa nepokojne pomrvia, no ja sa nedokážem pohnúť. „Nuž," znova vyzvem Chantal, „prezradíš mi konečne svoje malé tajomstvo?"

Naveľa zdvihne zrak a povie: „Tvoj priateľ, Jacob, Jazz, sa živí ako spoločník."

„Spoločník? Aký spoločník?" Rozpomínam sa, či bola Chantal v poslednom čase na nejakom slávnostnom podujatí, kde by potrebovala sprievod muža, ktorý nie je jej manžel.

„Lucy..." osloví ma kamarátka podráždene a veľavravne sa na mňa zadíva.

Uvedomím si, že Chantal na nijakom večierku nebola. Chvíľu to spracúvam.

„Objednávala som si ho," pokračuje Chantal.

„A načo?"

Ostatné členky Čokoládového klubu sa nepokojne hniezdia.

Do mozgu sa mi nahrnie krv a odrazu mi svitne. „Ty mi preťahuješ frajera?" spýtam sa nahlas, hoci sa takmer zakoktám, a na Čokoládové nebo sa znesie ticho. Ostatní zákazníci sa otáčajú a bavia sa na rozruchu.

„Lucy," vysloví Chantal pokojne, „nevedela som, že s ním chodíš. Netušila som, že Jacob a Jazz sú jedna a tá istá osoba. Odkiaľ som sa to mala dozvedieť?"

Takmer nedýcham. „Môj priateľ sa predáva?"

„Tak to pŕ," odfrkne Chantal. „Robí spoločníka."

„Ktorému platíš za sex!" vyšteknem.

Kamarátka má v sebe aspoň toľko hanby, že sa začervená. „Nie je to také nechutné, ako si myslíš. Je ozajstný profesionál."

„Fajn," podotknem. „Tak fajn. Som rada, že nevyhadzuješ prachy na podpriemerné služby."

„Mrzí ma to," ospravedlňuje sa. „Naozaj je mi to ľúto. Viem, že ho máš rada."

„Mala som ho rada," opravím ju. „Ako sa mu teraz pozriem do očí? Ako sa mu mám pozrieť do očí, keď viem, čo robí, že si... spala s mojím priateľom, zatiaľ čo ja nie." Najradšej by som si zaborila tvár do dlaní a horko zaplakala. Jacob vyzeral taký milý a naše rozvíjajúce sa priateľstvo, vzťah… neviem, ako to teraz nazvať… mi veľmi pomáhalo spamätať sa z rozchodu s Marcusom. Nikdy som nezastávala teóriu, že „všetci muži sú sviniari", ale v tejto chvíli by som tomu aj uverila. Ako som mohla dopustiť, aby ma zas niekto tak ľahko oklamal? Keďže hlavný vinník zdrhol – ako inak –, obrátim svoj hnev proti Chantal. „Myslela som si, že si lepšia kamarátka. Nemôžem uveriť, že si sa za mojím chrbtom stretávala s Jacobom."

„Lucy, nestretávala som sa s ním," namieta. „Objednávala som si ho a platila mu na hodinu."

„Koľko si mu platila?" vyzvedám.

„Lucy," ohradí sa Chantal. „Zachádzaš priďaleko."

„Chcem to vedieť."

„Dvesto libier na hodinu." Autumn a Nadia sa prudko nadýchnu. Aj ja by som sa nadýchla, keby som vôbec dokázala dýchať. To je pre bežného človeka nekresťanská suma.

„Je aspoň dobrý?" opýtam sa podráždene.

Chantal odvetí s pochmúrnym výrazom: „Áno. Je veľmi dobrý."

„Toto fakt nechcem vedieť," zakvílim. „Skutočne to nechcem vedieť!"

57. kapitola

Chantal mi ustavične volá, doteraz minimálne stosedemdesiatdeväť ráz, no nezdvíham jej telefón. Som naštvaná a trucujem. A podľa mňa oprávnene. Znova mi zazvoní mobil, na displeji svieti jej číslo. Nechám prejsť hovor do hlasovej schránky a strčím si telefón do vrecka.

„Ahoj, kráska," pozdraví ma „ideál", keď zastane pri mne. „Čo tá pretiahnutá tvár?"

Ani na toto nemám náladu. Dočerta aj so stmeľovaním tímu na motokárach. Všetci sa tešia, už sa nevedia dočkať štartu, a ja sa utápam v melanchólii a neznášam každú minútu. Sme v Docklands a trať sa nachádza na nevyužívanej ploche okolo Millennium Dome. Je to Bohom zabudnuté miesto, kde sa vietor preháňa ponad hektáre vyasfaltovanej plochy. Prečo tu nepostavili radšej značkový outlet? Podľa môjho skromného názoru by to tu využili oveľa lepšie.

Najprv nám v žiarivo namaľovanej mobilnej budove pustili inštruktážne video pre pretekárov, čo ma len ešte väčšmi vydesilo, a teraz čakáme pri trati na odštartovanie zábavy. Obchodné oddelenie sa určite skladá zo šampiónov, zatiaľ čo mňa budú musieť vtiahnuť do jednej z tých smiešnych hračiek párom volov. Prečo sa dospelí muži všemožného veku potrebujú hrať s hračkami, aby si dokázali mužnosť? Túto komplikovanú psychologickú črtu však teraz nemienim rozoberať. A to ani nespomínam, že mám na sebe nechutnú, nelichotivú červenú kombinézu, ktorá mi priveľmi obopína veľký tučný zadok, a biela prilba mi pricapila na hlavu vlasy, ktoré som si dlho upravovala v nádeji, že si zdvihnem otrasené sebavedomie. Prečo si všetky naše teambuildingové aktivity vyžadujú také príšerné oblečenie? Prečo nemôžeme mať zoštíhľujúce čierne šaty od nejakého slávneho módneho návrhára? Nabudúce vyberiem teambuildingovú aktivitu ja a uvidíte, že bude oveľa príjemnejšia. Ha! Napríklad týždeň v kúpeľoch Chiva-Som v Thajsku. To by bola paráda.

Pozriem sa na „ideála" a na jazyku mám slovo „odpáľ".

Ovinie mi ruku okolo pliec. „Niekto ti vyraboval zásoby čokolády?"

„Nie," odseknem. „Zistila som, že moja najlepšia kamarátka si to rozdávala s mojím frajerom."

„Ojojoj." Nasadí ustarostený výraz. „To nie je dobré."

„Veru nie."

„Tu prídeš na iné myšlienky."

Ako inak. Nezmyselne sa krútiť po dráhe ako blázon v hračke pre veľkých chlapcov. Presne takýto balzam na zlomené srdce potrebujem, len čo je pravda. Aspoň to však vyskúšam, pretože dnes na mňa nezabrali ani tyčinky Mars, Bounty a Turkish Delight, dve balenia čokoládových cukríkov Rolo, celá bonboniéra Thornton's Continental, ba ani tri tabuľky jednodruhovej čokolády s kardamómom a čiernym korením.

Pán Aiden Holby ma priateľsky stisne. „Užiješ si to, kráska, o to sa postarám," usmieva sa od ucha k uchu. „Vyprášim ti ten broskyňový zadok."

Hm. Takže podľa neho mám broskyňový zadok? Proti svojej vôli sa usmejem. „Na to by som sa pozrela."

„Stavím sa o desať libier, že ťa porazím."

„Dobre." Potrasieme si ruky.

„Zbožňujem ženy, ktoré si nevšimnú, že to majú márne." Hoci sme v podstate v pracovnom prostredí a obklopujú nás kolegovia z obchodného oddelenia, vtisne mi pomerne dlhý bozk na líce. A potom kútikom oka zazriem, ako si štetka Charlotte z call centra vykračuje na trať. Keď ju „ideál" uvidí, pustí ma a naširoko sa usmieva. Nálada mi znova klesne na bod mrazu. Čo majú tie jeho bozky, flirtovanie a „ahoj, kráska" znamenať? Nie som hlúpa, aby som si nevšimla, že len čo je frajerka na dohľad, pustí ma ako horúci uhlík. Už nie som taká kráska, však? Hm. Ďalší prekliaty alfa samec, ktorý si myslí, že sa môže zahrávať s mojimi citmi. Určite mi z nozdier syčí para.

„Uvidíme sa na trati," rozlúči sa a vyberie sa za ňou.

„To si píš," odseknem.

～り

O chvíľu už sedím pripútaná v motokáre, zadok mám nebezpečne blízko asfaltu. Stĺpik volantu mám vklinený medzi stehnami, čo je pre dámu veľmi nevhodné. „Ideál" je o tri motokáry predo mnou – ako šéfa sme ho museli pustiť dopredu. Charlotte už jačí jeho meno z boxovej uličky. Mám sto chutí zahriaknuť ju, že sa ešte nič nedeje a ešte nič nedokázal! Hlúpa krava. Ak bude takto pokračovať, vážne mi bude liezť na nervy. Už som oľutovala, že som „ideálovi" prezradila dôvod svojej hlbokej depresie. Ak to vytára štetke Charlotte, zajtra to už bude vedieť celá kancelária a zasa sa budem musieť porúčať. Nebudem mať na výber, asi sa aj ja stanem šľapkou, ale so srdcom na dlani. Zavolám Jacobovi alias Jazzovi, či ako sa dáva oslovovať, a povypytujem sa ho na tipy, ako naštartovať tento druh biznisu.

Stiahnem si čierny priezor prilby a než sa spamätám, červená sa zmení na zelenú a odštartujeme na kvalifikačné kolo. Nejazdila som roky a odrazu som sa ocitla najprv za volantom veľkej dodávky a teraz tohto prskajúceho stroja. Akoby som šoférovala vysokorýchlostnú kosačku na trávnik. Srdce mi od nervozity vyskočí až do hrdla. Uvedomujem si, že ako ženy sme dlho bojovali za rovnoprávnosť, ale niečo vám poviem – takéto činnosti veru nemáme v láske. Nemožno poprieť, že si rady lakujeme nechty na nohách, rady sa češeme, rady si robíme manikúru. Vo všeobecnosti nerady pretekáme v autách a do toho zahŕňam aj motokáry. Jednoducho to nemáme v génoch.

Na prvej zákrute dostane jeden kolega hodiny a ja sa preženiem popri ňom. Škodoradostne sa zachechtám. Prefrčím okolo ďalších dvoch motokár, šoféri na mňa iba vydesene pozrú. Ani sa nenazdám a dýcham na krk pánovi Aidenovi Holbymu, pred očami mám jeho nárazník. „Ideál" dupne na plyn a vzďaľuje sa mi. Plynový pedál stlačím aj ja a ženiem sa za ním. Ten arogantný idiot mi rozhodne neutečie! Rútime sa dookola, zákruty sa rýchlo striedajú, vietor mi sviští okolo prilby. O niekoľko kôl neskôr zasvieti červená a všetci sa zaradíme do boxov. Ako zázrakom sa ocitám na druhom mieste za „ideálom".

Postávame v boxovej uličke a čakáme, kým zvyšok tímu nedokončí kvalifikačné kolá. Štetka Charlotte využije príležitosť a omotá sa okolo „ideála", ten, zdá sa, nenamieta. Charlotte určite na mňa hádže veľavravné pohľady. Štetka. Už mám toho dosť. Už-už si zložím prilbu a ohlásim odchod domov, keď nám oznámia štartovacie pozície. Vrátime sa na trať. Tentoraz štartujem rovno za „ideálom", a ak neurobím chybu, budem ho mať na dohľad. Už ma neporazí!

„Ideál" sa otočí a pošle mi vzdušný bozk. Netuším, čo sa deje, ale oči mi zahalí červená hmla, srdce mi divoko búši v hrudi a hlavou sa mi preháňajú veľmi temné myšlienky. Naskočí zelená a vyrazíme. Odpichnem sa ako bežkyňa zo štartovacej čiary. „Ideál" len tak-tak presviští prvou zákrutou tesne predo mnou. Rútime sa vpred. Ak ho štetka Charlotte nahlas povzbudzuje, nepočujem ju, no „ideál" to bude potrebovať. Predok mojej motokáry delí len milimeter od jeho zadku. Možno ho trošku postrčím. Netuším, kde sú ostatní pretekári, viem iba to, že ďaleko za nami. Odohráva sa súboj medzi nami dvoma. Obaja prefrčíme cez ďalšiu zákrutu, takmer sa dotkneme kolesami. Iskry síce nelietajú, no podľa mňa by mali. Od silného zvierania volantu ma už bolia ruky. A tŕpne mi sánka, čo tak zatínam zuby. Vrútime sa do ďalšej zákruty. Nie som si istá, ako udalosti za sebou nasledovali, no asi som náhodou štuchla do „ideálovej" motokáry, pretože v ďalšej sekunde sa už divoko rozkrúti, vyjde z dráhy a strmhlav narazí do bezpečnostnej bariéry z pneumatík.

Víťazne zdvihnem ruku, potom sa však obzriem a uvidím, že všetci sa ženú k jeho rozmlátenej motokáre. Ajajaj! Nejaký chlapík predo mnou zúrivo máva čiernou zástavou. Z inštruktážneho videa si pamätám, čo to znamená. Musím opustiť dráhu pre nešportové správanie. Zatiahnem do boxovej uličky a vyskočím z motokáry. Pravdupovediac, som rada, že mám zámienku vystúpiť a ísť zistiť, či je „ideál" v poriadku. Zložím si prilbu a rozbehnem sa k nemu. Jedno koleso je ohnuté a predok motokáry preliačený. Zhŕčil sa okolo neho hlúčik ľudí, okrem kolegov aj usporiadatelia, ktorí sa tvária pochmúrne. Znepokojí ma to.

„Aiden, Aiden!" kričí Charlotte vskutku dramaticky.

Prerážam si cestu a náhlivo sa spýtam: „Ako mu je?" Vyschne mi v ústach.

Všetci sa otočia ku mne a pri ich vážnych výrazoch mi zamrie srdce. Ľudia sa rozostúpia. Kľaknem si do blata pri motokáre. „Ideálovi" spadla prilba a po boku tváre mu steká cícerok krvi. Do očí mi vbehnú slzy. Je to moja chyba. Iba moja.

Charlotte ma odstrčí a zagáni na mňa. Chytí „ideála" za ruku, ktorá mu skĺzla z volantu a voľne leží v tráve. Zúrivo mu ju hladí. „Aiden," prihovára sa mu rozrušene. „Aiden, no tak, preber sa."

Ibaže „ideál" nejaví známky života.

58. kapitola

Chantal nohou otvorila dvere svojho nového bytu, na boku si pridržiavala tašku s potravinami. Potácala sa do kuchyne a položila ju na kuchynský stôl. Spokojne sa obzerala okolo seba. Byt vôbec nie je zlý. Plne zariadený vkusným a štýlovým nábytkom v rámci určitého rozpočtu, ale s tým sa dokáže zmieriť. Napokon, má inú možnosť?

Dnes sa márne pokúšala dovolať Lucy a zmieriť sa s ňou po škriepke pre Jazza. Ustavične jej telefonovala a rovnako sa usilovala dovolať manželovi, aby sa mu znova ospravedlnila. Mobil jej nedvíhal a asistentka ju odmietla k nemu prepojiť, zdôvodňovala to nejakou schôdzou, vraj ho nemôže rušiť. Chantal nepochybovala, že si to vymyslela. Zanechala mu kopu odkazov, ani na jeden však nereagoval.

Skrinky aj chladnička zívali prázdnotou, a tak musela doplniť svoje obľúbené a luxusné zásoby – vrátane olivového oleja s hľuzovkami z toskánskych vrchov, zrelého camembertu, ktorý jej Ted zakázal, pretože mu smrdel ako staré ponožky, a veľkej škatule Clivovej špeciálnej čokoládovej zmesi na výrobu horúcej čokolády. Bude sa tým utešovať, keď to bude treba. A to nepochybne bude. Bude pre ňu zvláštne žiť sama, veď s Tedom strávila toľko rokov. Potlačila slzy. Mohla si však za to sama, preto nesmie podľahnúť sentimentalite. I tak bola na tom lepšie než mnohé ženy v jej situácii. Mala veľmi dobre platenú prácu, o peniaze sa teda nemusela báť. Ak sa rozhodnú rozviesť, zoženie si drsného právnika a poriadne si ukrojí z ich spoločného bohatstva. Ted by si to mal poriadne rozmyslieť, ak sa nazdáva, že sa jej ľahko zbaví.

Dúfala však, že tak ďaleko to nezájde. Neverila, že je všetko stratené. Azda sa nájde spôsob, ako sa zmieriť. Ibaže v tejto chvíli ho nevidela, pretože jej odmietal zdvíhať telefón.

Naliala si veľký pohár Pinotu Grigio, hoci ani nebol vychladený, otvorila škatuľu praliniek so šampanským, ktoré si kúpila v Čokoládovom nebi, a so všetkým sa vybrala do obývačky. Bola oveľa menšia než obývačka doma, ale bola príjemná a útulná, zariadená v krémovej a karamelovej farbe. Uvelebila sa na pohovke, oprela sa o vankúše a zložila si nohy pod seba. Hrala sa s tlačidlami na mobile. Mala by zavolať ešte niekomu, a tak vyťukala číslo, skôr než zmení názor. Zdvihol po druhom zazvonení.

„Ahoj," ozval sa hlas.

„Ahoj, Jazz," povedala neisto. Zhlboka sa nadýchla. „Jacob. Tu Chantal."

„Myslel som si, že sa už neozveš."

Vzdychla. „Asi by som ti nemala volať," priznala, „ale chcela som sa ti povedať, že ma to mrzí. Povedala som Lucy, o čo..." Ako to nazvať? Napokon zvolila opisný spôsob. „... o čo medzi nami išlo."

Aj Jacob vzdychol. „Veľmi sa hnevá?"

„Myslím si, že áno," priznala.

„Takže sa mi už neozve?"

„Pochybujem," odvetila Chantal. „Momentálne sa nerozpráva ani so mnou. Ani by sa mi nesnívalo, že sa nám skrížia cesty aj v bežnom živote. Asi to bola odo mňa hlúposť."

„Ešte nikdy sa mi to nestalo," skonštatoval Jacob.

„Tak povedzme, že sme mali proste smolu," zhodnotila Chantal. „Mrzí ma, že som ti zničila vzťah. Viem, že si sa jej veľmi páčil."

„Aj ona mne." Ešte aj takto na diaľku poznala, že sa cíti hrozne. „To je však riziko podnikania," pokračoval. „Len čo žena zistí, čím sa živím, vzťah sa nevyhnutne skončí. Je málo takých, ktoré sa s tým dokážu zmieriť. Asi budem musieť pouvažovať o novej práci," zasmial sa sucho.

„Aj môj manžel sa o nás dozvedel," povedala. „A vyhodil ma z domu."

„To ma mrzí. Nemienil som ti zničiť manželstvo."

„To je riziko, s ktorý musí človek počítať, ak sa rozhodne stať klientom," podotkla a obaja sa zachechtali.

„Chantal, rád som sa s tebou stretával," priznal sa. „Si skvelá žena. Kiežby všetky moje klientky boli ako…"

Rýchlo ho prerušila. Rozhodne nechcela počuť, ako ju porovnáva s inými zákazníčkami. „Ďakujem."

„Predpokladám, že ani ty mi už nezavoláš."

„Ako klientka nie. S pokútnym sexom som skoncovala. Rada by som sa však stretla s tebou ako s kamarátom."

„Aj ja." Po odmlke dodal: „Nič som si nedohodol od…" Zmĺkol. „Už si nie som istý, či mi táto práca ešte vyhovuje. Asi si doprajem pauzu a popremýšľam, čo ďalej."

„Mám kopu kontaktov," navrhla. „Ak to myslíš so zmenou zamestnania vážne, mohla by som ti pomôcť. Možno by som ti našla niečo spoločensky prijateľnejšie, i keď nie také výnosné."

Jacob sa zachechtal. Bol to ozaj milý muž. Ktovie, čo ho viedlo k takémuto životu. Jedného dňa jej to možno prezradí. „Takže dnes večer máš voľno?"

„Hej," odvetil Jacob. „Ak mám byť úprimný, sedím doma sám a ľutujem sa."

„Otvorila som fľašu bieleho vína, aj keď je teplé, mám široký výber mrazených jedál a skvelú čokoládu," vymenovala Chantal. „Poteší ma, ak sa ku mne pridáš. Ako kamarát."

„Hneď som u teba," vyhlásil Jacob bez váhania.

Mysľou jej prebleslo, že by bolo fajn zabaviť sa s ním aj inak, no svoje predsavzatie myslela vážne – už sa nebude zahrávať s ohňom. Musí si vystačiť aj s jednoduchým priateľstvom. Napokon, priatelia sú často cennejší než iba milenci. Nadiktovala Jacobovi svoju novú adresu a ukončila hovor. *Nebolo to také strašné,* pomyslela si Chantal a znova sa ponorila do príjemne mäkkej pohovky. Kiežby sa tak ľahko dokázala pozhovárať aj s Tedom a Lucy.

59. kapitola

Neznášam nemocnice. Zo všadeprítomného pachu dezinfekcie sa mi dvíha žalúdok. Je mi zle aj bez toho. Aidena odviezla z trate sanitka spolu so štetkou Charlotte a ja, načisto rozhodená, som šla za nimi metrom. Kým som dorazila na pohotovosť, „ideála" už prijali, a tak mi neostalo nič iné, len sedieť a čakať, kedy ma za ním pustia. Tých päť hodín sa vlieklo ako slimák, to vám teda poviem. Kiežby som nebola taká bláznivá, taká súťaživá, ľahkomyseľná, taká... Ach, ani neviem.

Mám v sebe minimálne tridsaťosem téglikov čaju z automatu a aspoň šesť tyčiniek Kit-Kat z automatu hneď vedľa neho, keď sa konečne zjaví sestrička a oznámi mi: „Môžete ísť za pánom Holbym."

„Ďakujem." Zaplaví ma úľava. „Ako mu je?"

„Prežije to," odvetí stroho.

S ťažkým srdcom aj nohami sa vlečiem cez bludisko chodieb a rozmýšľam, kam odviezli „ideála". Konečne nájdem správne oddelenie. Ohlásim sa, zaznie bzučiak a môžem vojsť. Svetlo je stlmené, pretože je už neskoro, návštevné hodiny sa dávno skončili. Som rada, že ma sem vôbec pustili. „Ideál" leží na posteli hneď pri dverách, nohu má zavesenú v popruhu. Tvár bledá, oči zatvorené, hlava obviazaná, takže pripomína múmiu. Môj milý, obľúbený, veľmi obľúbený šéf vyzerá fakt hrozne.

Štetka Charlotte sedí vedľa postele na tvrdej plastovej stoličke. Keď pristúpim, zdvihne zrak. Tá ženská má bohatý repertoár vražedných pohľadov. Veľmi dobre to poznám, verte mi.

„Ako mu je?" spýtam sa šeptom.

Než odpovie, „ideál" otvorí oči a civie na mňa. „Ach," zachripí. „Temná ničiteľka prichádza."

A je po „ahoj, kráska". Sadnem si na jedinú voľnú stoličku, hoci ma nikto na to nevyzval. „Som bez seba od strachu," priznám.

„Netušil som, že si taká súťaživá."

„Ani ja," hlesnem. „Sama neviem, čo sa stalo, ale veľmi, skutočne veľmi ma to mrzí."

„Dopekla, veď si ho vykopla z trate!" oznámi mi Charlotte nevraživo. A celkom zbytočne. „To sa stalo!"

„Bolo to iba hravé ťuknutie," bránim sa previnilo.

„Ideál" sa usmeje. Pery má suché. Keby som tu sedela ako jeho frajerka ja, bez meškania by som mu ponúkla vodu. Len tak-tak sa odvážim spýtať: „Ako znie diagnóza?"

„Na klavíri si už nikdy nezahrám."

„A predtým si hral?"

„Nie," usmeje sa unavene. Úsmev mu opätujem. Charlotte na mňa zagáni. „Mám slabší otras mozgu a dochrámanú nohu."

„Ach, doriti! Fakt ma to mrzí."

„Nechajú si ma tu cez noc na pozorovanie."

„Naozaj ma to veľmi mrzí," zopakujem.

„Nechceš sa mi podpísať na sadru?" navrhne mi „ideál" slabým hlasom. „Tak sa mi zdá, že by si mala byť prvá."

„Neviem, čo povedať."

„Na začiatok by stačilo ‚maj sa'," odfrkne Chantal. „Aiden je veľmi unavený. Vyčerpaný na smrť."

Aj ja som ustatá ako kôň. „Ideálovi" trčia vlasy spod obväzov všetkými smermi, mám sto chutí uhladiť mu ich. Štetka Charlotte je predsa jeho frajerka, tak prečo sa oňho nestará lepšie?

„Ďalší teambuilding by sme asi mali zorganizovať v kúpeľoch," odľahčím situáciu. „O jedných by som vedela."

„A pokúsiš sa ma utopiť vo vírivke, však?"

„Ak niečo potrebuješ…" ponúknem sa.

„O Aidena sa dokážem postarať sama," zaškrieka Charlotte. Neznášam ju. Z hĺbky duše ju neznášam.

„Čokoládu," povie „ideál". „Prines mi čokoládu. Dlhuješ mi to."

„Prinesiem. Sľubujem."

„Ideál" vystrúha bolestnú grimasu. „Beriem ťa za slovo." Charlottine vražedné pohľady očividne účinkujú, odrazu si pripadám akási slabá. „Tak ja radšej pôjdem," poviem. „Zajtra ti zavolám, nech viem, ako sa máš."

Vstanem a rada by som ho pobozkala na líce, no v tom prípade by Charlotte isto preskočila posteľ ako dostihový kôň a dobre miereným kopancom by ma poslala k zemi. „Tak sa maj."

„Maj sa," hlesne „ideál".

„Maj sa," rozlúči sa so mnou štetka Charlotte priveľmi nadšene. Škodoradostne mi kýva.

Nerada tu svojho šéfa nechávam. Zamierim k dverám, a keď k nim prídem, „ideál" za mnou slabým hlasom zavolá: „Lucy..."

Obzriem sa.

„Porazil by som ťa," povie. Znova sa usmieva, oči mu šibalsky iskria.

„Snívaj ďalej," zahriaknem ho a odídem.

60. kapitola

Nadiu prekvapilo, že realitný agent prišiel ani nie hodinu po tom, čo zavolala do agentúry a ponúkla ich rodinný dom na predaj. Usúdila, že iba takto sa pohne ďalej, a tak nemalo zmysel strácať čas a otáľať s ukončením manželstva. Bolo to síce drastické, ale podľa nej to bol jediný spôsob, ako zastaviť zaslepeného manžela, ktorý ju zrejme mienil stiahnuť do dlhov závislosťou od online hier. Veľmi jasne dal najavo, že blikajúce svetlá a prázdne sľuby bohatstva preňho znamenajú viac než manželka a syn. Ak dom rýchlo predajú, možno sa jej podarí získať časť majetku skôr, než Toby všetko prehýri.

Prenajala si dodávku s dvoma urastenými mužmi, aby jej pomohli so sťahovaním. Príde aj Lucy ako morálna podpora. Nadia znova v duchu ďakovala kamarátkam z Čokoládového klubu za ich dobrosrdečnosť. Do dodávky naložili poslednú škatuľu, odchod sa nezadržateľne blížil. Lucy volala, že už vystúpila z metra a o päť minút bude tu. Chvalabohu. Nadia chcela odísť skôr, než sa Toby vráti domov. Zdalo sa jej najlepšie odsťahovať si veci, kým je manžel v práci. Bude to menej bolestné. Asi by nedokázala odísť, keby sa Toby díval, ako si berie škatule, ktoré symbolizujú rozdelenie ich spoločného života. Ak to teda už musí urobiť, takto je to oveľa lepšie.

„Lewis, poď už!" zakričala na syna. „Mamička ťa posadí do auta."

„Kam ideme?"

„Zabudol si? Mamička ti povedala, že chvíľu budeme bývať v inom dome než ocko."

Lewis prikývol, no jeho úsmev dokazoval, že tomu vôbec nerozumie. „Ide aj ocko?"

„Nie," odvetila. „Len my dvaja. Čaká nás veľké dobrodružstvo."

Na Lewisa to ktovieako nezapôsobilo. Azda raz pochopí, prečo to musela urobiť.

„Môže ísť aj Smraďoško?"

„Samozrejme."

Lewis mal svojho obľúbeného plyšového macíka zastrčeného pod pazuchou. Volal ho Smraďoško, pretože sa z neho šíril nepríjemný pach. Ošúchaného macka sa jej podarilo vyprať iba raz za rok, syn ho totiž odmietal pustiť z rúk a dovolil jej to iba za mastný úplatok v podobe hojného množstva čokolády.

Do vchodových dverí strčil hlavu jeden z urastených mužov. „Sme hotoví, zlato," oznámil. „Keď budete pripravená, môžeme ísť." „Hneď som tam," povedala Nadia. Ešte naposledy sa prešla po dome, či niečo nezabudla.

Chodila po izbách a smútok jej zvieral srdce. Jej domov bol síce ošumelý, no mala ho rada. Vybudovala ho pre nich, pre svoju rodinu. No teraz, i keď v ňom ešte ostali jej veci a nábytok, to už bola iba prázdna schránka. Na nočnom stolíku stála jej svadobná fotka s Tobym. Vzala ju a strčila do kabelky. Sama nevedela prečo. Možno kvôli starým časom. Vydala sa za Tobyho, nie za muža, ktorého jej vybrali rodičia. Odvtedy sa s ňou nestretávali. Tvrdili, že ich manželstvo nevydrží, že zväzok z rozumu s vhodným partnerom je oveľa lepší, že manželstvá z lásky nikdy neprežijú. Žeby predsa len mali pravdu?

Rozmýšľala, či nenechá Tobymu odkaz, nenachádzala však správne slová na vyjadrenie svojich pocitov, a tak tú myšlienku zavrhla. Vzala Lewisa do náručia a vyniesla ho von. Zavrela dvere. Chlapi už sedeli v dodávke, pripravení vyštartovať. Po ceste sa blížila Lucy a Nadia jej zamávala. Otvorila dvere na aute a zložila Lewisa na zem, aby sa doň vyštveral. Roztrasenými rukami mu zapla bezpečnostný pás.

O chvíľu k nej podišla Lucy, od náhlenia hore kopcom lapala dych. Kamarátka ju srdečne pobozkala.

„Ako to ide?" zaujímala sa Lucy.

„Podľa očakávania," odvetila Nadia. „Môžeme ísť. Neberiem si veľa, najmä šaty a hračky pre Lewisa. Chantal vraví, že v byte má všetko potrebné."

„Chantal je dostatočne náročná, aby nerobila kompromisy," ubezpečila ju Lucy. „Pravdepodobne tam budete mať aj vírivku a saunu."

Nadia sa silene usmiala. „To by bolo fajn."

„Bude to fajn," ubezpečila ju Lucy a stisla jej ruku. „Zvládneš to."

„Vodičovi som nadiktovala adresu, vie, kam má ísť," povedala Nadia. „Dodávka pôjde za nami."

„Mám šoférovať?"

„Prosím." Bola priveľmi rozochvená, nedokázala by sa sústrediť na cestu. Priateľka si vzala kľúče od auta a skĺzla na sedadlo vodiča. Nadia sa posadila vedľa nej. Hrala sa s gombíkmi na sukni. Lucy ju potľapkala po rukách. „Ideme?"

Nadia prikývla. V očiach ju pálili slzy.

„Určite máš všetko?"

Znova prikývla. Len čo Lucy zaradila rýchlosť, z cesty za nimi doľahlo škrípanie pneumatík. Nadia sa pozrela do spätného zrkadla a uvidela ďalšiu dodávku, ako šmykom zastavila rovno za nimi. Nebolo pochýb, kto sedí za volantom. Sotva auto zastalo, Toby už z neho vyskočil, trielil k Nadii a rozďavil dvere.

„Ocko!" skríkol Lewis naradostene.

Toby sa prudko nadychoval. „Sused mi volal, že odchádzaš," dychčal. „Nerob to, Nadia. Prosím, nerob to."

Nadiu to rozrušilo. „Musím ísť, Toby. Už som vyskúšala všetko."

„Zmením sa," sľuboval a zhrbil sa pred ňou. „Prosím ťa. Prosím, nechoď. Neber mi syna."

Toto by sme mali prebrať v súkromí, pomyslela si Nadia skľúčene, nie pred Lucy a Lewisom.

„Ponúkla si dom na predaj," neveriacky civel na ceduľu s nápisom *Na predaj*, ktorú tam pred chvíľou upevnili. „Kedy si to stihla?"

„Dnes ráno," odvetila Nadia.

„Kam ideš? Ako sa s tebou spojím?"

„Mám mobil," poznamenala Nadia. „Môžeš mi kedykoľvek zavolať." Odísť bolo oveľa ťažšie, než sa zdalo.

„Kedy uvidím Lewisa?" spýtal sa zmučene. „Ako mi to môžeš urobiť?"

„A ako to ty môžeš urobiť nám?" odsekla Nadia. „Toby, vôbec to nie je pre mňa ľahké. Napriek všetkému ťa stále ľúbim."

„Tak sa vráť." Zdesene sa dívala, ako sa manžel rozplakal. „Vráť sa a vyriešime to."

„Nemôžem," trvala na svojom.

„Prestal som hrať," presviedčal ju. „Tak ako si chcela. Čo mám ešte urobiť, aby som ti ukázal, že sa snažím?"

„Lenže ty si neprestal," povedala smutne. „Neprestal si, Toby. Našla som skrytý laptop. Viem, že si dal znova zapojiť internet. Zohnal si si inú kreditku a za mojím chrbtom opäť hráš. Nemôžem dopustiť, aby si nás stiahol na dno. Robím to preto, aby som ochránila Lewisa aj seba."

Toby sa vzdal.

„Musím ísť," hlesla Nadia. „Nechaj ma odísť."

Toby pomaly vstal. Po krátkom váhaní zatvoril dvere na aute a povedal: „Ľúbim ťa."

„Choď," prikázala Nadia Lucy.

Kamarátka bez slova zasa zaradila rýchlosť a vyšla na cestu. Sťahovacia dodávka ich nasledovala. Vyzerali ako pohrebný sprievod. Nadia sa neobzrela, vedela však, že manžel nehybne stojí na chodníku a díva sa za nimi.

61. kapitola

„Najhoršie máš za sebou," poviem Nadii, hoci si tým nie som celkom istá. Zistila som, že otrepané frázy sú pri podobných príležitostiach najlepšie. Drsnou realitou sa človek môže zaoberať inokedy.

„Priniesla som čokoládu," oznámim jej. „Pre teba a Lewisa." Chlapček sa hrá s medvedíkom.

„Chvalabohu," vydýchne roztrasene.

„Mám ju v kabelke. Vezmi si ju."

Kamarátka bez váhania vnorí ruky do mojej kabelky.

U Nadie som ešte nebola – to vlastne žiadna členka Čokoládového klubu, pokiaľ viem – a až teraz chápem, v akej situácii sa ocitla a ako sa musela snažiť, aby si udržala strechu nad hlavou. Neušlo mi, aká je táto štvrť neudržiavaná, to však neznamená, že nehnuteľnosti sa tu predávajú za rozumné ceny, sú len o čosi menej nekresťanské než inde. Chantalin prenajatý byt je oveľa krajší, no viem si predstaviť, že to je posledné, na čo kamarátka teraz myslí.

Kam sa hrabem so svojimi problémami? Stále si robím starosti o „ideála". Ráno som volala do nemocnice a sestrička mi oznámila, že noc bola pokojná. K telefónu mi ho však nedala, práve bola vizita. Možno to skúsim neskôr. Keď ma Nadia požiadala, aby som jej pomohla presťahovať sa k Chantal, nadšene som súhlasila. Jednak zo solidarity a jednak v nádeji, že si tak udobrím Boha, aby mi podržal miesto v nebi a neuvrhol ma do večného zatratenia za to, že som úmyselne narazila do svojho šéfa a vyšupla ho aj s motokárou z dráhy.

Je jasný, slnečný deň, obloha má krásnu nevädzovú farbu. To sa vôbec nehodí k dnešnej úlohe. Kamarátka má napätie vpísané do tváre. Zdá sa, že niekoľko nocí nespala. Problém je, že niekedy je lepšie byť opustený, než opúšťať. Poznám to. Marcusa som mohla veľakrát nadobro opustiť, no nikdy som to neurobila. Správala som sa ako labrador, ktorý nedokáže pustiť zaslintanú tenisovú loptičku. V skutočnosti Nadiu obdivujem, že našla v sebe odvahu a silu. Musí to byť pre ňu hrozné.

Lewis ticho sedí vzadu, v náručí zviera macka. Ktovie, čo mu teraz behá hlavou a či vôbec rozumie, čo sa deje. Nadia vytiahne čokoládovú žabu, ktorú som mu kúpila, rozbalí ju a podá mu ju. Lewis si ju dychtivo vezme oboma rukami. Zisťujem, že čokoláda dokáže utešiť ľudí každého veku. „Čok-čok," teší sa Lewis, oči mu svietia.

„Čo povieš?" nabáda ho.

„Ďakujem," odpovie poslušne, ústa už má plné čokolády.

„Pamätáš si tetu Lucy?" opýta sa ho Nadia.

S Nadiiným synom sme sa už stretli, ale, pravdupovediac, stávalo sa to len zriedka, keď sa jeho mame nepodarilo dostať z domu bez neho. Čokoládový klub predstavoval pre Nadiu únik, dokonca aj pred synom. „Ahoj, Lewis."

„Ahoj." V spätnom zrkadle vidím, ako sa na mňa usmieva, ústa orámované čokoládou. Ktovie, ako Chantal znesie najmenšieho podnájomníka. Nalejme si čistého vína, sama povedala, že nie je práve materský typ. Budeme mu musieť utrieť tie ústa skôr, než k nej dorazíme.

Trčíme v príšernej zápche, a tak k Chantalinmu bytu dorazíme až o hodinu. Nachádza sa vo veľkom starom dome, ktorý vyzerá, že ho prestavali na byty len nedávno. Sme v najlepšej lokalite hneď pri Islington High Street. Priznávam, bez váhania by som sa sem nasťahovala. V porovnaní s tunajším okolím vyzerá môj úbohý bytík nad kaderníctvom trochu lacno. Som nervózna, pretože od hádky pre Jacoba, Jazza, či ako sa vlastne volá, som Chantal nevidela. Prvotná nevraživosť zo mňa už vyprchala. Napokon, asi za to mohla aj moja neschopnosť vybrať si dobrého chlapa. Naozaj to nebola jej chyba, už som to pochopila…

Pozriem na Nadiu. Aj ona je nesvoja. Stisnem jej ruku. „Sú aj horšie spôsoby, ako začať nový život," chlácholím ju. „Chantal sa o vás isto postará."

„Je ku mne veľmi dobrá," súhlasí Nadia. „Kamarátky ako vy si hádam ani nezaslúžim."

„Nuž," poviem, „sme skvelé, to je pravda, ale počkaj, až začneme vymáhať dlhy." Rada odľahčujem náročné situácie humorom. Funguje to aj teraz a Nadia sa zasmeje.

Ešte sedíme v aute, keď dorazí dodávka. „Poďme," nabádam ju. „Je čas nosiť veci."

Stisneme zvonček pri Chantalinom byte. Príde nás privítať a srdečne pobozká Nadiu. Potom sa pozrie na mňa s otázkou: „Dostanem bozk?"

Pokrčím plecami a dovolím jej objať ma. „Prepáč mi to," ospravedlní sa.

„Aj ty mne."

„Jacob ťa pozdravuje."

„Och nie," zastonám a odtiahnem sa od nej. „Ty sa s ním stretávaš? To hádam nie!"

„Stretávam," prizná sa Chantal, „ale nie tak, ako si myslíš. Sme iba kamaráti. Je veľmi dobrý spoločník a predstav si, dokážem odolať jeho šarmu, dokonca aj ako platiaca klientka. Pomáham mu nájsť si novú prácu. Lucy, Jacob sa usiluje zmeniť svoj životný štýl. Za to si zaslúži uznanie, nie?"

„Nuž, samé zmeny, ako pozerám." Zisťujem, že sa už nevládzem hnevať. Jacob je napriek svojim chybám veľmi milý muž. „Aj ja mu želám všetko dobré."

„Rád by ťa znova videl," pokračuje. „Podľa neho si skvelá žena."

„Až taká veľkorysá zase nie som," zasmejem sa.

„Jedného dňa možno zmeníš názor."

Nestihnem však o tom premýšľať, pretože sa za nami ozve tenký hlások. „Ahoj."

Chantal zdvihne obočie. „Och. Ahoj."

Zabudli sme mu utrieť ústa od čokolády a až teraz vidím, že má zababrané aj ruky. Dúfam, že pohovka v byte nie je krémová, ale tmavohnedá. Lewis naradostene podá Chantal macka. „Toto je Smraďoško," predstaví jej ho.

Chantal ho drží na dĺžku ruky. „Chápem prečo."

Nadia si nervózne hryzie peru. Chytí syna za ruku. „Chantal, naozaj ti to neprekáža?"

Ak aj kamarátka zapochybuje, že urobila dobre, keď im ponúkla podnájom, nedá to najavo. So žiarivým úsmevom chytí Lewisa za špinavú, lepkavú rúčku a vedie ho dnu. „Určite to spolu zvládneme," ubezpečí ju.

62. kapitola

Dnes potrebujem jogu väčšmi než inokedy. Zaujímam polohu kobry, čo najviac prehýbam chrbát a usilujem sa pritom vyzerať pokojne. Vnútri som však ako klbko nervov. Uvoľním sa z polohy, čiže sa zrútim na podložku a lapám dych. Presne v takýchto chvíľach viem, že som mala ostať doma s Keanu Reevesom a čokoládou. To by bol oveľa lepšie strávený čas.

„Znova si ľahnite na podložku," zaštebotá inštruktorka jogy. Persephone je drobučké žieňa, ktoré poletuje po miestnosti ako víla. „Zaujmite opačnú polohu dieťaťa." Schúlim sa do guľôčky a snažím sa upokojiť horúčkovito pracujúci mozog.

Mám veru na čo myslieť. „Ideála" už pustili z nemocnice, ale do práce ešte nechodí. Veľmi mi chýba. Bez neho je v kancelárii prázdno. Štetka Charlotte ma ignoruje vždy, keď na seba narazíme na chodbách Targy. Našťastie, nemám dôvod chodiť do call centra, preto je náš kontakt minimálny. Zopár ráz som s „ideálom" telefonovala – akože kvôli pracovným záležitostiam – a zdal sa mi v poriadku. Naše rozhovory sú trochu strojené, asi preto, lebo sa mu každých päť sekúnd ospravedlňujem. Megery z personálneho som uprosila, aby mi dali jeho adresu, zdôvodňovala som to nevyhnutnosťou doručiť mu domov nejakú prácu. Odrecitovali mi asi všetky odseky zákona o ochrane osobných údajov, ale napokon kapitulovali. Dnes som teda objednala cez internet obrovský darčekový kôš plný čokolády na rozveselenie a dala mu ho doručiť domov. Pochopiteľne, nezabudla som objednať čosi aj pre svoje potešenie.

Druhá vec, na ktorú musím myslieť, je veľká oslava, ktorá sa v práci chystá. Čoskoro sa bude konať úvodné stretnutie vedúcich manažérov európskych pobočiek a po ňom vždy nasleduje obrovský žúr. Priletia sem vysokopostavení predstavitelia firmy z celého sveta, celý deň budú bedákať nad stenčujúcimi sa ziskami Targy a potom veľkú časť z nich vyhodia na potoky alkoholu, ktoré budú tiecť na nočnej párty pre ich zamestnancov. Minulý rok som to zmeškala, lebo som tu ešte nepracovala, ale tento rok ma nielenže zatiahli do organizácie – hora papierov na mojom stole desivo rastie –, ale práca ma neminie ani potom. Presne v takýchto prípadoch by som si radšej dala povytŕhať všetky mihalnice pinzetou, než tam šla, no zároveň som si to nemohla dať ujsť. Navyše sa tam musím ukázať, inak by ma vo firme rozniesli v zuboch.

„Teraz vyskúšame sviečku." Persephone džavoce o najlepšom spôsobe, ako dokonale zaujať túto polohu. Prestanem ju vnímať. Skúšala som to asi milión ráz, a nenaučila som sa to.

Mojou ďalšou dilemou je, s kým na ten žúr ísť. Môžeme si priviesť aj partnerov. „Ideál" zrejme príde s barlami a so štetkou

Charlotte. Nemienim tomu páriku čeliť sama. Pozvala by som niektoré z dievčat z Čokoládového klubu, ale keby som sa tam ukázala so ženou, do rána by po firme kolovala fáma, že som lesba. Aj bez toho ma prijali medzi seba len tak-tak, ďalšiu nálepku si nemôžem dovoliť. Chantal by ma isto nahovárala, aby som vzala Jacoba. Pokojne ma nazvite zatrpknutou a bláznivou, ale nemôžem si ho dovoliť. Môj rozpočet by vystačil sotva na čas, za aký vypije pol pohára šampanského, a potom by mohol trieliť na ďalšie stretnutie.

Ľahnem si na podložku, funím a horko-ťažko vytláčam telo nahor.

„Tak poďme, hore sa, dvíhame boky!" nabáda nás inštruktorka.

Lenže tie moje sú vyplnené betónom a ponosujú sa, ako s nimi zaobchádzam. So zaťatými zubami sa pokúšam zdvihnúť nohy. Zadok sa odmieta odlepiť od pevnej zeme. Nadvihujem sa, postrkujem, tlačím a vzdychám, až sa mi to nakoniec podarí. Urobím sviečku – i keď dosť pokrútenú.

„Dobre, Lucy," ocení ma Persephone úprimne. „Veľmi dobre."
Klame, až sa práši, no usiluje sa povzbudiť najmä tie z nás, ktoré bojujú s nevysvetliteľnými záhadami Východu. Tessa predo mnou vyzerá ako prevrátená baletka. Chodidlá má vystreté, dokonale namierené prstami k stropu, brucho jej nepadá na prsia, tvár nefialovie od námahy. Neznášam ju. Lenže kto povedal, že jedného dňa, keď si dám tú námahu, nebudem rovnako dobrá? Nikto.

Vzápätí sa dopustím najhoršieho faux pas, aké sa na joge neodpúšťa. Zazvoní mi mobil. Chcem ho ísť čo najrýchlejšie umlčať, a tak je po sviečke – zrútim sa a riskujem pritom život, končatiny alebo zlomené väzy. Nálada v miestnosti klesne na bod mrazu.

„Prepáčte, prepáčte," mrmlem si popod nos a uháňam k dverám. Mobil stále vyrevúva *I'm Every Woman*.

Niektoré návštevníčky znechutene tľoksnú jazykom a Persephone mi očami vraví: *Ty nikdy nedosiahneš duchovné osvietenie.* To viem aj bez nej.

Na chodbe sa opriem o stenu, lapám dych a prijmem hovor.

„Ahoj, Lucy." Po zaváhaní nasleduje otázka: „Volala si mi?"

Volala a už som sa aj zháčila, či to nebola obrovská chyba. Srdce mi búši ako o život a nielen vinou námahy pri sviečke.

„Marcus," oslovím ho. „Chcel by si ísť so mnou na žúr?"

63. kapitola

Autumn počúvala nové cédečko s hudbou peruánskych panových píšťal. Kúpila si ho najmä preto, lebo libra z každého predaného cédečka poputuje na ochranu pôvodného obyvateľstva Južnej Ameriky pred životom v biede. Niežeby bola nadšenou fanúšičkou panových píšťal, no pre dobré dôvody treba urobiť malé ústupky v hudobnom vkuse. Pritisla si hrnček obľúbenej čokolády k hrudi, aby odpútala myseľ od mierne protivných, dýchavičných tónov, a začítala sa do užitočnej príručky o recyklácii, ktorú vydala mestská rada. Samozrejme, nesmela brať do úvahy ten drahý lesklý papier, na ktorú brožúrku vytlačili, ani sumu, akú na ňu vynaložili.

Tá hudba však bola aj na niečo dobrá. Vďaka nej nevládlo v byte také ticho, keďže Richard je preč. Popravde, väčšmi by ju tešilo, keby tu jej brat robil hluk a rušil ju, než to, že nemá potuchy, kam sa podel. Od jeho zmiznutia prešli už dva týždne a jej úzkosť každým dňom rástla. Nech Richard vyvedie čokoľvek, vždy bude jej milovaným bratom a vždy ho bude chrániť. Trápilo ju, že sa vôbec neozval, ani len nezatelefonoval. Ktovie, čo robí, či má peniaze, či ho niekto nedrží niekde proti vôli alebo či ho niekto nepohodil v nejakej zastrčenej uličke. Ak sa čoskoro neukáže, bude musieť ísť na políciu. Odjakživa bol nespoľahlivý, ale ešte nikdy sa nevyparil na tak dlho a nedal o sebe vedieť.

Autumn sa pokúsila znova započúvať do melódie z Ánd a sústrediť sa na výhody umývania hliníkových plechoviek, ale márne. Addison sa dnes ukázal v centre, no neprišiel za ňou do triedy. Iba jej priateľsky zamával. Sprevádzal ho nejaký muž v elegantnom obleku, vyzeral dosť dôležito, no obyčajne by si Addison aj tak našiel čas pozdraviť ju. Vtedy jej to prišlo ľúto, no teraz sa tým už nezapodievala; mala dosť iných starostí. Bola to však škoda, lebo si uvedomila, že by ho mohla mať rada.

Pred spaním si dopriala dlhý horúci penový kúpeľ a usilovala sa nemyslieť na ľudí v krajinách sužovaných suchom, ktorí si takéto potešenie nemôžu dopriať. Vo chvíli, keď si užívala posledné blažené minúty ponorená v pene s levanduľovou vôňou, zaštrkotal v zámke kľúč. Srdce jej vyskočilo do hrdla. Prudko sa posadila a hmatkala po osuške. Od jej bytu predsa nikto nemá kľúč! Zavŕzgali pánty, dvere sa odchýlili.

Potichu vyšla z vane a zabalila sa do župana. Rozmýšľala, čo by sa dalo použiť ako zbraň, no nič jej nenapadlo. Hubkou votrelca neomráči a žiletkou na holenie ho určite nepodreže. Horúčkovito sa obzerala po kúpeľni. Jediné, čo jej prišlo pod ruku, bola záchodová kefa, a tak ju voľky-nevoľky vytiahla z držiaka. Počula, ako niekto šuchtavo prechádza do obývačky – a možno nie je sám. Hádam to nie sú tí lotri, ktorí jej zdevastovali byt? Len nedávno ho dala do poriadku. Kiežby bola vymenila zámky a namontovala na dvere ďalšie bezpečnostné zariadenia – retiazky, západky, možno priezor alebo aj dva, hocičo! Čo zmôže proti takým gaunerom so záchodovou kefou? Asi by to nebolo veľmi ekologické, no teraz si želala mať poruke guľomet.

Zakrádala sa k obývačke, záchodovú kefu držala nad hlavou ako gladiátor palicu a pritisla sa k stene. Odvážila sa nazrieť cez dvere. A tam, rozvalená na pohovke, ležala známa postava. Brat. Od úľavy sa takmer zosunula na zem. Richard si masíroval čelo, no keď vošla do izby, znehybnel.

„Čau, segra," pozdravil ju mdlo. „Čo s tým chceš robiť? Poriadne mi vyčistiť žalúdok?"

„A treba to?" opýtala sa Autumn, úľava sa v nej miešala s podráždením.

Brat vyzeral hrozne. Tvár popolavá, na obočí perličky potu. Schudol, bunda mu na zhumpľovanom tele iba visela. Kedysi žiarivé oči zmatneli a pod nimi vačky tmavé ako modriny.

„Snažil som sa vojsť tak, aby som ťa nezobudil," vysvetlil.

„Nebolo ťa niekoľko týždňov a teraz sa sem pokúšaš vkradnúť tak, aby som o tom nevedela? Veď som sotva zažmúrila oka, odkedy ťa niet." A zdalo sa, že nie je jediná. „Ani som nevedela, že máš kľúč."

„Dal som si ho urobiť," priznal sa.

„Mal si mi to povedať. Myslela som si, že sa sem niekto vlámal," karhala ho. „Takmer si ma vydesil na smrť. Asi vieš, že niektorí z tvojich kolegov mi prevrátili byt hore nohami, kým som tu nebola."

Zvesil hlavu. „Prepáč," ospravedlnil sa. „Nechcel som ťa do toho zatiahnuť."

„Tak prestaň z môjho bytu dílovať drogy."

„Teraz ma nepoučuj, segra." Pozrel sa jej do očí. „Aj tak tu neostanem."

Autumn si sadla oproti nemu a položila záchodovú kefu na koberec pri kresle. „Stále máš problémy?"

Rich prikývol. „Je to zlé."

„Kde si bol?"

„Bude lepšie, ak sa to nedozvieš."

„Držali ťa proti tvojej vôli?"

„Dajme tomu," priznal. „Ešte nevedia, že si už neužívam ich pohostinnosť."

Jej podozrenie sa potvrdilo. „Takže sa ti podarilo ujsť?"

Rich unavene pokrčil plecami. Zrejme áno.

„Kam pôjdeš teraz?"

„Čo najďalej," odvetil. „Musím vypadnúť z krajiny, a to čo najskôr. Zajtra odchádzam."

„Tak skoro?"

„Zaregistroval som sa na odvykacej klinike v Arizone. Som v hrozných sračkách. Musím sa z toho vyhrabať, Autumn."

„Ideš do The Cloisters?" Tam chodievali všetci celebritní feťáci. Bratovo mlčanie ako odpoveď stačilo. „Z čoho uhradíš pobyt?"

Rich sa na ňu bojazlivo pozrel. „Než som šiel sem, zastavil som sa u našich."

Rodičia, ako obyčajne, radi zaplatia svojmu synovi ďalšiu odvykaciu kúru. Autumn si vzdychla. Priam videla, ako mu otec podáva kreditku, kým si Rich dohoduje termín nástupu. Rodičia im vždy dali všetko, na čo si zmysleli, okrem svojho vzácneho času. Ktovie, ako by sa ich život vyvíjal, keby nemali rozprávkovo bohatých rodičov, ktorí sa však o nich nestarali.

„Keď budeš v zahraničí, už ťa nebudú prenasledovať?"

„Neviem," pripustil Richard. „Dlhujem im kopu prachov a mám aj trochu ich tovaru."

„Tu?" zhrozila sa. „Preto mi zdemolovali byt? Som tu vôbec v bezpečí?"

„Si, neboj sa," ubezpečoval ju. No nepozdávalo sa jej, že sa jej pritom nedíval do očí. „Hľadali to, ale už to nemám."

„Nemôžeš im to proste povedať?"

„S týmito ľuďmi nemôžeš diskutovať," odsekol prísne.

„Tak kam tie peniaze šli? Naši sa váľajú v peniazoch, nemohol by si ich požiadať, aby vyrovnali tvoje dlhy?" Nebolo by to prvý a asi ani posledný raz, čo by Richarda z takého či onakého dôvodu vytiahli z kaše.

„Pochybujem, že by mi dali toľko," vzdychol.

„Nestojí to za pokus?"

„Je to veľmi komplikované," povedal. Stále na ňu nepozrel.

„Asi hej, ak musíš preto odísť z krajiny." A hoci veľmi chcela veriť v opak, vedela, že odvykacia klinika je iba výhovorka.

„Prišiel som si len po veci a rozlúčiť sa." Hlas sa mu zasekol v hrdle.

Sadla si k nemu a ovinula okolo neho ruku. Do očí jej vbehli slzy. „Kiežby som ťa vedela ochrániť."

„Urobila si pre mňa viac než dosť," utrúsil. „A za to som ti vďačný, segra. Viem, že som mizerný brat, ale ľúbim ťa."

„Budeš sa môcť vrátiť?" vyzvedala. „Nebudeš tam musieť ostať dlho?"

„To neviem," odvetil. „Asi chvíľu potrvá, kým sa prach usadí. Zrejme by som sa mal pokúsiť začať nový život niekde inde."

„No bez drog."

„To je bez debaty," súhlasil Richard. Chvíľu verila, že to myslí vážne.

„Tak poďme po tvoje veci," navrhla Autumn. Zhlboka sa nadýchla a vstala, hoci dívať sa, ako brat odchádza, bolo to posledné, po čom túžila.

64. kapitola

Marcus ma presvedčil, aby sme spolu strávili celé popoludnie. Pred žúrom v Targe by sme sa vraj mali „znova spoznať", takže keď navrhol, aby sme v nedeľu vyrazili do Hampstead Heath, vlastne mi ani nenapadol dôvod, prečo by som s ním nešla. Inak by som iba poskakovala v obývačke s Davinou McCallovou, ktorú som v poslednom čase povážlivo zanedbávala. Ospravedlňujem si to teóriou, že tak vyjadrujem súcit s „ideálom", ktorý sa momentálne musí zaobísť bez akejkoľvek fyzickej aktivity, pretože ešte niekoľ-ko týždňov bude chodiť o barlách. Ktovie, či napriek tomu dokáže sexovať so štetkou Charlotte – alebo sa musí vyhýbať aj tomu? To by bolo jedno pozitívum môjho energického jazdného štýlu. Aspoň pre mňa.

Z rozdumovania ma vytrhne zvonček pri dverách. Otvorím dvere a pred nimi stojí Marcus. Dlho som ho nevidela, a predsa sa mi z neho podlamujú kolená.

„Ahoj," pozdraví ma a naširoko sa usmeje.

„Ahoj."

„Môžeme ísť?"

„Ešte si vezmem klobúk." Niežeby mi hrozil úpal, no posledné dni je netypicky teplo a zdá sa, že sa to ešte chvíľu nezmení. Hurá!

Nasledujem Marcusa k jeho autu. Džentlmensky, čo nemával vo zvyku, mi otvorí dvere a ja sa usadím na sedadle. Všimnem si, že sa mi pozerá na nohy, a tak si stiahnem šaty a zakryjem si kolená.

„Vyzeráš skvele," pochváli ma úprimne.

„Ďakujem."

Na nosiči na zadných dverách sú pripevnené dva bicykle. Vy-dáme sa na krátku jazdu po Rosslyn Hill smerom k Hampsteadu.

V parku je rušno ako vždy. Zvlášť v nedeľu poobede to tu praská vo švíkoch. Mali sme sa vykašľať na auto a ísť na bicykloch – aj keď by ma to asi zabilo –, lebo nájsť parkovacie miesto je umenie. Naveľa sa natlačíme do stiesneného priestoru medzi dvoma autami a Marcus hneď chystá bicykle. Postávam pri ňom a snažím sa vyzerať užitočne.

Bicykle sú pripravené, opreté o auto, a Marcus vyberie z kufra šarkana. Veľkého, klasického bieleho šarkana v tvare kosoštvorca, na ktorom je veľkými čiernymi písmenami napísané *ĽÚBIM ŤA* ©. Za nápisom sa vyníma červené srdiečko. Podeň Marcus čiernou fixkou dopísal *LUCY* a nakreslil dva bozky. Neisto sa na mňa usmeje a povie: „Pre teba."

„Neviem, čo povedať." Skutočne netuším, keďže som to nečakala. Chcela som len, aby sme boli zase priatelia, toto nemala byť romantická schôdzka. Naozaj.

„Tak nehovor nič," povie. „Jednoducho si to dnes len užime. Ako kedysi."

Priviaže si šarkana dozadu o bicykel a vyrazíme. Nadvihnem si sukňu, aby som mohla vysadnúť. Mohla by som si ju zastrčiť do nohavičiek, ale slušné vychovanie mi to, samozrejme, nedovolí. Už dávno som sa nebicyklovala, a keď zamierime na Heath, trochu mnou hádže. Marcus ma pridrží a ideme po chodníkoch na široké trávnaté priestranstvo. S fučaním sa vyštveráme na vrchol Heathu a potom sa so smiechom rútime z kopca, s nohami vo vzduchu, pedále sa samy krútia, a natriasame sa na nerovnej tráve. Asi by som si mala pospevovať *Raindrops Keep Falling on My Head* z filmu *Butch Cassidy a Sundance Kid*. Na polceste z kopca, keď som už taká veselá, že mi hrozí smrteľné nebezpečenstvo straty kontroly nad bicyklom, zastaneme a vydýchame sa. Naskytne sa nám nádherný výhľad na celý Londýn. Okolo uší nám svišťí príjemný vietor. Ozaj bol dobrý nápad priniesť šarkana. Zamkneme bicykle o najbližšiu lavičku a Marcus pripraví šarkana, odmotá lanko a položí ho na zem. Potom ma chytí za ruku a spýta sa: „Pripravená?"

Prikývnem, a tak ruka v ruke utekáme ako blázniví po kopci a ťaháme za sebou šarkana.

„Rýchlejšie," poháňa ma Marcus. „Rýchlejšie."

Stále sa však chichocem, a keďže nie som zvyknutá behať, sotva mu stačím, nieto aby som ešte pridala. Šarkan sa vznesie do vzduchu, stúpa k bezoblačnej oblohe, chvost z červených stužiek za ním divoko veje.

„Fantastické," nadchne sa Marcus a s úžasom ho sleduje.

„Vieš skvele púšťať šarkana," ocením ho.

Objíme ma okolo pása a pritiahne si ma. „Chyť ho," káže mi.

„Nikdy som šarkana nepúšťala," namietnem.

„Je čas napraviť tento hrozný nedostatok v tvojom spoločenskom vývoji. Naučiť sa púšťať šarkana môžeš v každom veku." Vloží mi cievku do rúk a zozadu sa ku mne privinie, spolu so mnou odvíja lanko. Šarkan letí čoraz vyššie, až je tak vysoko, že slová ĽÚBIM ŤA © LUCY sa už skoro nedajú prečítať. Lankom šklbne, a keď ma Marcus drží dlhšie, než je potrebné, povedome ma šklbne aj inde.

„Pevne ho drž," prikáže mi Marcus. „Musím si rýchlo zavolať." Odstúpi odo mňa a tlmene s niekým telefonuje. Rada by som vedela, komu volá, a neochotne pripúšťam, že žiarlim. To, čo ma k Marcusovi kedysi priťahovalo, zrejme ešte nepominulo. A to som si myslela, že tentoraz som načisto vytriezvela.

Marcus sa vráti so samoľúbym úškrnom na tvári. „Nie si hladná?"

V žalúdku mi ako na povel zaškvŕka. Proti jedlu nikdy nenamietam. „Trošku," priznám sa.

„Dobre," povie a natočí ma iným smerom. Kráčajú k nám muži v livrejach a vo vyleštených topánkach. V nohaviciach s tenkými prúžkami a v žaketoch vyzerajú celkom ako komorník Jeeves. Jeden nesie košík, ďalší piknikovú deku a tretí vedierko so šampanským.

„No teda, Marcus," žasnem a zasmejem sa. Môj bývalý si na takéto štýlové podujatia veru potrpí.

„Napadlo mi, že si urobíme piknik." Kým nám trio chystá piknik na Heathe, Marcus navíja lanko šarkana a pritiahne ho. Keď muži skončia, mierne sa uklonia a odídu do lesa.

Marcus sa posadí na károvanú deku, ktorú rozprestreli na zem, a natiahne ku mne ruku, aby som si k nemu prisadla. Naleje mi šampanské a zdvihne ho na prípitok. „Na nás."

Nie som si istá, či nejaké „nás" existuje, no zopakujem: „Na nás."

Marcus rozopína kožené popruhy na košíku.

„To je skvelý nápad," pochválim ho. „Ďakujem."

Znehybnie a vzdychne. „Stojíš za to," povie. „Kiežby to bolo takéto stále."

„Mohlo byť," neodpustím si poznámku. „Asi nie je vhodný čas, aby som ti to pripomínala, no vždy si to pokazil ty."

„Chcem s tým skončiť," vyhlási úprimne. „Musíš mi veriť. Zmenil som sa. Mal som dosť času premýšľať o tom." Vážne sa na mňa díva. „Dokonca som sa ti ani neodvážil zavolať. Ani nevieš, ako som sa potešil, keď si sa mi ozvala. Ver mi, túto poslednú šancu nemienim premárniť."

Neupozorním ho, že v skutočnosti som mu neplánovala dať poslednú šancu. Chcela som len mať s kým ísť na firemný žúr, nech tam nevyzerám trápne.

„Toto chcem," pokračuje. „Chcem teba."

Otvorím ústa, no nakoniec zo mňa nič nevyjde.

Položí mi prst na pery. „Teraz nič nehovor. Užime si piknik, užime si dnešok." A už vyťahuje taniere, servítky a príbory.

Človek by v takom impozantnom košíku čakal údeného lososa, olivy, ba možno aj ciabattu. Omyl. Marcus vie, že nie som prieberčivá a nepotrpím si na luxus. V košíku sú bravčové koláčiky, pizza zabalená vo fólii, lupienky Walkers a Pringles, moje obľúbené mafiny z Čokoládového neba a v malej chladiacej nádobke dokonca aj zmrzlina Ben & Jerry's s čokoládovými sušienkami. Vyberie ju a ja ju ocením a nadýchnem sa. „Och, Marcus!"

Marcus sa sebavedome usmeje, vie, že ma znova dostal. Uvedomím si, že som bezmocná a nedokážem mu odolať. Nemôžem s tým nič urobiť, tento chlap má navigačný systém nastavený priamo do môjho srdca.

65. kapitola

„Ak znova začneš chodiť s Marcusom," vyhráža sa mi Nadia, „budeme ťa musieť zabiť."

„Len sme sa raz stretli," presviedčam ich. Nakloním sa nad pohár s horúcou čokoládou, aby som zakryla rozpaky. Márne dúfam, že para mi vypne pleť, pretože emocionálny zmätok si vyberá daň na mojej tvári aj srdci.

Zvolala som núdzové stretnutie Čokoládového klubu. Je čas obeda a všetky sme sa dostavili pomerne rýchlo. Niežeby nás bolo treba dlho presviedčať. Keby sme sa tu neukázali čo i len pár dní, Clive a Tristan by sa už strachovali, či sme neumreli na nejakú hnusnú chorobu z nedostatku čokolády. To mi rozhodne nehrozí. Kým dumám o najnovšom vývoji udalostí v súvislosti s Marcusom, zjem tony čokolády. Potrebujem nestrannú radu. Ibaže som zabudla, že keď ide o Marcusa, členky Čokoládového klubu nie sú nestranné. Na stole tróni tanier s orechovými brownies. Nadia si jeden vezme.

„Jedno stretnutie," zopakujem skôr pre seba než im. „Nič viac."

„Z ktorého sa vykľul dokonale naplánovaný piknik a šarkan s nápisom *Ľúbim ťa, Lucy?*" skočí mi Chantal do reči.

„Fajn. Bolo to celkom romantické." Ich vyšetrovanie ma uvádza do rozpakov. „No nič viac."

„Takže sa s ním už nestretneš?" overuje si Nadia.

„Nie tak celkom," odvetím a potom sa rozhodnem priznať, aj tak by to zo mňa skôr či neskôr dostali. Veľmi dobre viem, aký trest človeka čaká, keď ho pristihnú pri klamstve. „Nehľadajte za tým nič romantické. Dnes s ním idem na večeru, no iba preto, aby sme pred žúrom v Targe obnovili priateľské vzťahy. A potom bude koniec."

„Mohla si tam zavolať jednu z nás," navrhne Autumn ochotne. „Ja by som rada šla. Nemám veľa príležitostí pekne sa vyobliekať." Žeby sa šili večerné šaty aj z mušelínu? „Aspoň by som chvíľu nemyslela na to, že môj milovaný brat zrazu odišiel."

Autumn sa práve vrátila z Heathrowu, kde sa rozlúčila s bratom Richardom. Tak skoro ho asi neuvidí. Tvári sa síce statočne, no všetky vidíme, ako ju to vzalo. Oči má červené od plaču. Asi nám nepovie, kde presne Richard je a čo tam robí, vieme len to, že išiel na odvykaciu kliniku. To je dobré znamenie, nie? Aj Autumn sa napcháva koláčikmi bez ohľadu na zástupy hladujúcich ľudí – jasný znak, že je rozrušená.

„Nemôžem tam ísť so ženou. Mysleli by si o mne, že som lesba." Stíšim hlas pre prípad, že Clive alebo Tristan načúvajú. Ako gejovia majú k tomu, pochopiteľne, sklony. „Niežeby som mala niečo proti lesbám," pokračujem. „Iba nechcem, aby ma za ňu označovali. Som práve v tom nepríjemnom veku. Stačí, že má žena dlhé pauzy medzi frajermi a všetci si budú myslieť, že sa preorientovala na vagíny."

Autumn sa zatvári šokovane. „Čo je to za vyjadrovanie?!"

Práve pre toto nemôžem vziať na žúr kamarátku. Presne takéto politicky nekorektné komentáre by o mne kolovali po kancelárii a už by som sa tam nemohla ukázať. „Chcela by si stráviť večer s ľuďmi, ktorí by nás podozrievali, že si navzájom lezieme do nohavičiek?"

„Nie," pripustí Autumn.

„Ani ja."

„Mohla si vziať Jacoba," navrhne Chantal.

Vedela som, že to povie. „To mi ani nespomínaj." Dôrazne pokrútim hlavou. „Po tom, čo sa stalo, sa mi Jacob už nepáči."

„Ani mne," snaží sa Chantal trochu odľahčiť situáciu. „Teda, nie tak celkom." Usmeje sa na mňa. „Zmenil prácu a stále sa na teba vypytuje."

„Tak mu odkáž, že mu prajem všetko najlepšie. Nech robí čokoľvek, dúfam, že mu to vyjde."

Po odhalení, že sa so spomínaným Jacobom stretávame obe, to medzi nami stále trochu škrípe. Naozaj netúžim vedieť, čo s ním Chantal robí alebo nerobí, ale snažím sa, aby to neovplyvnilo naše priateľstvo. Niet pochýb, že Chantal je dobrá kamarátka. S Nadiou si v novom byte na seba už zvykli a zdá sa, že ich domácnosť funguje bez problémov. Dnes prišli aj s Lewisom, ktorý sedí na pohovke vedľa Chantal a túli sa k nej. Keď sme s Nadiou pri pulte vyberali brownies, prezradila mi, že Chantal každý večer číta Lewisovi rozprávky pred spaním a že takmer celú sobotu ho učila kresliť prstovými farbami. To je príjemná zmena u niekoho, kto tvrdí, že neznáša deti. V duchu som sa usmiala, mám pocit, že Chantal a Lewis si spolu dobre rozumejú. Nadiin syn má vlastný tanier so sušienkami s čokoládovými kúskami, aby mal dobrú náladu (je fajn vidieť, že vychovávame ďalšiu generáciu ľudí závislých od čokolády), a ticho listuje v knihe, hoci viečka mu už padajú od únavy.

„Dávaj si pozor." Nadia ma poťapká po kolene. „Nechceme, aby si Marcusovi znova podľahla. Potom je už len krôčik od toho, aby si s ním spala, v presnom zmysle toho slova," napodobňuje ma. „A neskôr sa opäť ocitneš na emocionálnej horskej dráhe. Daj si poradiť od človeka, ktorý vie, o čom hovorí."

„Lenže tentoraz sa správal úplne inak," bránim sa. „Predtým nikdy nebol taký pozorný."

„Lucy, miláčik," pridá sa Chantal, „buď veľmi opatrná. Je síce načase, aby si šťastie našlo aj teba, no Marcus má toho na rováši dosť. Iba čo ti zasa ublíži. Nikto si nezaslúži mať toľkokrát zlomené srdce. Zvlášť nie od toho istého chlapa."

„Čo si myslíš ty, Autumn?"

„Myslím si, že to chce ešte viac čokolády," vyhlási a vyhne sa otázke. Chytí tanier a poberie sa s ním k pultu.

Moje drahé kamarátky mi teda všetky do jednej ukázali palec dolu. Viem, že by som mala dať na ich inštinkt – napokon, nemôžu ho mať horší než ja. No keby včera videli, aký bol Marcus úžasný, hádam by si aj ony pomysleli, že sa možno predsa len zmenil.

66. kapitola

Na firemný žúr som si kúpila fantastické šaty a fantastické vysoké ihličky. A oboje ma fantasticky omína. Párty sa ešte ani nezačala a mne už navierajú pľuzgiere a vykrúcajú sa mi palce. Šaty mi tak obopínajú postavu – aby som použila eufemizmus na vyjadrenie, že som ich zapla len tak-tak –, že sotva dýcham. Neviem, načo som si ich kúpila a koho chcem ohúriť, no viem, že dnes večer chcem vyzerať čo najlepšie. A nielen preto, lebo „ideál" príde do Targy prvý raz od úrazu. Sama netuším, prečo som nervózna, že ho uvidím. Možno aj preto, lebo ho bude sprevádzať štetka Charlotte.

S Marcusom v posledných týždňoch randíme. Je z neho ukážkový priateľ a, pravdupovediac, trochu ma to desí. Je taký pozorný, že to hraničí so stalkingom. Od toho skvelého dňa na Hamsptead Heath sme sa od seba nepohli a neúnavne mi dvorí – i keď je to možno staromódne slovo. Hrozí nám nebezpečenstvo, že si na to priveľmi zvykneme. Ani si nepamätám, kedy naposledy som absolvovala toľko romantických večerí, i keď musím priznať, že tie túžobné pohľady ponad spoločný pohár čokoládovej peny mi už lezú na nervy. S Davinou budem musieť skákať po obývačke najbližších päť rokov v kuse, aby som vytriasla kalórie, ktoré som do seba v mene lásky napchala. Možno preto ma tie fantastické šaty teraz dusia viac než vtedy, keď som si ich kúpila.

Je zvláštne, že znova tvoríme pár po tom, čo som vášnivo a rozhodne vyhlásila, že s ním už nič nechcem mať. Je to však naozaj láska? Sama neviem a časť mňa tomu odmieta veriť. Za tie roky moja dôvera k Marcusovi možno utrpela trhliny, ktoré už nič nezacelí, a mám pocit, akoby som si nechávala otvorené zadné vrátka. Môže nám toto „obdobie medových týždňov" skutočne vydržať? Lenže po skúsenosti s Jacobom a jeho tajným zamestnaním už neviem, komu mám veriť. Je lepšie ostať s Marcusom a zhoriet za to v pekle? Jeho chyby aspoň poznám. A ktovie, možno sa naozaj zmenil. Už mám dosť analyzovania svojich vzťahov, aj tak to nikam nevedie, a nechám sa unášať prúdom.

Žúr sa koná v obrovskej banketovej sále neďaleko kancelárie a výzdoba sa nesie v korporátnej námorníckej modrej a striebornej farbe. Ja som mala za úlohu zohnať balóny, girlandy, vystreľovacie konfety a veselé klobúky v týchto farbách. Príšerne ma bolia nohy, lebo som tu strávila celý deň, dohliadala som na nafukovanie balónov a rozvešanie girlánd. Vyzerá to tu skvele. Helen, hlavná megera z personálneho, objednala kapelu napodobňujúcu Blue Brothers a známeho klubového dídžeja – ja som o ňom v živote nepočula –, ktorí sa postarajú o zábavu. S Marcusom stojíme na okraji davu. Som nervózna, či všetko prebehne tak, ako má, a Marcus mi pevne stíska ruku, aby ma upokojil. Pochutnávame si na ružovom šampanskom. Viem, prečo do seba doslova lejem alkohol, ale prečo to robí aj Marcus, to naozaj netuším.

„Povedal som ti, že ťa ľúbim?" opýta sa Marcus a jemne mi stisne prsty.

„Za posledných desať minút nie," usmejem sa.

„Nuž, tak ti to vravím teraz. Ľúbim ťa," zopakuje môj frajer. „Vyzeráš nádherne."

Usilujem sa v tých šatách dýchať. Poriadne vydýchnuť mi však zabráni pohľad na „ideála", ktorý práve vošiel, hopkajúc o barlách. Chlipnem si šampanského a všimnem si, že dnes večer je ešte väčší fešák než inokedy. Vo večernom obleku vyzerá skvele a elegantne i napriek tomu, že jeho doplnkom je ortopedická pomôcka a vinou sadry má jednu nohavicu rozstrihnutú až po stehno. Štetku Charlotte nikde nevidím. „Ideál" sa obzerá po miestnosti, akoby niekoho hľadal – možno tú kravu. Okamžite ho obklopí dav ľudí, prajú mu veľa zdravia a potľapkávajú ho po chrbte, akoby práve jednou rukou prevesloval na člne cez Atlantik. Šampanské mi vbehne do nesprávnej trubice a rozkašlem sa, bublinky ma šteklia v nose. Marcus ma takisto potľapkáva po chrbte, ale z iného dôvodu.

„Mala by som ísť pozdraviť šéfa," oznámim mu, keď sa upokojím. „A zistiť, ako sa má."

„To je ten chlapík, ktorého si vyšupla z motokárovej dráhy?" overuje si Marcus.

„Presne ten."

Zachmúri sa. „Je mladší, než som si predstavoval," zhodnotí. „A krajší."

„Ideála" som mu síce neopísala ako starého chrena, ale ani som nezašla do detailov, že pán Aiden Holby je nesmierne príťažlivý.

„Zoznámim vás," navrhnem mu.

„Možno neskôr," odvetí a chmúri sa ešte väčšmi. „Ty choď. Ja tu počkám."

„Tak fajn," súhlasím. „O chvíľu som späť." Nechám Marcusa stáť pri chuťovkách a zamierim za „ideálom". Veselá skupinka okolo neho sa už preriedila, a keď ma zostávajúci vytrvalci vidia prichádzať, rozpŕchnu sa. Veľmi dobre vedia, že za jeho momentálny zdravotný stav môžem ja. Určite sa obávajú scény.

„Ideál" ma obdarí jedným zo svojich podmanivých úsmevov. „Ahoj, kráska."

„Ahoj," pozdravím ho. „Ako ti to ide?"

Obaja vrhneme znepokojené pohľady na barly. „Už ich zvládam ako odborník, ale neviem sa dočkať, kedy mi zložia sadru," vzdychne. „Šialene to svrbí."

„Naozaj ma to mrzí."

„Nezačínaj zasa," varuje ma. „Čo sa stalo, už sa neodstane. Raz sa na tom obaja zasmejeme." Oči mu iskria a ja viem, že túto malú nehodu mi nebude vyčítať. „Ďakujem za pravidelné dopĺňanie zásob čokolády," povie. „Cením si to. Hneď som mal príjemnejšiu rekonvalescenciu."

„To bolo najmenej, čo som mohla urobiť." Za posledných pár týždňov sme nemali príležitosť poriadne sa porozprávať. Naše rozhovory sa krútili zväčša okolo práce, posielala som mu domov balíky s dokumentmi a čokoládou, a to bolo všetko.

„Kde je Charlotte?" vyhŕknem.

„Príde neskôr," odvetí „ideál". „S niekým iným."

„Aha." Cítim, že mi horia líca.

„Nevydržala to s nemohúcim kriplom," vysvetlí.

„To je dosť povrchné," neodpustím si komentár o morálke.

„Len čo sme sa už nemohli vrhať do opojného spoločenského víru, vzala nohy na plecia."

„To ma mrzí…"

„Už sa prestaň ospravedlňovať, kráska," zahriakne ma. „Rozhodne to nebola tvoja chyba."

„Ja by som s tebou ostala," znova vyhŕknem a od hanby sa červenám ešte väčšmi.

„Viem." Oči mu opäť zaiskria. „Čo keby sme si neskôr zatancovali, aby si mi to vynahradila? Aj keď iba veľmi pomaly."

Nervózne sa zachichocem. „Prišla som s Marcusom," informujem ho a obzriem sa na svojho frajera. Zdvihne pohár šampanského naším smerom. „To je Marcus, môj priateľ."

„Aha," podotkne „ideál" sklamane. „Takže ste zasa spolu?"

„Áno. Áno. Tak nejako. Nemala som sem s kým ísť…" Ako mu to len vysvetliť? Nemôžem mu povedať, že som sa vrátila k Marcusovi len preto, lebo som nezniesla predstavu, že by som tu bola sama a dívala sa, ako si hrkúta so Charlotte. V duchu si povzdychnem a zamrmlem: „A sme… Áno. Zasa sme spolu."

„Tak inokedy."

„Hej. Asi áno. Samozrejme," bľabocem a nedokážem sa zastaviť. „Mala by som sa k nemu vrátiť."

„Tak ja pôjdem po svojom," poznamená „ideál" pomerne smutne. „Bav sa."

„Ďakujem," odvetím napäto. „Aj ty."

Nakloní sa ku mne, pobozká ma na čelo a zašepká: „Mimochodom, vyzeráš nádherne." Nešikovne sa otočí na barlách a odkrivká preč. Dotknem sa miesta, na ktorom pred chvíľou spočinuli jeho pery.

67. kapitola

Som úžasne, nádherne a načisto opitá. Ihličky s vysokánskym podpätkom som kamsi podela, netuším kam, a už ma nič nebolí. Vôbec nič. Ak sa dá úspech merať stupňom opitosti a hýrenia, môžem smelo tvrdiť, že firemný žúr sa vydaril. Ešte aj megery z personálneho sa tvária šťastne.

Skupina, ktorá hrá v štýle Blue Brothers, to poriadne odpálila a ja takisto. S Marcusom krepčíme na parkete na *Mustang Sally*. Počas poskakovania si všimnem, že „ideál" sedí na okraji parketu a zlomenú nohu má vyloženú na stoličke. Stretnú sa nám pohľady. Ten jeho je akýsi skrúšený, ľútostivý. „Ideál" vyzerá oveľa triezvejšie než ja. V mojom alkoholovom omámení sa nakrátko otvorí okienko triezvosti. Pomyslím si, že by som radšej pokojne sedela vedľa neho, než sa zvíjala v rytme hudby, a tak sa naňho vľúdne usmejem. Úsmev mi opätuje. V tej chvíli ma Marcus schmatne za ruku a otočí k sebe. Vykrúca sa ako na parkete súťaže *Let's Dance* a ja okolo neho poletujem na vratkých nohách. Vtom sa šmyknem a stratím rovnováhu. Nohy sa mi motajú a pristihnem sa, že skôr s nadšením než pôvabne mierim priamo k „ideálovi". Potknem sa o vlastné prsty a žuchnem mu rovno do lona.

Hoci je „ideál" fyzicky indisponovaný, bez námahy zabráni môjmu pádu. Ovinie mi silné ruky okolo pása a pritisne si ma na hruď, aby som sa nerozpleskla na zemi a nestrápila sa ešte väčšmi.

„Ďakujem," vydýchnem.

„Za málo, kráska," uškrnie sa na mňa. „Zlepšila si si techniku. Dostávaš desať bodov z desiatich za umelecké stvárnenie. Pokúšaš sa mi zlomiť aj druhú nohu?"

„Musím ísť," zamrmlem. Najradšej by som ho pohladila po líci, hoci ho vidím mierne rozmazane. A možno by som ho dokonca vybozkávala na tie zmyselné pery.

Vtom zacítim, že Marcus ma ťahá z jeho náručia. „Ďakujem, kamoš," povie „ideálovi". Vyznie to pomerne príkro.

Priateľ ma odtiahne doprostred tanečného parketu a znova tancujeme, hoci už nie tak divoko. Stále však cítim na sebe „ideálov" pohľad, aj keď hudba už dozvieva.

Všetci už vyzeráme náležite unavene, a tak kapela spomalí a spustí pokojné tóny piesne *Have I Told You Lately That I Love You* od Van Morrisona.

„Táto pieseň je špeciálne pre Lucy Lombardovú," oznámi spevák so slnečnými okuliarmi na nose. Rozľahne sa zdvorilý potlesk, zatiaľ čo ja naberám štyridsať odtieňov červenej.

Marcus ma pevne zovrie v náručí a opito sa kníšeme. Podopierame sa navzájom.

„Ďakujem," poviem mu. „Je to od teba veľmi milé."

„Ľúbim ťa," vysloví vážne. „Ľúbiš ma?"

Nie je vhodný čas na vyjadrenie pochybností o našom obnovenom vzťahu ani na diskusiu o tom, čo je vlastne „láska". Za posledné týždne mu nemám čo vyčítať. Akoby si preštudoval príručku *Ako sa stať skvelým frajerom.* A tak jednoducho odvetím: „Áno." Stisne ma ešte pevnejšie.

„Ani nevieš, ako veľmi som to chcel počuť znova," šepne prerývane.

Za tónov piesne od Van Morrisona sa potácame a krúžime po parkete. Usilujem sa pričasto nedívať na „ideála" a nezisťovať, či ma stále sleduje. No vždy, keď sa náhodou pozriem jeho smerom, stretnem sa s jeho upretým pohľadom. Pieseň dohrá, Marcus mi stisne ruku a povie: „Hneď som späť."

Nechá ma stáť na parkete. Ostatné páry sa pomaly vytrácajú a ja tu ostávam sama. Otočím sa, aby som sa takisto vyparila, a rozmýšľam, že zájdem za „ideálom". Vtom však spevák do mikrofónu oznámi: „Dámy a páni, venujte mi, prosím, pozornosť!"

Obzriem sa na pódium. Marcus, celý červený, stojí vedľa neho.

„Dovoľte mi, aby som vám predstavil pána Marcusa Canninga!"

Na moju hrôzu si Marcus vezme mikrofón. Doteraz to išlo tak dobre – prepána, na čo sa hrá? Neprezradil mi, čo má v pláne. Vlastne ani neviem, čo sa chystá urobiť! Najradšej by som naňho zasyčala, aby zišiel z pódia a prestal z nás robiť šašov, no je priďaleko. „Aj táto pieseň je pre Lucy," oznámi a začne spievať. Nemala som potuchy, že Marcus vie spievať – počula som ho iba v sprche a nebolo to najhoršie.

Stojím sama uprostred parketu, zamestnanci Targy utvoria okolo mňa kruh. Kníšu sa do rytmu, zatiaľ čo Marcus napodiv dobre spieva pieseň *Three Times A Lady* od Commodores. Asi pričasto pozeral *Superstar*. Hypnotizujem Marcusa, neodvážim sa riskovať pohľad na „ideála". Ktovie, čo si o tom myslí! Nie som si istá ani tým, čo si myslím ja.

Keď Marcus hádam po celej večnosti dospieva – musel spievať nejakú predĺženú verziu –, okolo mňa vybuchne divoký potlesk. Pridám sa aj ja. Spieval naozaj veľmi pekne. Tlieskam aj preto, lebo som rada, že skončil. Marcus sa ukloní a požiada nás o ticho. Keď znova všetci zmĺknu, prednesie: „Lucy Lombardová, preukážeš mi česť a staneš sa mojou manželkou?"

Ďalší potlesk. Jeho slová na mňa pôsobia ako facka a náhle vytriezviem. Určite mám ústa otvorené od úžasu, no nezmôžem sa na slovo. Zdá sa, že sa mi to pri ňom stáva bežne. Nemôžem uveriť, že ma práve požiadal o ruku. Pred všetkými! Plný očakávania stojí na pódiu a môj úbohý mozog oťapený šampanským to nevie spracovať. Marcus, ten neverník a klamár, ktorý trpí fóbiou zo záväzkov, ma práve požiadal o ruku!

Spontánny potlesk prejde do rytmického tlieskania, dav začína skandovať: „Áno! Áno! Áno!" Marcus na mňa s nádejou hľadí. Kolegovia sa nakoniec unavia a stíchnu. Bolo by počuť spadnúť špendlík. Od šoku sa nedokážem pohnúť.

Môj priateľ si nervózne oblizne pery. „Lucy?"

Akýmsi zázrakom nájdem hlas a poviem: „Áno."

Vypukne jasot. Marcus zoskočí z pódia, uteká ku mne a padne predo mnou na kolená. Jasot sa stupňuje. Z vrecka vytiahne veľký žiarivý zásnubný prsteň, väčší než diskoguľa nad našimi hlavami. Je to nádherný smaragd vybrúsený do štvorca lemovaný malými briliantmi. Marcus mi ho nastokne. Je mi trochu tesný, ale po chvíli sa prst poddá. „Dúfam, že sa ti páči."

„Je úžasný," nadchnem sa. Veruže je. Nie je to síce moja vysnívaná obrúčka s jedným briliantom, ale aj tento je veľký pekný a Marcus sa musel poriadne plesnúť po vrecku. V ústach mi vyschne, keď poviem: „Ďakujem."

Marcus ma pevne stisne. Neodolám a ponad jeho plece sa pozriem na „ideála", ktorý zdvihne ruky a tlieska, pričom sa smutne usmieva.

„Ľúbim ťa," zašepká mi Marcus do ucha.

Sotva si uvedomujem, čo sa deje. Naisto však viem, že ctihodné členky Čokoládového klubu ma zabijú. Mala by som sa tešiť, ale nie som v stave, aby som sa vôbec zmohla na nejakú reakciu. Toto som predsa chcela, nie? Po tomto som odjakživa túžila.

Skupina spustí chrapľavú rokenrolovú verziu piesne *I'm Getting Married in the Morning* a všetci sa pridajú, divoko skáču po parkete.

Marcus, opitý radosťou, sa so mnou krúti. A keď sa aj ja v eufórii točím, všimnem si, že „ideál" odišiel.

68. kapitola

Keď už mám prsteň na prste, musíme chodiť dookola a každému predviesť môj nový iskrivý šperk. Zapôsobil dokonca aj na megery z personálneho, cez zaťaté zuby cedia blahoželania celé zelené ako môj smaragd. „Ideál" sa stále neukázal, zrejme sa pobral preč hneď po Marcusovom neočakávanom a pomerne prekvapujúcom vystúpení. Tuším som chcela Aidenovi niečo povedať, ale už neviem čo. Možno je aj dobre, že odišiel.

Môj nový *snúbenec* – ako zvláštne to znie – ma vyháňa z párty a ženie na ulicu. Tento firemný žúr si určite navždy zapamätám.

Vonku na nás čaká rikša, vyzdobená bielymi balónmi. Vodič je vystrojený v elegantnom bielom obleku, nie vo zvyčajnom odeve pozostávajúcom z otrhaných džínsov a trička. Marcus mi pomôže nasadnúť a vyrazíme. Krúžime po londýnskych uliciach s pohárom šampanského v ruke. Autá na nás trúbia, ale nie preto, aby sme si švihli. Je vlahý večer, no pofukuje chladný vánok. Marcus mi prehodí svoje sako okolo pliec. Asi sa u mňa už hlási opica, lebo v hlave mi pulzuje a zdvíha sa mi žalúdok. Pritiahne si ma k sebe a ja sa priviniem k svojmu priateľovi – vlastne *snúbencovi* –, hoci si stále pripadám, akoby sa ma to netýkalo.

„Nevedela som, že vieš spievať," ozvem sa.

„Chodil som na hodiny spevu," vysvetlí.

„Kvôli mne?"

Prikývne.

„Ohromil si ma."

„V to som dúfal." Marcus ma objíme. „No mám veľmi obmedzený repertoár. Vlastne je to jediná pieseň, ktorú viem zaspievať."

Zasmejem sa. „Bolo od teba veľmi pekné, že si sa tak obetoval."

Zahľadí sa mi do očí a prstom ma pohladí po líci. „Chcel som sa uistiť, že povieš áno."

Žeby ma práve preto požiadal o ruku na verejnosti? Alebo je to jednoducho preňho typické?

„Mohli by sme sa vziať čo najskôr," nadhodí. „Nemáme prečo čakať, no nie?"

Aby som bola úprimná, nemáme, no predsa sa mi zovrie žalúdok. *Budem sa vydávať. Za Marcusa.* Ak si to budem stále opakovať, možno tomu nakoniec uverím.

„Páčila by sa mi svadba v zime," pokračuje Marcus v úvahách.

Zima je za dverami. „Aj svadba na jar vie byť pekná," namietnem.

„Bude to obrovská svadba," plánuje môj snúbenec. (Nie, na to slovo si tak skoro nezvyknem.) „Nebudeme na nej šetriť. Pozvem všetkých našich kamarátov a rodinu, nech vidia, ako ti prisahám lásku."

Ja by som uprednostnila tichú svadbu na bielej pieskovej pláži niekde ďaleko od zvyčajného zhonu. „Mohli by sme mať malú súkromnú svadbu, nič honosné."

„Kdeže," odporuje Marcus. „Keď som sa pre to už rozhodol, tak nech to stojí za to!"

Asi by som mala zavolať rodičom a oznámiť im tú novinu, no zatiaľ som sa na to neodhodlala. I tak je dosť neskoro, aj zajtra je deň. S Marcusom sa stretli iba niekoľko ráz, no viem, že sa im páčil. Navyše, nikdy som im nepovedala, ako často mi v posledných rokoch zlomil srdce. Čo oko nevidí, to srdce nebolí, pravda? Nerada by som im dala dôvod robiť si o mňa starosti. Také negatívne myšlienky teraz ani nie sú vhodné. Mala by som sa radovať. A zatelefonovať členkám Čokoládového klubu, no im to radšej zvestujem osobne. Pochybujú síce o Marcusovej úprimnosti, ale určite sa budú tešiť so mnou – keď pochopia, že to je to, čo chcem.

„Ľúbim ťa,“ povie mi Marcus nežne. „Chcem ti to hovoriť každý deň svojho života.“

Oprie sa o mňa celým telom a dlho ma bozkáva. Mimovoľne vzdychnem. Rada by som sa uvoľnila, no z nejakého dôvodu vo mne rastie panika. Budem sa vydávať. *Budem sa vydávať.* Zatvorím oči a snažím sa poddať Marcusovmu nežnému útoku, ibaže pred očami mám „ideálovu“ smutnú tvár.

69. kapitola

Drevené žalúzie sú spustené a na dverách do Čokoládového neba visí ceduľa *Zatvorené*. Je večer v deň firemného žúru a ja stále bojujem s následkami. Celý deň som v Targe ukazovala svoj zásnubný prsteň a takmer nič som nespravila. „Ideál“ sa v kancelárii neukázal ani mi neodpovedal na telefonáty – samozrejme, všetky boli naliehavé a čisto pracovné. Helen, vedúca megera z personálneho, mi však povedala, že do práce sa vráti v pondelok.

Všetky členky Čokoládového klubu, a s nimi aj Clive a Tristan, sedia pri mne.

„No tak?" nalieha na mňa Nadia. „Už to vyklop. Kvôli akej skvelej novinke si nás sem zavolala?"

Zhlboka sa nadýchnem. „Budem sa vydávať."

Zavládne ohromené ticho. Neprekvapí ma to. Rovnaké ticho nasledovalo aj vtedy, keď som zavolala rodičom. Ľudia sa ustavične ženia a vydávajú, no zdá sa, že moje najlepšie kamarátky a najbližší príbuzní si nevedia predstaviť, že svadbu dopraje osud aj mne.

Ľadové ticho nakoniec prelomí Clive a zatlieska. Všetky vyľakane poskočíme. „To chce šampanské," vyhlási.

Bezvýrazne sa naňho pozrieme.

„Veď oslavujeme, či nie?" zaváha.

Nadia sa na mňa pozrie. „Oslavujeme?"

„Samozrejme!" zvolám. „Veď sa vydávam."

„Za Marcusa," poznamená Chantal.

„Nedokazuje to, že sa zmenil?" Kamarátky si vymenia ustarostené pohľady, veľmi ich to nepresvedčilo. „Bolo to nádherné," rozplývam sa. „Požiadal ma o ruku na firemnom žúre. Postavil sa na pódium a zaspieval."

„Marcus spieval?" žasne Nadia.

„Vonku nás čakala rikša a urobili sme si okružnú jazdu po Londýne. Bolo to veľmi romantické."

Autumn ma chytí za ruku. „Znie to nádherne, Lucy," povie. „Teším sa s tebou." Potom prebehne po osadenstve veľavravným pohľadom. „Všetky sa tešíme, však?"

„Sme nadšené," súhlasí Nadia zmeneným tónom. Stavím sa, že sa kopú pod stolom. „Ukáž nám ten prsteň."

Nastavím im ruku.

„Fíha!" zhodnotí Chantal. „Človek, ktorý zaň toľko vysolí, to asi fakt myslí vážne. Je nádherný." Sama ho znova obdivujem. Páči sa mi čoraz viac. Chantal ma objíme. „Gratulujem, Lucy. Mňa a Nadiu si nevšímaj. Len nedávno sme odišli od manželov, a tak sa z nás stali cynické staré rašple."

„To je pravda," pritaká Nadia. „Ty a Marcus máte rovnakú šancu, že vám to bude fungovať, ako ostatní."

To je asi kompliment.

„Donesiem teda tie bublinky," navrhne Clive a vydýchne od úľavy.

Vstane aj Tristan. „Keby si nám dala vedieť skôr, upiekol by som ti niečo špeciálne. Svadobnú tortu si objednáš u nás, však?"

„To by bolo skvelé," nadchnem sa, hoci tak ďaleko som sa v myšlienkach ešte nedostala. Spokojní Clive s Tristanom sa vytratia kdesi vzadu.

„Už máte dátum?" zaujíma sa Autumn.

„Ešte nie," odvetím. „Marcus sa chce ženiť čo najskôr, no ja sa zas až tak neponáhľam."

Kamarátky si znova vymenia pohľady. Tentoraz naznačujú, že by som bez meškania mala hnať Marcusa pred oltár. Lenže potrebujem čas, aby som si na novú situáciu vôbec zvykla. Ak sa po tých turbulenciách vo vzťahu s Marcusom napokon predsa len stanem nevestou, nechcem sa zbytočne ponáhľať, ale užívať si to.

Clive sa objaví s fľašou šampanského a pohármi. Tristan nesie čokoládovú tortu. Neviem, pri čom mi srdce poskočí viac. Vlastne viem. Položia tortu predo mňa. „Nacvič si to," prikáže mi Tristan a podá mi veľký nôž. „Do toho. Nači ju."

Nedám sa dvakrát núkať a dramaticky zaborím nôž do hrubej, no vláčnej polevy. Vyslúžim si za to potlesk. Tuším sa mi dokonca tisne slza do oka. Na takúto pozornosť by som si raz-dva zvykla.

Tristan vezme tortu a skúsene ju nakrája na veľké rezy. Pozná nás ako svoju dlaň, vie, že s malými kúskami by nepochodil. Rozdá nám ich.

„Je skvelá," rozplývam sa po prvom kúsku. „Možno by som si mala na svadbu objednať podobnú čokoládovú tortu."

„To sa mi pozdáva," súhlasí Nadia.

„Bol na žúre aj ‚ideál'?" zaujíma sa Chantal z ničoho nič.

„Áno." Torta v ústach mi náhle zhorkne.

„Teší sa s tebou?"

„To neviem," zamrmlem. „Nič nepovedal." Slza v oku je už skutočná. Odsuniem tanier s tortou. Nemôžem im povedať, že neznesiem spomienku na jeho smutnú tvár, keď som vyslovila áno. Nemôžem im prezradiť ani to, že jeho reakcia ma trápi väčšmi, než by v tejto situácii mala. Musím nejako prežiť víkend a až v pondelok, keď príde do práce, zistím, čo si o tom myslí. „Určite sa bude tešiť so mnou," klamem. „Prečo by sa netešil?"

Túto otázku musím položiť aj sebe – prečo by sa netešil? Netešila by som sa s ním, keby oznámil, že sa ožení so štetkou Charlotte? Odpoveď znie: *Nie, netešila.*

70. kapitola

Sedíme v Marcusovom aute a mierime na vidiek. Hrá nám pieseň *Songs about Jane* od Maroon 5. Len si predstavte, že zo samej lásky napíšete svojmu milovanému celý album piesní – hoci ten vzťah sa napokon rozpadol. (Neskončia sa tak všetky?) To bude možno ďalšie Marcusovo veľké gesto. Nebude sentimentálne piesne len spievať, ale ich aj zloží. Pri našich posledných stretnutiach nastavil latku dosť vysoko, preto ma zaujíma, čo urobí, aby túto romantiku udržal. Alebo to po zvyšok môjho života pôjde s ním už len z kopca? Rýchlo tú myšlienku zaženiem.

„Je to tam nádherné," oznámi mi Marcus počas piesne. „Bude sa ti tam páčiť. Určite."

Ideme sa pozrieť na miesto, kde sa konajú svadby a ktoré sa Marcusovi zapáčilo. Cesta je mi akási povedomá, no Marcus mi neprezradil adresu, má to byť prekvapenie. Modlím sa, aby to bolo jediné prekvapenie. Dúfam, že tam už nevisia balóny s nápisom *Lucy a Marcus* a nezhromaždilo sa tam dvesto hostí, ktorí očakávajú našu svadobnú prísahu. V poslednom čase som si nemohla byť pri Marcusovi ničím istá. Veľmi ma znervózňuje. Kiežby som si umyla vlasy a schudla pár kíl, len pre prípad. Na zmiernenie úzkosti a na útechu jem tabuľku Clivovej špeciálnej mliečnej čokolády a kúsok z nej strčím Marcusovi do úst.

„Ľúbim ťa." Snúbenec mi rukou kĺže po stehne. „Už sme skoro tam."

Onedlho zabočíme na úzku cestu a než prejdeme cez veľkú kovanú bránu a zamierime k jazeru s fontánou s delfínom, viem presne, kde sme.

Zdesene sa dívam z okna. „Toto je ono?" zalapám po dychu.

„Nádhera, však?" nadchýna sa Marcus. Moju hrôzu si vysvetľuje ako nadšenie.

Trington Manor vyzerá úžasne aj za denného svetla, no je nemysliteľné, aby som sa vydávala v dejisku našej neslávnej krádeže šperkov. Čo ak ma tu niekto spozná?

„Rezervoval som nám stôl na obed," oznámi mi môj snúbenec. „No najprv by sme sa tu mohli poobzerať."

Nechcem sa tu obzerať. Poznám to tu až pridobre.

„Majú tu aj kaplnku," informuje ma Marcus, keď zaparkujeme pred veľkolepou budovou. Musím priznať, že toto som kvôli našej akcii nezisťovala. „Je malá," pokračuje. „Zmestí sa tam asi sto ľudí."

„Sto!" Zdá sa, že nejaký čas budem lapať dych.

„Miláčik," osloví ma a samoľúbo sa zasmeje. „Zatiaľ mám iba hrubý zoznam, chceme tu minimálne sto ľudí. Niektorí možno budú musieť prísť až na hostinu."

Sto kamarátov hádam ani nemám. Stačili by mi tu tri kamarátky: Chantal, Nadia a Autumn. Prežila by som to dokonca aj bez rodičov. Takže deväťdesiatsedem hostí si môže pozvať Marcus. Svižne vyskočí z auta. „Poď, Lucy. Rozhliadneme sa tu."

Voľky-nevoľky sa vyterigám z auta. Prečo musí človek v živote ustavične riešiť nejaké komplikácie? Prečo ich musím riešiť ja?

Marcus ma chytí za ruku a ťahá po schodoch a na recepciu hotela. Chvalabohu, že je slnečno a na nose mám slnečné okuliare. Chýba už len mercedes pána Johna Smitha, ktorý zrejme už vylovili z jazera. Nanešťastie, recepčná je nabetón tá, ktorá mala službu večer počas našej krádeže. Dúfam, že ma nespozná. Kým jej Marcus oznamuje, že tu máme stretnutie s organizátorkou svadieb, postávam vzadu, dbám na to, aby mi nespadli slnečné okuliare a aby mi vlasy čo najviac zakrývali tvár.

Čo ak sem na novom aute prišiel aj pán John Smith a teraz sa tu niekde potuluje? To by som mala ozaj smolu. Nervózne nazriem do baru. Prečo sme si vtedy nedali aj parochne? Alebo nenalepili falošné fúzy? To bol závažný nedostatok môjho plánu. Ibaže vtedy som nepočítala s tým, že sa sem tak skoro vrátim. A už vôbec nie s tým, že sa tu čoskoro budem vydávať.

Podíde k nám organizátorka svadieb. Predstaví sa ako Michelle a zavedie nás na prehliadku kaplnky. Je nádherný žiarivý slnečný deň a v záhrade sa vznáša vôňa všetkých divých kvetov, ktoré viem vymenovať. Je odtiaľto najkrajší výhľad na okolitú britskú krajinu a nachádza sa tu i kamenná terasa, odkiaľ si ten výhľad môžu užívať aj naši hostia. Prejdeme cez trávnik ku kaplnke a Michelle bľaboce čosi o obsahu balíkov, jedlách a o ubytovaní v hoteli pre tú myriadu hostí, ktorých mieni Marcus pozvať.

„V rámci svadobnej výzdoby postavíme pred dvere do kaplnky kvetinovú pergolu," vykladá Michelle, no ja ju už nepočúvam. Tu sa určite nevydám, aj keď je to tu nepochybne nádherné. Kaplnku postavili v štrnástom storočí z neopracovaných veľkých kameňov. Vnútri je to hotová idyla, ktorá mi takmer vyrazí dych. Slnko prenikajúce cez vitrážové okná hádže dúhové odlesky na kamennú podlahu. Vyzerá to krásne aj cez slnečné okuliare. Risknem to a nakuknem ponad ne. S výzdobou z bielych kvetov by to tu vyzeralo doslova nadpozemsky. Priam sa vidím, ako v jednoduchých bielych saténových šatách plavne kráčam uličkou k oltáru. Sto ľudí by sa sem pohodlne zmestilo… ale tu sa nebudem vydávať, takže je to jedno.

Marcus mi stisne ruku a spýta sa: „Tak čo povieš? Páči sa ti tu?"

„Áno," odvetím, „ale…"

Michelle nás už ženie von z kaplnky a späť do hlavnej budovy. „Ukážem vám spoločenskú sálu. Už je pripravená na večeru, ktorá sa tu dnes koná. Pojme dvesto hostí."

„Fantastické," nadchne sa Marcus.

Dvesto? Budeme si ich musieť najať, aby sme dosiahli taký počet.

Michelle otvorí dvere do spoločenskej sály a ja zasa takmer zalapám po dychu. Jednu stenu lemujú klenuté kamenné okná s vitrážovými sklami a dodávajú miestnosti vzdušnosť. Desiatky stolov sú pokryté vyžehlenými bielymi ľanovými obrusmi, na ktorých sa ligocú vyleštené krištáľové poháre a strieborné príbory. Všade, kam sa človek pozrie, stoja bohaté kytice zo svetloružových ruží a z voňavých ľalií. Sú na stoloch, parapetoch, na vysokých železných stojanoch. Vyzerá to tu absolútne dokonale.

„Niečo podobné by sme mohli mať aj my," podotkne Marcus.

„Áno," poviem, „ale…"

„Poďme sa najesť." Marcus ma nadšene ťahá k dverám. „Preberieme to pri obede."

Rozlúčime sa s Michelle a zamierime do baru. „Čo si dáš na pitie?" opýta sa Marcus, kým čakáme na obsluhu.

„Víno," odvetím rozhodne. „Potrebujem víno. Veľa vína."

Marcus sa na mňa zhovievavo usmeje. Potom príde barman. „Rád vás tu opäť vidím," prihovorí sa mi.

Slnečné okuliare mi teda nepomohli, odhalil ma. Zložím si ich a strčím do kabelky. „Zdravím." Rozpačito sa naňho usmejem a zadívam sa do okna, len nech sa nepokúsi nadviazať so mnou rozhovor.

„Veľký pohár suchého bieleho vína a pomarančový džús," objedná Marcus, a kým barman odíde po nápoje, snúbenec sa ku mne otočí. „Už si tu niekedy bola?" čuduje sa.

„Nikdy," zamietnem a dúfam, že nenaberám šarlátovú farbu. „Zrejme si ma s niekým pomýlil." Nemôžem predsa Marcusovi povedať, že naposledy som sem prišla s kamarátkami kradnúť. I keď sme kradli niečo, čo predtým patrilo jednej z nás. Neviem, ako by to posudzoval zákon – alebo môj snúbenec. Možno by sme sa s Marcusom na tom zasmiali, ale možno by sa mu to vôbec nezdalo smiešne. „Asi mám dvojča."

„Božechráň!" zhrozí sa Marcus.

Barman nám prinesie poháre a, našťastie, odíde. Štrngneme si, ja bielym vínom, Marcus pomarančovým džúsom, a odpijeme si. Marcus sŕka, ja doslova hltám. „Je to tu nádherné, však?"

„Úžasné." Naozaj. Bolo by to skvelé miesto na svadbu, ale za iných okolností. „No nemôžeme sa tu vziať."

Môj snúbenec sa zatvári zmätene. „A to už prečo?"

„Ehm… ehm." Naskytne sa mi príležitosť vyjsť s pravdou von. Lenže neurobím to. Namiesto toho sa vyhovorím: „Je to pridrahé. Toto moji rodičia nezatiahnu a ani by som ich o to nežiadala. A ja určite nemám našetrené toľko, aby som si to mohla dovoliť." To všetko je pravda.

Marcus ma chytí za ruku a hrá sa s mojím zásnubným prsteňom. Drobné brilianty zachytávajú svetlo. „Nechcem, aby si si robila starosti," vysloví s nežným úsmevom. „Peňazí mám dosť. Všetko zariadim."

„Marcus…"

„Páči sa ti tu?"

„Áno," pritakám. „Ale…"

„To som rád." Môj snúbenec sa spokojne usmeje a vzápätí ma ohúri: „Pretože som to tu už rezervoval."

71. kapitola

Ted konečne zdvihol Chantal telefón, no ešte väčšmi ju prekvapilo, že súhlasil so stretnutím. Trval na tom, aby podnik vybrala ona, a tak zvolila Čokoládové nebo, lebo tam sa cítila najlepšie. Ak sa má stretnúť s Tedom za takýchto náročných okolností, mala by sa posilniť obľúbenou maškrtou.

Chantal sa usadila pri okne, a kým plná úzkosti čakala na manžela, Clive jej priniesol kúsok čokoládovej torty a kapučíno.

Matersky ju potľapkal po ruke. „Hlavu hore. Miláčik, vyzeráš skvele," vyhlásil teatrálne. „Neodolá ti."

„Hádam máš pravdu," vzdychla Chantal. V tej chvíli sa otvorili dvere a dnu vošiel Ted. Keď zbadal Chantal, napäto sa usmial a zamieril k stolu. Vstala, no nestihla ho objať, pretože Ted sa posadil na stoličku oproti nej. Jeho pekná tvár vyzerala unavene a strhane. Možno dokonca aj schudol.

„Čo vám prinesiem, Ted?" prihovoril sa mu Clive. Oslovenie krstným menom Teda očividne zarazilo. „Pardon," ospravedlnil sa Clive. „Mal som vás osloviť pán Hamilton. No mám pocit, akoby som vás poznal už roky. Chantal vás často spomína."

Teda to prekvapí ešte väčšmi. „To nič," mávol rukou. Chantal dúfala, že Clivovo nezáväzné trkotanie zaberie. „Dám si to isté." Ukázal na Chantalinu kávu a tortu.

„Iste." Clive za Tedom na Chantal žmurkol a ústami naznačil: „Fešák!" Otočil sa a šiel vybaviť objednávku.

Napriek napätiu sa usmiala a sadla si. „Ted, rada ťa vidím."

Manžel sa viditeľne uvoľnil, vyzliekol si bundu a prevesil ju cez stoličku. Očividne sa tu plánoval zdržať. „Je zvláštne takto sa stretnúť," pripustil.

„Máš pravdu," súhlasila. Uprela pohľad na šálku, aby sa vyhla jeho prenikavému pohľadu. „Teší ma, že si prišiel."

„Aj mňa." Oprel sa o stoličku a obzeral sa okolo seba. „Takže tu tráviš tie dlhé hodiny s kamarátkami?"

Chantal prikývla a chlipla si kapučína.

„Je to tu pekné," usúdil vo chvíli, keď mu Clive priniesol objednávku.

„Ó, ďakujem, Ted!" Clive sa vyjadroval čoraz afektovanejšie. Ak ju sluch neklamal, s jej manželom otvorene flirtoval.

Po jeho odchode sa zasmiala. „Clive sa tuším do teba trochu zamiloval."

„Iba on?" opýtal sa Ted odrazu vážne.

„Nie," odvetila. „Stále ťa veľmi ľúbim."

Manžel sa zadíval do okna. Tentoraz sa on vyhýbal pohľadu.

„Chýbaš mi," vyhŕkla Chantal. Rozhodla sa, že o svoje manželstvo zabojuje, a prišla s ponukou na zmierenie. Nemienila poukazovať na to, kto komu čo urobil a kto začal prvý. Ak majú mať druhú šancu, všetko musia nechať za sebou a dívať sa dopredu.

Ted sa k nej otočil. „Od tvojho odchodu sa stretávam s inými ženami," poznamenal.

„Aha." Vôbec nezvážila, že keď Ted už nie je súčasťou jej života, možno sa otriasol a žije svoj život. „Je to s niektorou vážne?"

„Nie," pokrútil hlavou. Potom si zhlboka vzdychol a Chantal sa zovrel žalúdok. „Nechcem byť znova sám," pokračoval. „Je to hrozné. Na rande som už pristarý. Ženy sú… no, zmenili sa. Sú dosť… zložité," zasmial sa. „Asi som nevedel, aké som mal šťastie."

Vyvíja sa to dobre, pomyslela si Chantal. Veľmi dobre.

„To však neznamená, že chcem byť stále ženatý s tebou," priznal a Chantal ochabla. Iskrička nádeje zhasla. „Uvedomujem si, že za náš rozchod nemôžeš iba ty. Viem, že aj ja mám na ňom podiel. Odcudzili sme sa jeden druhému a je to aj moja chyba. Ibaže mám problém vyrovnať sa s tým, ako si to riešila."

Ešteže nevie, že Jacobovi za sex platila. To by jej asi nikdy neodpustil. Toto tajomstvo si vezme do hrobu. Ak Ted niekedy príde na to, čo robila, dostane sa tam skôr, než dúfala.

Ted bodal vidličkou do torty. „Naozaj je dobrá," uznal.

„Skvelá." Tak ako kedysi naše manželstvo, chcela dodať.

„S jednou ženou som sa aj vyspal," pokračoval. „Myslel som si, že mi to pomôže."

„Pomohlo?"

„Nie. Naopak, uvedomil som si, že chcem byť s tebou."

Vyzerá to nádejne, prebehlo Chantal hlavou.

„Ibaže nie som pripravený byť znova s tebou," dodal. „Potrebujem čas osamote, aby som si utriedil myšlienky."

„Ted, môžeme sa riadiť tvojimi podmienkami," navrhla. Vedela, že to vyznelo zúfalo. „Vyriešime to tak, ako si praješ ty."

„Príšerne to bolí, však?" spýtal sa hlasom chrapľavým od emócií.

„Veru bolí." Rada by sa ho dotkla, dala mu najavo, že jej na ňom záleží, ale neodvážila sa. Čo ak by ju odbil, tak ako toľkokrát v poslednom čase?

„Kde bývaš?"

„Prenajala som si byt v Islingtone," povedala. „Nie je to domov, ale nateraz postačí. Bývam s kamarátkou Nadiou. S tou, ktorej som požičala peniaze."

Ted na jej priznanie nereagoval.

„Boli v dlhoch až po uši. Pomohla som jej. Nedávno odišla od manžela a presťahovala sa ku mne. Má štvorročného syna Lewisa."

„Aj on býva s vami?"

„Áno."

Ted zdvihol obočie. „Dobrovoľne sa delíš o domov s dieťaťom?"

„Je to milý chlapček," usmiala sa vľúdne. „Veľa sa od neho učím. Videla som všetky animované disneyovky, aké kedy nakrútili. Poznám všetky pesničky z *Malej morskej víly, Levieho kráľa* a *Mary Poppinsovej.* Viem maľovať prstami. Odrecitovať škôlkarské riekanky od výmyslu sveta. A ak sa veľmi posnažím, dokážem sa dotknúť nosa palcom na nohe."

Pri tom sa Ted usmial. „Pôsobivé."

„Nikdy som si nemyslela, že mať deti môže byť taká zábava," zauvažovala, i keď vedela, že tým vstupuje na tenký ľad. „Nazdávam sa, že vždy, keď sme videli deti kamarátov, vtrhli nám do života a narušili ho. S Lewisom však trávim veľa času a akosi som si naňho zvykla. Nie je to také ťažké, keď si človek privykne na ich rutinu."

„Takže teraz si niečo ako bohyňa materstva?"

„Iba hovorím, že deti ma už tak neodpudzujú ako predtým."

Chantal zamlčala, že cez víkendy chodí po byte s plechovkou farby a zatiera stopy po pastelkách a čokoládové odtlačky malých prstov, ktoré sa stále záhadne objavujú na stenách. Na niektoré veci si jednoducho ešte nezvykla. „Prečo si mi nikdy nepovedal, ako to vnímaš?"

„Veď vieš, že muži sa neradi zverujú."

„Možno," pripustí Chantal. „No mali by."

„Mali by sme ísť na to zľahka," skonštatoval Ted. „Vznikla medzi nami veľká trhlina a nie som si istý, či ju dokážeme prekonať."

„Mali by sme to aspoň skúsiť."

Ted dojedol tortu a dopil kapučíno. „Poďme na večeru," navrhol. „Niekedy cez týždeň."

„Prečo nie?"

Rýchlo jej stisol ruku. „Zajtra ti zavolám."

Chantal sa tisli slzy do očí. Možno ak znova začne chodiť na rande so svojím manželom, rozpomenie sa, prečo ju mal kedysi rád.

72. kapitola

Marcus rezervoval svadbu na Valentína. Deň D teda nadíde štrnásteho februára. Pre mňa to D znamená des. Nemalo by ma to napĺňať hrôzou, lenže presne to sa deje. Obyčajne ma v ten deň trápilo iba to, či mi dá Marcus valentínku, alebo nie.

Civiem z okna a usilujem sa uvažovať, aké kvety si vyberiem do svadobnej kytice, keď sa vo dverách objaví „ideál" s barlami.

Osadenstvo obchodného oddelenia vstane a privíta ho potleskom. Veselo im zamáva. Prihrbím sa za stolom a tvárim sa, že mám práce vyše hlavy. Tabuľky s odhadmi tržieb nikdy neboli také fascinujúce ako teraz. Srdce mi búši už len pri pohľade na ne. Potom mi do zorného poľa vojdú barly. Zaznie Aidenov hlas: „Ahoj, pani kráska."

Srdce mi búši ešte viac. „Ideál" zaletí pohľadom na môj zásnubný prsteň. Odtiahnem ruky od stola a prisadnem si ich. „Ahoj."

„Ako sa dnes máme?"

„Fajn," odvetím. Stále hľadám spôsob, ako sa vykrútiť zo svadby v *Trington Manor*, hoci Marcus už uhradil mastnú zálohu, ale o tom pán Aiden Holby nemusí vedieť. „Skôr ako sa máš ty?"

„Čoskoro budem behať ako zamlada," uistí ma.

„Nemôžem sa dočkať," podpichnem ho.

„Chýbala si mi," prizná a tlmene pokračuje: „Som rád, že som zasa tu. Nikdy by mi nenapadlo, že to raz poviem."

„Bez teba tu bolo priveľmi ticho."

„To je dobré alebo zlé?" vyzvedá.

„Veľmi zlé." Vymeníme si úsmevy.

„Ten každodenný prísun čokolády som si užíval," poznamená.

„To ma teší. Dúfam, že ti vďaka nej bolo o čosi lepšie." A nepremyslene dodám: „Daj mi vedieť, keby si niečo potreboval."

„Budeš mi musieť nosiť kávu," varuje ma. „Každú hodinu. Nemôžem skackať s barlami a zároveň držať šálku. Odkedy mám sadru, musím piť postojačky rovno pri kanvici v kuchyni."

„Je mi z toho hrozne," ospravedlním sa zasa. „To najmenej, čo môžem urobiť, je byť tvojou otrokyňou pri kávovare, až kým nevyzdravieš."

„Hm," zamyslí sa „ideál". „To sa mi páči. Sú aj iné oblasti, v ktorých budeš ochotná vyhovieť mojim požiadavkám?"

„Zabudni." Nie som si istá, či môžem pokračovať v podobných žartíkoch s koketným podtónom, keď som už zasnúbená. Je takéto správanie v modernej firme prijateľné? Nemala by som „ideála" napomenúť, aby so mnou neflirtoval, keďže nosím zásnubný prsteň? Lenže potom by som sa v Targe príšerne nudila. Je dosť nepravdepodobné, že by naše flirtovanie prerástlo do niečoho vážnejšieho. Robím tu už celé veky a vždy to bolo nevinné. Ak nepočítam ten maličký bozk. Prečo by sa to teraz malo zmeniť?

Možno by bolo lepšie pouvažovať, že tu skončím a nájdem si inú prácu, aby sme neboli v pokušení. Ibaže už som pracovala aj v iných firmách v Londýne a vždy to trvalo krátko a dopadlo katastrofálne. Pravdupovediac, Targa je jediná firma, ktorá znesie moju lajdácku pracovnú morálku. A nerada by som pracovala ďaleko od Čokoládového neba. Ak si odmyslím mizerný plat a prácu nudnú až hrôza, v skutočnosti mám skvelé zamestnanie. Navyše, túto záležitosť s „ideálom" si určite vymyslel môj znudený mozog, pretože tu vlastne nemal do čoho pichnúť. Len čo všetok môj čas pohltia prípravy na svadbu, ani si naňho nespomeniem. Aiden Holby nie je až taký roztomilý. Určite nie.

„Ideál" krivká do svojej kancelárie, no zastaví sa a povie: „Asi by som ti mal zagratulovať k blížiacej sa svadbe."

Pozriem sa naňho spopod mihalníc. „Ďakujem."

„Marcus sa teda vyznamenal."

„Však?" Márne sa pokúsim o smiech.

„Ideál" sa nehýbe a odkašle si. „Toto naozaj chceš?"

„Áno," vyhlásim. Nevdojak hrdo vystrčím bradu. Prečo nikto neverí, že sa budem vydávať? Nikto ma nepovažuje za zodpovednú, domácky založenú ženu? Alebo si nevedia predstaviť Marcusa ako môjho manžela… „Prečo by som to nemala chcieť?"

„Tak potom dúfam, že budete spolu naozaj šťastní."

„Určite budeme."

Otočí sa a krivká do kancelárie, v polceste sa znova vráti k môjmu stolu. „Chcel som ti povedať ešte niečo." Nervózne si poťahuje pramienok vlasov. „Kiežby som ťa pozval na rande vtedy, keď som mal šancu. Možno by mi to skrátilo život, ale podľa mňa by sme sa spolu naozaj dobre zabavili, Lucy Lombardová."

Po tomto vyhlásení zasa odkrivká preč. Iba tak. Nechá ma v stave totálneho zmätku. Nemám na výber, musím siahnuť po najbližšej tyčinke Mars.

73. kapitola

Vidiek je krásny, len keby to tu tak nesmrdelo. Toby zaparkoval pri farme v Medley a Nadia znechutene krútila nosom.

Lewis v sedačke od radosti nadskakoval. „Už sme tu?"

„Áno, miláčik, už sme tu."

Toby zvyčajne trávil nedele s Lewisom sám, no dnes sa rozhodli pre rodinný výlet. Posledné, čo chcela, bolo, aby sa z Tobyho stal jeden z víkendových otcov, ktorí chodia s deťmi nanajvýš do McDonaldu, i keď Lewis by isto nenamietal ani proti pravidelným výletom pod zlaté oblúky. Lewisove narodeniny s nimi Toby neoslávil, z čoho mala zlé svedomie, preto dúfala, že takto mu to vynahradí. Tesne pred desiatou vyzdvihla manžela v ich dome, ako sa dohodli, a o hodinu neskôr dorazili na vidiek v Bedfordshire. Obklopovali ich nekonečné lány polí, zvlnená kopcovitá krajina a prenikavá vôňa prírody, čiže hnoja.

V aute panovala uvoľnená atmosféra, ktorá jej pripomínala

niekdajšie časy. Nebolo pochýb, že manžela stále ľúbi, a on jej v posledných týždňoch často opakoval, ako ju ľúbi. Už len aby jej to dokázal aj činmi. Vybrala vrtiaceho sa Lewisa z auta a on sa hneď nadšene rozbehol k vchodu do detskej farmy. Ani vzdialenosť od Londýna nemala vplyv na ceny, stále boli privysoké. V skutočnosti si tento výlet nemohli dovoliť, no ak pomôže udržať v Lewisovi pocit, že ich rodina sa celkom nerozpadla, stojí to za to. Nadia v tom zároveň videla aj príležitosť na vzdelávanie, pretože Lewis stále nevedel rozlišovať zvieratá, hoci ho to Chantal neúnavne učila. Toby zaplatil vstupné, dostali pečiatku prasiatka na ruku a vrecko s krmivom pre zvieratá.

Ich prvou zástavkou bola maštaľ. Za ohradou poskakovala črieda kamerunských kôz, a len čo prišla nová skupinka veselých návštevníkov s potravou, nádejne sa rozmečali a zamierili k nim. Nadia s Tobym si čupli a pomohli Lewisovi nabrať do dlane guľôčky krmiva. Kozy sa tisli k nim a jemne mu ich vyberali z dlane. Lewis bol bez seba od radosti.

„Je to pekné," ozval sa Toby potichu. „Mali by sme to robievať častejšie."

Nadia s ním musela súhlasiť. Je fajn ísť cez víkend von z mesta.

Kozy všetko zožrali, a tak sa presunuli do časti, kde mohli zvieratká aj hladkať. Deti si mohli posadať na rozmiestnené balíky sena. Toby vyložil Lewisa na jeden z nich k ostatným deťom. Chlapec s úžasom sledoval, ako mu zajačiky a morčatá hopkajú alebo lozia po nohách. Niektoré pokojnejšie zajačiky si mu dokonca sadli do lona alebo žuvali okraj gumákov. Lewis bol v siedmom nebi a Nadia sa znova v duchu pýtala, ako už veľakrát, prečo sa rozhodli usadiť v Londýne. Má to vôbec nejaké výhody, ak človek neobľubuje graffiti a všadeprítomné smeti? Nebolo by lepšie zdvihnúť kotvy a presťahovať sa na podobné miesto, ako je toto? Museli by mať síce aspoň trojizbový radový domček, no možno by si našetrili, keby sa presťahovali do lacnejšej oblasti. Vzápätí si Nadia uvedomila, že o nich premýšľa ako o rodine. Zabudla, že ich dom je v skutočnosti na predaj.

Kým jej syn hladkal pokojného nadýchaného bieleho zajačika s plochým ňufákom, opýtala sa: „Ak to ide s domom? Je niečo nové?"

Toby šúchal nohami po blatistej zemi. To isté robieval aj Lewis, keď sa cítil nepríjemne. „Je oň pomerne veľký záujem. Niekoľko ľudí si ho už prišlo obzrieť, no zatiaľ sa nikto nevyjadril, že ho berie."

Nadia pokrčila plecami. „Ešte je skoro."

„Nadia, nechcem ho predať," vyhlásil Toby úprimne. „Nie je to potrebné. Raz a navždy s tým skoncujem. Laptop som dal kamarátovi, aby ma nelákal. Odhlásil som internet. Od tvojho odchodu som nehral."

„To ma teší," odvetila úprimne.

„Je to choroba," pokračoval jej manžel. „Tak to povedali v programe *Skoncujte s hraním.*"

„Možno je to choroba," pripustila Nadia, „ale nie taká ako nádcha alebo ovčie kiahne. Nie je to choroba, ktorú niekde chytíš. Je to choroba, ktorú si vyberieš. A takisto si môžeš vybrať, že sa z nej vyliečiš."

„Zvládnem to. Sľubujem."

Nadia mu chytila ruku a pevne ju stisla. „V to dúfam."

„Lewis je šťastný, keď sme spolu. Nechcem, aby sme sa rozišli."

„Ani ja," priznala. „No kým si nebudem istá, že na synovi a manželke ti záleží viac než na online kasínach, musí to byť takto."

Navyše, čoskoro budú musieť vyriešiť ešte niečo. Chantal je síce skvelá kamarátka, ale Nadia si uvedomovala, že nemôže žiť z jej dobročinnosti večne. Tešilo ju, že Chantal a Ted sa očividne usilujú o zmierenie, no musela rozmýšľať, kam sa s Lewisom podeje, ak sa Chantal vráti domov. Nadia si rozhodne nemohla dovoliť sama platiť nájomné za byt v Islingtone.

Keď Lewisa zajace už omrzeli, presunuli sa k novonarodeným prasiatkam, ktoré hlasno kvíkali a vrteli sa v ohrade. Nakláňali sa ponad kovové vrátka a Toby ju objal a nepustil, až kým nešli nakŕmiť lačné jahniatka, ktoré dychtivo pili teplé mlieko z detských fliaš s veľkými cumlíkmi.

Na obed si urobili piknik, zjedli šunkové sendviče a koláčiky brownies, ktoré ráno upiekla. Vôbec nechutili ako tie z Čokoládového neba, i tak si však na nich pochutili. Nadia s Tobym sa vyhrievali v slabých slnečných lúčoch a Lewis sa zatiaľ šplhal na drevenú pevnosť a červeným plastovým vedierkom si sypal piesok do gumákov. Slnko Nadii pomaly zohrievalo kosti, uvoľňovalo napätie z krku a tíšilo bolesti, o ktorých ani nevedela, že ju trápia. Možno za to mohol aj vidiecky vzduch. Už si ani nepamätala, kedy videla Lewisa takého šťastného alebo kedy ju samu napĺňal taký pokoj.

„Poobede nás čaká jazda na somárikovi a zber vajíčok z kurína. A dojenie, ak chceme," zasmiala sa. „Dúfam, že po návšteve tejto farmy náš drahý syn už dokáže rozoznať ovcu od kravy."

„Ak pôjdem dojiť ja, dúfam, že rozoznám kravu od býka."

Nadia sa zachichotala.

Omotal si prameň jej vlasov okolo prstov. Zachmúril sa a váhavo prehovoril: „Kiežby sa tento deň neskončil."

„Veru," pritakala Nadia.

74. kapitola

Autumn opatrne spájala cínom kúsky sklíčok na lapači slnka, s ktorým sa Fraser stále trápil. Mala mu s ním len pomáhať, no v skutočnosti ho vyrobila zaňho, pretože jej žiak sa iba opieral o pracovný stôl a hádzal túžobné pohľady na Tasmin, ktorá pracovala na druhej strane miestnosti. Dievča horlivo predstieralo, že o tom vôbec netuší.

„Fraser, dávaš pozor?"

„Nie, slečna." Aspoňže bol úprimný. „Zamilovaný človek sa nedokáže sústrediť."

„To nepoznám," povedala Autumn s ľútosťou v hlase. Ukázala hlavou na Tasmin a stlmila hlas. „Cíti objekt tvojej náklonnosti to isté?"

„Ešte nie," vyhlásil Fraser s predstieraným siláctvom ako vždy. „Ešte nie."

Ach, keby som bola taká mladá a taká optimistická, pomyslela si Autumn. Odjakživa obdivovala deti, ktoré si zachovali pozitívne myslenie napriek zúfalej situácii, v ktorej sa ocitli. Možno by sa mohla od Frasera niečo naučiť. Spomenula si na ich operáciu *Zachráňte Chantaline šperky.* Nebolo by to prvý raz, čo by sa jej zišli životné skúsenosti niektorého jej študenta.

Hoci smútila za Richardom, ktorý odišiel do Ameriky, v hĺbke duše jej zavládol pokoj. Nemohla poprieť, že práve ten jej v uplynulých mesiacoch chýbal najviac. Richarda mala rada – bol predsa jej brat, nemohla mať k nemu iný vzťah –, no s ním sa zároveň zvyšovala úroveň jej stresu. Nepomohli jej ani litre harmančekového čaju, spev či kilogramy čokolády. Od odchodu na odvykaciu kliniku jej poslal niekoľko e-mailov, no vyjadroval sa pomerne vyhýbavo. Vraj sa má dobre, no nedokázala čítať medzi riadkami. Nemala potuchy, či sa má ozaj dobre, ale aspoň mu nehrozilo bezprostredné nebezpečenstvo. Kiežby ho len mohla navštíviť! Bola však priďaleko, a tak mohla iba dúfať, že sa dá do poriadku a zíde z nesprávnej cesty.

Dnes cez okná prúdilo do miestnosti slnko, vnášalo do ošumelej triedy zriedkavé teplo a vyháňalo z nej pochmúrnosť. Aj keď si pripadala sebecká, tešilo ju, že sa už nemusí strachovať, čo ju čaká doma. Pre istotu vymenila zámku a na dvere pridala aj bezpečnostné retiazky. Neubránila sa však presvedčeniu, že teraz, keď je brat preč, jej už nijaké vlámanie nehrozí. Vďaka tomu v noci lepšie spávala, nemusela ležať a načúvať každému zvuku.

Dvere do triedy sa otvorili a zjavil sa v nich Addison Deacon. Usmiala sa naňho. V posledných týždňoch sa v centre často neukazoval a už jej chýbal. Nikto ju tak nepotešil ako on, keď sa u nej zastavil a venoval jej zopár priateľských slov. Aj teraz sa na ňu veselo usmieval.

„Mám čokoládu aj kvety,“ oznámil Addison a ukázal jej exkluzívne vyzerajúcu škatuľku s bonbónmi a kyticu bielych ruží. „Rezervoval som stôl v tej malej reštaurácii na konci ulice. Majú na výber rôzne druhy tiramisu, ktoré sami vyrábajú. Červené víno sa už dekantuje. A ja so zatajeným dychom čakám, či povieš áno.“

Autumn sa začervenala, a keď si od Addisona brala darčeky, pozrela na svojich zverencov. „Sú nádherné.“ Privoňala k ružiam, no, popravde, oči dychtivo upierala najmä na bonbóny.

„Slečna, lepšiu ponuku asi nedostanete,“ upozornil ju Fraser, hoci na názor sa ho nikto nepýtal. Ak si už aj jej zverenci všimli, že jej ľúbostný život je vyprahnutý ako púšť, rozhodne nastal čas niečo s tým urobiť. Pritom väčšina z nich nevidela ďalej do budúcnosti než za svoj nasledujúci záťah. „Addison je super.“

Usmiala sa na svojho nápadníka. „Lepšie odporúčanie asi nedostaneš."

„Znamená to áno?"

„Ach jaj!" Autumn sa chytila za čelo. „Dnes večer mám pracovné stretnutie. O pätnásť minút." Potom sa zamračila. „Nezvolal si ho náhodou ty?"

„Zvolal," priznal sa Addison. „No len pre nás dvoch."

„Ak ide o prácu, potom ťa nemôžem odmietnuť," podpichla ho. „Chcel som sa ubezpečiť, že bratovi povieš, že prídeš neskôr."

„Richard odišiel," oznámila mu. „Chvíľu pobudne v Amerike. Už nemusím nikoho informovať."

„Takže sa už nemáš na čo vyhovoriť."

„Nepotrebujem sa vyhovárať," namietla Autumn. „Rada pôjdem s tebou na večeru."

„Skvelé."

„Super," dodal Fraser a spokojne prikývol.

„Len ešte musím dokončiť toto." Autumn znova obrátila pozornosť na lapač slnka. Fraser jej vzal spájkovačku z ruky.

„Slečna, v živote sú dôležitejšie veci než vitráže," upozornil ju. „Ja to dokončím. A potom upracem."

„Ďalšia ponuka, ktorú nemôžem odmietnuť," zasmiala sa Autumn vďačne.

„A Tasmin mi pomôže," povedal jej žiak a venoval jej také zvodné žmurknutie, aké azda ešte nevidela.

Boh pomáhaj tomu úbohému dievčaťu, pomyslela si Autumn. Keď Fraser vyrazí do útoku a zaplaví Tasmin svojím šarmom, nemá šancu odolať.

Addison jej otvoril dvere a šťastne sa na ňu usmial. Autumn sa rozhodla, že sa uvoľní a užije si to. Zdalo sa, že láska je vo vzduchu.

75. kapitola

Marcus mi vrátil kľúče od svojho bytu. Vraj sa mám k nemu nasťahovať už teraz, nechce čakať, kým sa vezmeme, takže by som to mala urobiť čo najskôr. Na sobotu som si teda najala sťahováka s dodávkou, aby mi previezol veci do Marcusovho bytu. Ten je oveľa krajší než môj. Zvlášť teraz, keď sa zbavil tých hnijúcich kreviet. Neskôr touto milou historkou budeme baviť hostí na večierkoch. Keď tak o tom uvažujem, raz si aj tak budeme musieť zohnať niečo väčšie. Ak si raz – zase raz – založíme rodinu, bolo by fajn mať aj záhradku.

Vezmem kľúč z nočného stolíka a hrám sa s ním. Nie je ešte ani pol šiestej ráno a ja som už hore a nezvyčajne bdelá. Na Camden Road už hučí premávka, ťažké nákladiaky otriasajú oknami. Po väčšinu noci som sa len prehadzovala z boka na bok. Mysľou mi behajú tisíce myšlienok a nedarí sa mi zaspať, hoci by som mohla driemať ešte hodinu, kým budem musieť vstávať do práce. Mohla som si ísť zacvičiť s milou Davinou alebo skočiť do posilňovne, ale to je na túto dennú hodinu priveľmi energické. Mohla by som si ísť zabehať popri kanáli Grand Union, ale tam by mi mohol niekto ukradnúť iPod – v poslednom čase je to tam vraj bežné. Alebo by som si mohla ešte poležať, lenže potom by som stále rozmýšľala o „ideálovi" – a nie v súvislosti s prácou. Zažívam zvláštne príjemné pocity na miestach, na ktorých by ich človek nemal cítiť, keď rozmýšľa o svojom šéfovi. To nie je dobre, však? Celá táto svadba ma znervózňuje, akoby som si až v tejto chvíli uvedomila, aký je to záväzok. Ach jaj. Rozum mi odjakživa vravel, že manželstvo je veľká vec, no emocionálne mi to dochádza až teraz.

Vstanem z postele a doprajem si horúcu sprchu. Napadne mi, že pred odchodom do práce zájdem za Marcusom a ubezpečím sa, že všetko je v poriadku.

Hodím si kľúč do vrecka na bunde a zamierim na metro. Včera večer sme sa nevideli, lebo Marcus pracoval dlho do noci a ja som si balila veci, ale okolo polnoci mi zavolal, že ma ľúbi. Človek by si myslel, že by mi to malo stačiť, ale... Jednoducho ho dnes chcem vidieť. Je takmer pol siedmej a čoskoro bude vstávať, aby si šiel zabehať. Ak ešte spí, mohla by som sa šuchnúť k nemu do postele a prehovoriť ho na iné cvičenie, pri ktorom sa človek rozhorúči a spotí... Náhlim sa, aby som ho zastihla. Potichu otvorím dvere a nazriem dnu.

Marcus je už hore a raňajkuje. Lenže čo má hore, to ani neviem opísať. Čo sa týka jedla, vychutnáva si jogurt a lesné plody s granolou. Nedal si ich však do svojej zvyčajnej misky, namiesto toho sa skláňa nad tou mladou ženou, s ktorou som ho pristihla pri nevere naposledy. Aj vtedy to síce bolo ponižujúce, no nie také názorné ako teraz. Leží pod ním s roztiahnutými nohami a stoná od rozkoše. Marcus jej oblizuje jogurt z bujných pŕs, Joanne má lesné plody rozmliaždené po celom plochom bruchu. A granola? Pravdupovediac, tú by som nechcela mať tam, kde ju má ona. Nemyslela som si, že toto robia aj dvojice, ktoré práve nenakrúcajú porno.

Chvíľu sa zhrozene dívam, ako sa zadok môjho snúbenca rytmicky dvíha a klesá. Členky Čokoládového klubu mali pravdu. Marcus sa nikdy nezmení. Keby som sa zaňho vydala, na toto by som sa mohla tešiť celý život. Kým zvažujem, čo urobím, zaregistrujem, že stonanie ustalo. Marcus a Jo na mňa civejú. Neviem, kto väčšmi vypliešťa oči – či ja, alebo oni.

„Tak mi napadlo, že sa spolu naraňajkujeme," oznámim pokojne. „No vidím, že si začal bezo mňa."

Marcus vyskočí, čosi začvachtá. Penis zamazaný jogurtom sa mu rýchlo scvrkáva a mne mysľou prebehne, že aspoň nedostane kandidózu. Marcus si dáva obyčajne na raňajky iba hrianku. Rozmýšľam, kto nakúpil všetky tie ostatné potraviny, a potom si uvedomím, že granolu by vybrala iba žena.

Spýtavo sa na ňu dívam. Kam sa podela ženská solidarita? Keby si ženy prestali navzájom ubližovať, na svete by bolo oveľa menej bolesti. Uznávam, muži sú asi stratený prípad, no my ženy dokážeme prestať podvádzať iné ženy s ich manželmi, priateľmi, snúbencami. Jo sa opiera o lakte a vzdorovito na mňa hľadí. Za to by som ju najradšej strieskala, najlepšie kriketovou pálkou. „Kto by si bol pomyslel, že ťa zase uvidím," prihovorím sa jej. „A tak skoro."

Marcusove raňajky sa zatvária pomerne vydesene.

„Vysvetlím ti to," ozve sa Marcus a pokúša sa zliezť zo stola akotak dôstojne. Nepodarí sa mu to.

„Som samé ucho."

„Toto bolo naposledy," presviedča ma. Na kolenách má rozmliaždené maliny. „Naozaj naposledy. Chcel som si ešte naposledy užiť, než sa usadím. Len čo by si sa ku mne nasťahovala, bol by som ti absolútne verný."

Jo nevyzerá, že by o tomto niečo vedela, a zagáni na môjho snúbenca. Možno sa mu aj ona neskôr vkradne do bytu, naplní mu šaty a topánky zvyškami jedla a nechá mu smradľavé krevety v pohovke. Lebo ja sa tým už nebudem znova obťažovať.

„Volal si mi, že ma ľúbiš, a pritom bola u teba?"

Jo očividne nevie ani o tomto. Marcus si hryzie peru.

Civiem naňho, akoby som ho videla prvý raz. Vyzerá smiešne – na vtákovi jogurt, hruď a nohy zababrané od ovocnej šťavy, vo vlasoch raňajkové cereálie. Vybuchnem do smiechu. Marcus sa zasmeje tiež, ale nervózne.

„Och, Marcus," založím si ruky v bok. „Nemôžem uveriť, že si to urobil zasa." Prehýbam sa v páse od smiechu.

„Ľúbim ťa," hlesne skľúčene a potom sa smeje so mnou. Znie to silene.

Keď sa upokojím, potichu poviem: „Marcus, nesmejem sa s tebou, ale na tebe."

Stiahnem si zásnubný prsteň z prsta a vložím ho do misky s jogurtom, ktorá leží Jo pri nohách. Zdvihnem ju a vylejem mu jogurt na hlavu. Pomaly mu steká po tvári. Oblizne si ho z pier. Možno nahovorí Jo zlízať mu ho, až odídem. „Marcus, toto je naozaj poslednýkrát, čo si mi to urobil."

Vyjdem z dvier a potichu ich za sebou zavriem. Vyberiem kľúč, ktorý som znovu dostala iba nedávno, a hodím ho do otvoru na listy.

Na ulici počujem, ako môj bývalý snúbenec na mňa z okna kričí, ale jeho prosby odnáša vietor. Cestou na metro zase dostanem záchvat smiechu. Po tvári mi stekajú slzy a bláznivo sa chichocem. Nastúpim do metra, ale nohy ma už odmietajú niesť, a tak klesnem na zem pri automate na lístky a schúlim sa do klbka. Smejem sa a cestujúci sa tlačia okolo mňa, kupujú si lístky a nezaujímajú sa o rozrušenú ženu, ktorá sedí na zemi. Smejem sa a smejem. Smejem sa na tom, aké je to celé nezmyselné. Smejem sa na tom, aká som bola hlúpa, keď som uverila, že Marcus sa mohol zmeniť. Smejem sa na Marcusovom penise pokrytom jogurtom, hoci to bol asi najsmutnejší pohľad, aký sa mi v živote naskytol. Smejem sa, lebo som opäť sama a neviem, ako to zvládnem. Smejem sa, lebo teraz si už nemusím vymýšľať výhovorku, prečo sa nemôžem vydávať v *Trington Manor*. Smejem sa tak veľmi, až si idem vyplakať oči.

76. kapitola

Do kancelárie prídem vo vážnej nálade. Smiech pominul. Cestou som zjedla tri karamelové tyčinky Crunchies, aby som si zdvihla hladinu cukru, a je mi oveľa lepšie. Marcus mi doteraz zavolal tridsaťšesťkrát, no všetky jeho hlasové správy ignorujem. Viem si domyslieť, čo v nich opakuje: *Ľúbim ťa. Vysvetlím ti to. Ona pre mňa nič neznamená.* Niečo v podobnom duchu. Prečo si muži vždy myslia, že urobia dobre, ak ženu, s ktorou ich prichytili, znevážia tvrdením „ona pre mňa nič neznamená"? Máme sa vďaka tomu cítiť lepšie? Ak už je chlap ochotný riskovať svoj vzťah, mal by to urobiť s niekým, kto preňho znamená veľa! *Nerozumiem, prečo by táto malá odbočka mala znamenať, že sa nemôžeme vziať,* vravel ďalší odkaz, pri ktorom som sa skoro znova hystericky rozosmiala.

Keď dorazím do Targy, „ideál" už sedí vo svojej kancelárii. Zamierim k automatu pripraviť mu bielu kávu s dvoma cukrami, aj keď riskujem, že na túto technológiu budem krátka. Zanesiem mu ju do kancelárie aj s tyčinkou Twix, ktorú som mu kúpila.

Pán Aiden Holby sedí na stoličke s nohou v sadre vyloženou na stole. Položím pred neho kávu s tyčinkou.

„Ty si moja záchrana," poteší sa a pomädlí si ruky. Zaraz sa vrhne na tyčinku, nedočkavo ju rozbaľuje a popritom sa ma spýta: „Ako sa dnes máte, pani kráska?"

„Slečna kráska," opravím ho a natrčím mu prstenník, na ktorom už nežiari prsteň.

„Ohohó," všimne si „ideál". „Tak skoro?"

„Diamanty sú večné," odvetím. „Smaragdy majú zrejme kratšiu životnosť."

„Nechceš sa mi zdôveriť?"

„Ani nie."

„Červené oči a fľakaté líca," poznamená. „To u žien nikdy nie je dobré znamenie. Pristihla si ho s inou?"

„Nie s ňou, ale v nej."

„Kedy?"

Pozriem sa na hodinky. „Asi pred hodinou," odvetím. „No už som sa z toho dostala." Pichne ma pri srdci. Už nikdy nebudem jesť jogurt. Ani lesné plody. Ani granolu. Ešteže Marcus nenatrel tú potvoru čokoládou.

„Vezmem ťa na obed," vyhlási „ideál" rozhodne. „Na jedno pekné miesto. Budeme sa tváriť, že hovoríme o práci. Môžeš si to dať vyplatiť vo firme a ja to schválim. Môže byť?"

Prikývnem.

„Aj ja mám pre teba novinku."

„Dobrú?" Ďalšiu zlú správu dnes asi neznesiem.

„Ideál" pomrví prstami, ktoré mu trčia zo sadry, a uprene si na ne hľadí. „To závisí od uhla pohľadu."

Nie som si istá, či to chcem počuť, ale ak sa popritom zadarmo najem, prečo nie? „Idem sa teda pustiť do práce," oznámim. Alebo sa tak aspoň tváriť. V tejto chvíli asi nebudem ktovieako produktívna.

„Som rád, že sa nebudeš vydávať," povie „ideál". „Z čisto sebeckých dôvodov."

„A tie sú…"

Spojí si prsty do striešky a ponad ne sa na mňa díva. „Ak sa má s tebou niekto oženiť, podľa mňa by som to mal byť ja."

„Tento vtip ti nevyšiel," odbijem ho a tresnem za sebou dverami.

77. kapitola

Dopoludnie sa vlečie ako slimák. Čas si krátim zadávaním údajov o predajnosti do tabuliek, ktoré sa mi potom kamsi stratia. Roztrhnem si pančuchy na trieske pod stolom a pošlem sťažnosť na desivý stav ochrany zdravia a bezpečnosti v tejto spoločnosti Helen, vedúcej megere z personálneho. Veľmi sa so mnou nebaví. Keďže mám zmluvu na určitý čas a na konci mesiaca mi ju možno nepredĺžia, vraj mi to môže byť jedno.

Vrcholom je ďalších štyridsaťtri prosebných telefonátov od Marcusa, ktoré vytrvalo ignorujem. Vypla som si zvuk v mobile, takže teraz mi telefón iba divoko vibruje a poskakuje v kabelke, ale aspoň ho nepočujem. Dúfam, že Marcus si natiahne sval na tom prste, ktorým ustavične ťuká na moje číslo.

Keď som už presvedčená, že „ideálovi" náš obed vyfučal z hlavy a už-už si položím hlavu na stôl a zahorekujem, zastane pred mojím stolom a opýta sa: „Môžeme ísť, kráska?"

Vezmem si kabát a nasledujem ho do výťahu. Všimnem si, ako svižne chodí o barlách, už má v tom prax. Súcitím s ním a vo výťahu sa naňho vľúdne usmejem.

„Čo je?" zachmúri sa.

„Nič, iba sa na teba usmievam," zahovorím to. „Som milá."

„Ideál" sa nadýchne a pokrúti hlavou. „Nuž, kráska, neviem, neviem, či sa s tým dokážem vyrovnať."

Zo žartu ho plesnem kabelkou. Asi prisilno, lebo mu vyrazím barlu z ruky. „Ideál" stratí rovnováhu.

„Och, dočerta!" Rýchlo mu pomáham.

„To je lepšie," uškrnie sa spokojne, keď sa vystrie a oprašuje si oblek. „Toto je Lucy, ktorú poznám a ktorú ľúbim."

„Drž zobák," zahriaknem ho, „inak ti privriem nohu do dverí taxíka."

Pri nasadaní do taxíka dávam pozor, aby som mu najprv pomohla nastúpiť a nepricvikla mu nohu do dverí. Veď viete, čo sa hovorí o slovách vyslovených zo žartu. Nakoniec môžu byť pravdivé.

Vystúpime pred jednou z najštýlovejších reštaurácií v meste – *The Tower*. Nachádza sa v prerobenom sklade v South Banku, je z nej krásny výhľad na rieku a vedie ju jeden z tých slávnych šéfkuchárov z telky – nie ten, ktorý nadáva ako pohan, ale ten druhý. Je to ten druh reštaurácie, v ktorej by som nerada vystrelila hrášok – alebo *mélange de petits pois* – z taniera na zem alebo niečo podobné. Jednoducho si tam nemôžem dovoliť nijaký malér. Vyvezieme sa výťahom na štvrté poschodie a zavedú nás k stolu pri okne. „Ideál" si položí barly k nohám.

„Je to tu nádherné," nadchýnam sa. Zaujímalo by ma, či sem vzal aj štetku Charlotte alebo Donnu z oddelenia spracovania dát. Stavím sa, že nie! Výhľad je úžasný. Sivú Temžu križujú bafkajúce výletné lode. Voda zaliata slnečnými lúčmi sa chveje a trblieta ako striebro. Žijem v Londýne roky, no nikdy som sa naň nedívala očami turistky a nevybrala sa k pamätihodnostiam, ktoré stoja za návštevu. V lete to možno napravím. Boh vie, že teraz budem mať kopu času a budem si s ním môcť robiť, čo chcem.

Jedálny lístok ponúka samé lahôdky a v tom mojom nie sú uvedené ceny. Nenapadlo by mi, že sa s tým v nejakej reštaurácii ešte stretnem, kvôli rovnoprávnosti a tak. No stavím sa, že tu nič nestojí menej než päť libier, hádam ani pohár vody. Účet však zatiahne Targa, a tak sa nemienim obmedzovať. Objednáme si a potom „ideál" navrhne: „Dajme si aj šampanské. Potrebujem sa napiť a ty asi tiež."

Čašník nám prinesie fľašu príšerne drahého bublinkového nápoja a naleje nám ho do pohárov. Štrngneme si. „Kráska, vyzerá to ako rande," zasmeje sa nervózne.

Aj ja sa nervózne zasmejem a odvetím: „Máš pravdu, vyzerá." Potom si vďačne upijem šampanského. „Môžem sa ťa na niečo opýtať?" vyhŕknem z mosta do prosta, než si to rozmyslím. „Začal si ma volať kráska preto, lebo si si nevedel zapamätať moje meno?"

„Nie," odvetí „ideál". „Pretože si krásna."

„Aha."

S očakávaním na mňa hľadí.

„Tak potom je všetko v poriadku," pripustím veľkoryso.

Znova sa zasmeje a na moje prekvapenie ma chytí za ruku. Srdce sa mi rozbúši. „Nadišiel čas na priznania," oznámi. „To ja som ti poslal do kancelárie tú drahú kyticu."

„Ty?"

Prikývne.

„A ja som si myslela, že je od Marcusa!"

„Hej. A poriadne ma to škrelo. Hodiny som si lámal hlavu, kým som zosmolil primerane záhadný odkaz, a potom ho Nechutný Derek stratil. A ja som prišiel o dievča."

„Nie celkom," opravím ho.

„Celú večnosť ťa chcem pozvať na rande," pokračuje so skrúšeným výrazom a prepletie si prsty s mojimi. „Neviem, prečo som to ešte neurobil."

„Lebo si nepriateľ žien a máš fóbiu zo záväzkov?"

„Alebo som možno iba plachý a neistý."

Zasmejeme sa na tom.

„A obaja sme mali vzťah," dodá.

„Ktorý sa neskončil dobre," pripomeniem mu.

„Na to si pripijem, kráska," vyhlási a prevráti do seba šampanské.

„Nuž, teraz som voľná," neostýcham sa povedať. Šampanské mi už očividne udiera do hlavy. „Radšej teda po mne chňapni skôr, než sa zo mňa stane mníška. Alebo lesba. Alebo oboje."

„Neviem, či radšej ešte nepočkám," zamyslí sa „ideál". „Mohla by to byť zábava."

Vzdychnem si a zvolím najzvodnejší tón. „Nemyslíš si, že sme čakali už dosť dlho?"

„Mal som dnes v pláne vziať ťa sem a pokúsiť sa ťa presvedčiť, aby si Marcusa nechala," prizná sa. Na líca mu vystúpi červeň. „Som rád, že mi ušetril námahu."

Rozosmejem sa, no nie tak hystericky ako dnes ráno.

„Ostáva mi už len presvedčiť ťa, aby si to skúsila so mnou," pokračuje.

„Neviem, či ma bude treba dlho presviedčať." Viem, že by som si mala dopriať čas byť chvíľu sama, aby sa mi zahojilo zlomené srdce, no to som skúšala už veľakrát, ale márne. Ak to teda chcete vedieť, pokojne sa strmhlav vrhnite do ďalšieho vzťahu a riskujte večné zatratenie.

„Ideál" našpúli pery. „Má to háčik."

Prečo ma to neprekvapuje?

„Povýšili ma."

„To je fantastické. Gratulujem." Znovu si štrngneme a chlipneme bubliniek. Svet sa začína krútiť rýchlejšie, než by mal. „To je dobrá správa, nie?"

„Stanem sa riaditeľom medzinárodného predaja."

„Páni! Tuším by som mala pred tebou sňať klobúk."

„Čo ti v tom bráni?" podpichne ma „ideál". „Neváhaj."

Rýchlo si odpijem bubliniek.

„Mojou prvou úlohou bude odštartovať nový marketingový projekt..."

„To zvládneš ľavou zadnou."

„… v Austrálii."

Svet sa zastaví. „V Austrálii?"

„Nie je to tak ďaleko," upokojuje ma „ideál" rýchlo. „Fakt."

Podľa mňa sú to kilometre. Mnoho kilometrov. A ešte viac kilometrov. Je to tak ďaleko, že sa odtiaľ človek už ani nemusí vrátiť. Dokonca aj dnes, keď môžeme lietať, kam len chceme, keď sa svet zmenšil a stal sa akousi globálnou dedinou, je Austrália poriadne ďaleko. Ak letenka na to miesto nestojí desať libier, treba ho považovať za veľmi vzdialené.

„Na šesť mesiacov," pokračuje „ideál". „Maximálne. Potom by som sa mal vrátiť do Británie."

Šesť mesiacov. Za ten čas sa môže prihodiť čokoľvek. Aké sú šance, že dokáže dvadsaťšesť týždňov odolávať miestnym krásaviciam? Priam ho vidím, ako beží po Bondi Beach ako v spomalenom zábere s nejakou prsnatou odfarbenou blondínou à la Baywatch, surfy pod pazuchami, slnko im páli na bronzové telá. Vôbec sa mi to nepáči.

„Ide o to…" vtrhne mi do myšlienok. Zúfalo sa pokúšam vypudiť z hlavy tú skľučujúcu predstavu. „Ide o to… že by som bol rád, keby si šla so mnou."

Spozorniem. „Ja? S tebou? Do Austrálie?" V takej luxusnej reštaurácii, vlastne nikde, by som nemala hovoriť tak nahlas. „Ja? S tebou? Do Austrálie?" zopakujem neveriacky. Presne toto je dôvod, prečo som v triede nikdy nevynikala. V období krízy sa mi spomaľujú myšlienkové procesy. Aj preto boli skúšky pre mňa peklo.

„Myslím na to celé dopoludnie. Nebolo by to skvelé?" „Ideál" mi povzbudzujúco stisne ruku. „Načasovanie nemôže byť lepšie – v istých ohľadoch. Čo ťa tu drží? S Marcusom si sa rozišla. Máš mizernú prácu bez lepších vyhliadok. Nijaké záväzky."

Nepozdáva sa mi, ako pán Aiden Holby opisuje môj život. Odhadol ho totiž dosť presne.

„Obaja získame šancu na nový začiatok. Môžeme si budovať vzťah bez toho, aby sme riešili tunajšie hlúposti," rozhodí rukami. „Čo môžeme stratiť? Poznáme sa dosť dobre na to, aby sme vedeli, že by sme to mohli spolu skúsiť, nemyslíš?"

Znova sa rozosmejem, tentoraz aj so štipkou hystérie, zrejme podporenej alkoholom. „Mohli," vydýchnem. Len čo to vyslovím nahlas, pomyslím si, že by sme to ozaj mohli vyskúšať. Ako vraví Aiden, čo ma tu drží? Chýbať mi budú iba dievčatá z Čokoládového klubu. Bez nich mi nepochybne ostane v živote veľká diera, ale bez koho ešte nedokážem žiť? Nikoho takého nepoznám, veru nie. A čokoládu majú aj v Austrálii, však? Určite. A keby ma tam prikvačila núdza, dám si ju poslať od Cliva. Alebo by som mohla u protinožcov založiť pobočku Čokoládového klubu.

„Znamená to áno?" uisťuje sa „ideál" nervózne. „Pôjdeš so mnou?"

„Áno!" vyhŕknem a zachichocem sa. „Áno, pôjdem."

Aiden si o kúsok presunie zlomenú nohu, nakloní sa ponad stôl a pritiahne si ma k sebe. „Ani nevieš, aký som šťastný." Perami vyhľadá moje a pobozká ma. Uprostred luxusnej reštaurácie pred zrakmi všetkých hostí. Príbory cinkajú. Asi som predsa len rozsypala hrášok po zemi, ale je mi to jedno. „Ideál" má teplé a jemné pery, chutia po šampanskom. Vlna vzrušenia sa mi ženie od hlavy po päty, cestou sa zastaví na zaujímavých miestach. Som veľmi rada, že som súhlasila.

78. kapitola

Objednáme si ďalšiu fľašu šampanského a pijeme ju prirýchlo. Bublinky mi stúpajú do hlavy a útočia na mozog. Hlava sa mi však krúti skôr od radosti než od alkoholu.

„Kedy máš odcestovať?" opýtam sa zasnene.

„Kedy máme odcestovať, kráska," opraví ma „ideál". Pocítim ďalší príval na určitých miestach. „Len čo mi toto zložia," pozrie sa na sadru. „So sadrou človeka zrejme nepustia do lietadla. Mali by mi ju dať dole budúci týždeň. Asi týždeň nato odletím."

Takže o dva týždne! „Budem musieť prenajať byt." A musím si nakúpiť šortky, tričká, opaľovací krém s faktorom aspoň päťsto a účinný repelent.

„Zaplatím ti letenku."

„To nech ti ani nenapadne," namietnem, no moje siláctvo je väčšie než zostatok na mojom bankovom účte. „Máš dosť svojich výdavkov. Zvládnem to." Nuž čo, vyžmýkam svoju kreditku do poslednej pence. Ktovie, či človeka nasledujú dlhy aj na druhý koniec sveta. Asi hej.

„Budeme bývať v Sydney," informuje ma „ideál". Mierne sa mu pletie jazyk. Mali by sme sa krotiť, lenže fľaša je už prázdna. Ako sa to stalo? „V živote som tam nebol, ale vraj je tam krásne. Targa mi tam prenajme byt."

„Nám," opravím ho a obaja sa chichúňame ako deti. „Bože, čo povedia v kancelárii?"

„A čo nás po tom?" opýta sa „ideál" a hrá sa s mojimi prstami.

„Budú dosť prekvapení," uvažujem. „Veď aj ja som prekvapená." Počkajte, až sa to dozvie štetka Charlotte! Ha-ha! To je skóre! Štíhla krásavica – nula bodov. Bucľatá čokoholička – bod!

„Budem tam môcť pracovať?"

„Neviem," pripustí Aiden. „Možno ti tam Targa niečo nájde."

„Porozprávam sa s megerami z personálneho." Určite mi s radosťou nájdu niečo v Austrálii, ak to znamená, že ma chvíľu neuvidia.

I keď sa nám už pletú jazyky, zvládneme si ešte objednať dezert. Položia medzi nás veľký tanier s čokoládou. Pokúsim sa vložiť „ideálovi" do úst lyžičku s posledným kúskom peny z bielej čokolády, no miniem a narazím mu do nosa. Chechceme sa, keď si ho utiera servítkou.

„Naozaj si si istý, že si to želáš?" opýtam sa ho čo najtriezvejšie.

„Deliť sa s tebou o dezert?"

„Nie, ty trúba. Emigrovať so mnou." Zasa dostaneme záchvat smiechu.

„Som si istý," vyhlási. „A ty?"

Roztápam sa pod náporom emócií a odvetím: „Som si istá." Po líci mi stečie osamelá slza a „ideál" mi ju nežne zotrie palcom.

„Chcem sa o teba starať." Zasnene sa na mňa díva. „Chcem ťa nosiť v srdci a strážiť si ťa ako poklad."

„Aj ja to chcem," súhlasím bez dychu. Chytím ho za ruku a priložím si ju k lícu. „Čo keby sme sa už nevrátili do práce?" navrhnem. Pravdupovediac, bola by som rada, keby sme to nosenie v srdci a stráženie ako poklad už neodkladali. „Nikomu nebudeme chýbať. Poďme ku mne."

„To znie ako veľmi dobrý nápad, kráska."

Akosi sa nám podarí zaplatiť účet a tackavo vstaneme. „Ideál" neisto poskakuje na jednej nohe a hľadá čo najpohodlnejšiu polohu na barly.

„Zvládneš to?"

Mierne opito vydýchne, keď sa pokúša vystrieť a vyzerať triezvo. „Jasné," ubezpečí ma. „Jasné."

Pomáham mu odkrivkať von z reštaurácie a odsúvam mu stoličky z cesty, i keď sa mi motá hlava. Tú druhú fľašu sme nemali vypiť. Bol to veľmi zlý nápad.

Len čo vyjdeme z reštaurácie na tichú chodbu, „ideál" si ma k sebe znova pritiahne. Opriem sa o stenu, aby som sa nezošuchla na zem, a on sa na mňa pritisne celým telom a vášnivo ma bozkáva. Rukami mi blúdi po tele. Kiežby som si obliekla tenšie šaty alebo najlepšie žiadne. Doslova horím. Primknem sa k nemu, až teraz zisťujem, čo to slovo vlastne znamená. Zahmlieva sa mi rozum, už vôbec nerozmýšľam jasne. Nemôžem sa dočkať, kedy privediem tohto muža k sebe domov.

„Zbláznili sme sa?" vydýchne mi Aiden do vlasov.

„Áno," dychčím. „Zbláznili a sme šialene nerozumní, ale podľa mňa je to úžasné."

„Aj podľa mňa."

„Ideál" po mne očividne túži rovnako ako ja po ňom. Prečo nemajú v reštauráciách k dispozícii miestnosti, ktoré by si človek mohol na hodinu prenajať? Bola by to perfektná služba. Určite nie sme jediný pár, ktorým po chutnom obede a priveľkom množstve alkoholu lomcujú takéto pocity. Pár! „Ideál" a ja sme pár! Sme pár!

Než sa obaja načisto prestaneme ovládať, naveľa sa od seba odtrhneme. Napravíme si odev, vymeníme si túžobné pohľady a pokračujeme v ceste. Všetko prebieha hladko, až kým neprídeme k výťahu. Visí na ňom ceduľa s nápisom *MIMO PREVÁDZKY*.

„Dočerta!" zanadávam. „Čo teraz?"

„Zvládnem to aj po schodoch," vyhlási „ideál" statočne.

„Štyri poschodia?"

Neisto sa zachmúri. „Určite."

„Už si schádzal s barlami po schodoch?"

„Ani nie," prizná.

„Pozrime sa, či tu nie je služobný výťah," navrhnem. „Zviezli by sme sa síce so zeleninou, ale bude to lepšie, než skackať dolu schodmi."

„Netreba, fakt to zvládnem," presviedča ma. A už aj schádza, opatrne zoskakuje z jedného stupienka na druhý. Srdce mi skočí až do hrdla. Vôbec nevyzerá stabilne. Sama mám čo robiť na ihličkách, a to mi ani nezavadzajú barly. Nemôžem sa na to pozerať.

Asi po piatich schodoch sa „ideál" nepekne zakolíše. Barly sa mu šmyknú na schode a spadnú, no podarí sa mu udržať rovnováhu. Zachechtá sa. „To bolo tesné," zhodnotí.

„Pôjdem pred tebou," ponúknem sa. „Môžem ti pridržiavať barly."

„Netreba."

„Ale treba." A tak sa znova vydáme na cestu, ja cúvam dolu schodmi pred ním.

„Ideál" skacká ku mne. Zdá sa mi, že kráča istejšie.

„Poď," nabádam ho. „To je ono. Ide nám to."

„Lucy, zvládnem to aj bez pomoci. Radšej sleduj, kam kráčaš ty."

Mám roztiahnuté ruky, keby náhodou spadol. „Opatrne. Opatrne."

„Dávaj pozor, schody sa za tebou zužujú," upozorní ma.

„Čože?" nechápem. Otočím sa a neviem prečo, no zvrtne sa mi členok. Stratím rovnováhu a zatackám sa. „Ideál" bez váhania odhodí barly a vrhne sa ku mne, chce ma zachytiť. Márne. A tak padám. Padám a padám.

79. kapitola

Davina poskakuje ako šialená. Zato ja nie. Spokojne si hoviem na gauči, s chuťou vyprázdňujem škatuľu s čokoládovými cukríkmi Bendicks, ktorú mám položenú na bruchu, a tvárim sa, že pozeraním videa do seba osmoticky vcucnem účinky jej cvičenia. Zlomenú nohu v krikľavoružovej sadre mám vyloženú na kope vankúšov. Akoby mi po nej pod sadrou lozili tisíce mravcov, idem z toho zošalieť. Nemôžem uveriť, že „ideál" to zažil tiež, a pritom sa ani slovkom nesťažoval. Ja ustavične hlcem tabletky proti bolesti a skuvíňam nad svojím nešťastím pred každým, kto je ochotný počúvať ma. Je to so mnou až také zlé, že dokonca každý deň vyplakávam mame do telefónu. Takto som skončila po veľkolepom páde zo schodov v The Tower a asi som si to zaslúžila.

Ozve sa energické zaklopanie na dvere a vzápätí vojde Aiden. Iróniou osudu už nemá sadru, ešte sa však opiera o paličku, s ktorou vyzerá veľmi elegantne. Podíde ku mne a pobozká ma. „Ako sa dnes cítiš, kráska?"

„Žiadna sláva," zadudrem a odložím cukríky. Stihne si jeden uchmatnúť.

„Hlavu hore," povzbudzuje ma a vlepí mi ďalší bozk.

Aidenovi zložili sadru pred vyše týždňom a teraz, samozrejme, zamieri do Austrálie, aby ako riaditeľ medzinárodného predaja založil nové marketingové oddelenie Targy. Dnes odchádza. Bezo mňa.

„Máš tu dosť čokolády, aby si to prežila?" Chladnička je plná na prasknutie. Ja som plná na prasknutie. Napriek sexi priateľovi je čokoláda momentálne jediná moja útecha. Keďže som dočasne indisponovaná, s „ideálom" sme sa do postele ešte nedostali, a to ma šialene frustruje. Zatiaľ teda ostávame pri starom dobrom maznaní, to však niekedy jednoducho nestačí, no nie? Zvlášť keď sa na šesť mesiacov vyparí kamsi do diaľavy. „Priniesol som ti ďalšie." Aiden položí na konferenčný stolík rôzne tyčinky a škatuľky čokolády. „Pre prípad, že by sa ti míňali zásoby."

Kým sa znova postavím na nohy, bude zo mňa stokilová vzducholoď s vyrážkami po celej tvári. A predsa som nikdy nebola šťastnejšia než teraz. Už nestrkám hlavu do záchodovej misy, keď sa prepchám. To je dobrá správa, však? Viac si vážim samu seba a vnímam sa v lepšom svetle. Dokonca mi mierne stúplo sebavedomie, ktoré v poslednom čase utrpelo smrteľné rany. Naozaj iba trošku, no určite vo mne klíči semienko šťastia a azda raz aj rozkvitne. Toto všetko pripisujem tomu, že som sa definitívne rozišla s tým sviniarom Marcusom a nahradila ho „ideálom", ktorý má na mňa upokojujúci vplyv. V posledných týždňoch je môj nový priateľ absolútny zázrak. Ako som vôbec mohla bez neho žiť? Ako to bez neho zvládnem? Rastie vo mne panika. Rýchlo siahnem za čokoládou a hodím si ju do úst. Spokojne zavzdychám. Musím ostať pokojná, kým bude na opačnej strane sveta.

Cez týždeň ma navštívili aj dievčatá z Čokoládového klubu. Takisto prišli vyzbrojené čokoládovými lahôdkami od výmyslu sveta a zahrnuli ma súcitom. Aby mi rýchlejšie ubiehal čas, priniesli mi knihy o čokoláde z poličky v Čokoládovom nebi a dévedéčka *Charlie a továreň na čokoládu* a *Čokoláda*. V oboch hrá nenapodobiteľný Johnny Depp. Ktovie, či aj on zbožňuje čokoládu. Ak áno, budem ho milovať ešte viac. Práve čítam knihu *Priatelia, milenci a čokoláda* od Alexandra McCalla Smitha, a tak si Johnnyho Deppa ušetrím na časy, keď ma prikvačí ešte väčšia melanchólia. Dievčatá sa u mňa zastavia aj neskôr, aby ma rozveselili.

„Pekné kvety," skonštatuje Aiden.

Na príborníku stojí váza s obrovskou kyticou zo svetloružových kvetov z Holandska. „Prišli dnes ráno." Tentoraz naozaj od Marcusa. Ten chlap má teda drzosť! Neviem, ako sa môj mizerný bývalý snúbenec dozvedel, že som si zlomila nohu, zrejme ho informoval niekto z našich spoločných známych. Kartička so sentimentálnym odkazom, ktorý na ňu načmáral, putovala priamo do koša. *Bozkávam Ťa. Stále Ťa ľúbim. Veľmi ma to mrzí.* Daj sa vypchať! Koľkokrát som to počula, Marcus? S tým na mňa nechoď, v mojom živote niet pre teba miesta. Už mám aj skvelého priateľa. Ha! Kvety sa mi však páčia, tak som si ich nechala. Napokon, bolo by ich škoda.

„Od starého priateľa," poviem „ideálovi", pretože Marcusovo meno nemienim ani vysloviť, nehovoriac o tom, aby som ho za takýto krásny kvetinový aranžmán pochválila.

Ak aj môj nový priateľ šípi, odkiaľ sú, nechá si to pre seba.

„Najradšej by som tu s tebou ostal," vzdychne Aiden. Pohladí ma po vlasoch a nežne mi zastrčí prameň za ucho.

„Zvládnem to," ubezpečím ho, no vzápätí vybuchnem do plaču.

Vezme ma do náručia a utešuje. „Nebude to nadlho. Môžeš prísť za mnou, len čo ti zložia sadru." To sa načakám. Mám s tým skúsenosti. Okrajom môjho trička mi utrie slzy. „Všetko tam pre nás pripravím. Možno je to takto aj lepšie." Zháči sa, vie, akú hlúposť povedal, a obaja sa zasmejeme. „Možno to takto nie je lepšie, ale vieš, čo som mal tým na mysli."

Znova sa opriem o vankúše. Ešte vždy mám pocit, že sa mi sníva. Stále som presvedčená, že len čo „ideál" pristane na druhej strane sveta, zabudne na mňa. Opäť sa mi pred očami odvíja film s blondínou na pláži.

„Nemôžem sa zdržať dlho," poznamená Aiden, čím, našťastie, skráti tú scénu, ktorá sa postupne menila na porno. „Čoskoro po mňa príde taxík, musím sa ešte pobaliť."

„Dúfam, že sa ti tam bude dariť. Naozaj mi budeš chýbať."

„Aj ty mi budeš chýbať, kráska." Kľakne si a chytí ma za boky. Ani sa nenazdáme, a už sa zase budeme maznať. Pomaly mi odspodu rozopína gombíky na blúzke a popritom mi posieva brucho horúcimi bozkami. „Presne takto si ťa chcem zapamätať."

„Čože? Tlstú, neupravenú, utrápenú, neschopnú a načisto hotovú?"

„Nie," odporuje. „Rozkošnú ako vždy."

„Mohli by sme sa aspoň raz milovať," navrhnem s nádejou. „Tu. Teraz. Rýchlo."

„Nechcem to rýchlo," zachmúri sa Aiden. „Čakali sme tak dlho, chcem to urobiť poriadne."

„Mne postačí aj neporiadne."

„Môžeme počkať."

On to možno dokáže, no ja asi nie. „No tak, ľahni si ku mne." Posuniem sa a „ideál" si ľahne vedľa mňa. „Iba ma objím."

Samozrejme, netrvá dlho a okrem objímania robíme všetko možné. Pery nám horia, nevieme sa nabažiť bozkov. Ruky sa nám prepletajú tak, že aj chobotnica by bola na nás hrdá. Rozopnem Aidenovi košeľu, moja blúzka už zmizla a podprsenka putuje na to isté miesto. Krv v nás vrie. Bradavky – a nielen tie – tvrdnú. Všetky miesta, ktoré si pýtajú bozky, ich už dostali – a možno aj tie, ktoré si ich nepýtali. Všetko prebieha ako po masle. Dokonalý, učebnicový sex. Vzdychnem od radosti.

„Ach, Lucy," zašepká mi Aiden do ucha.

Čistá blaženosť. Ožíva mi každé nervové zakončenie v tele, brní rozkošou. Aiden mi rozopne zips na sukni. Horko-ťažko mi ju sťahuje z bokov a cez sadru. Som síce indisponovaná, moja moc ako bohyne lásky sa však ani trochu nezmenšila. Od extázy ma delia iba zvodné nohavičky. Ešteže som si ich dnes ráno vybrala. Niežeby som si predstavovala takýto vývoj udalostí. Ha-ha! „Ideál" mi ich chytí a sťahuje. Darmo som sa kedysi vyhrážala, že mi nikdy nesiahne na nohavičky ani na zadok.

„Počkaj, počkaj," zabrzdím ho. „Pretočím sa, nebude to také zložité." To sa však ľahšie povie, než urobí. Prehodím nohu ponad „ideála" a netuším, čo som urobila zle. Asi som ju prehodila priďaleko.

„Och, Lucy!" skríkne Aiden, no nie od radosti.

Vyšmyknem sa mu z rúk, vymrštím sa z pohovky a so žuchnutím dopadnem na zem. Darren si bude myslieť, že znova cvičím s Davinou.

„Nič sa ti nestalo?" zisťuje „ideál". Vykukne na mňa z gauča a potláča smiech.

„Nezlomila som si aj druhú nohu, ak narážaš na to."

Pomôže mi vstať, opráši mi sukňu, ktorú mám stiahnutú na kolená, a ponapravuje mi oblečenie. Mám pocit, že čaro okamihu pominulo. Niekedy to človek jednoducho vie.

„Mali by sme počkať, kým nebudeš taká doriadená," skonštatuje. Zrejme má na mysli moju nohu, nie hladinu alkoholu v krvi. „Nechcem ti spôsobiť ďalšie zranenie."

Zranenie utrpela iba moja hrdosť, už zasa. „Ideál" si zapína košeľu. „Kráska, už musím ísť."

„Mohla by som ťa odprevadiť na letisko."

„Bol by som radšej, keby si ostala vnútri a nikam nechodila, kým ti to nedajú dole," ukáže na moju sadru. „Máš čo robiť, aj keď si zdravá, takže si nechcem ani pomyslieť na pohromu, ktorú by si napáchala s barlami."

„Tebe to s nimi šlo."

„Pretože muži sú nadradené bytosti, keď ide o... nuž, o všetko."

Buchnem ho vankúšom. „Pripomeň mi, prečo ťa ľúbim."

„Lebo len čo vyzdravieš, unesiem ťa a doprajem ti lepší život, tak ako to robia všetci správni rytieri v lesklej zbroji."

Znova ma pália slzy v očiach. „Ideál" už musí ísť. Zahryznem si do pery, aby som sa nerozplakala. „Ľúbim ťa."

„Aj ja teba, kráska."

„Nezabudneš na mňa, však?"

Chytí mi líca do dlaní a vrúcne ma pobozká. „Ako by som mohol?"

80. kapitola

„Môj ľúbostný život je len slzavé údolie, cez ktoré sa unavene vlečiem," prednesiem a zhlboka si povzdychnem ako romantická hrdinka.

„Onedlho sa tvoj ľúbostný život zmení na rozkvitnutú lúku plnú jarných kvetov, na ktorej budeš šťastne šantiť," utešuje ma Chantal.

„Keď mi zložia sadru?"

„Samozrejme."

„Sú lúky plné jarných kvetov aj v Austrálii?"

„Už toľko nekňuč, Lucy!" zahriakne ma Nadia. „Daj si viac čokolády."

Rada by som ju poslúchla, no pre rozdrúzganú nohu vyloženú na stoličke sa nedokážem načiahnuť za sušienkami s kúskami čokolády. Musela by som zaujať zložitú jogovú pozíciu, ktorú v tejto chvíli nezvládnem. Autumn sa mi podpisuje čiernou fixkou na sadru, potom ma zachráni a jednu sušienku mi láskavo podá. Práve sa nachádzam v Čokoládovom nebi a opieram sa o kopu vankúšov.

„To je iba dočasná prekážka," pripomenie mi Chantal. „Ani sa nenazdáš, a budeš vystupovať z lietadla u protinožcov."

„Myslíš?" Šťastné konce nie sú v mojom živote bežný úkaz, o tom som sa presvedčila už veľakrát.

„,Ideál' ti predsa esemeskuje a volá aspoň desať ráz za deň," chlácholí ma Autumn.

Spokojne sa usmejem a v duchu vyšlem ďakovnú modlitbu k bohu moderných technológií, vďaka ktorým môžeme komunikovať, aj keď sa nachádzame v rozdielnych časových pásmach. Láskyplne si priviniem Clivov vankúš. „To áno."

„Kým za ním prídeš, bude bez seba od túžby po tebe."

Niektoré z našich vášnivých esemesiek naznačujú, že už teraz po mne šialene túži. Náš prerušený pokus o styk u mňa na pohovke ho očividne neodradil.

„A čo sviniar Marcus? Ešte sa ozýva?" vyzvedá Chantal.

Pokrútim hlavou. „Nie."

„Chvalabohu. Dúfajme, že stiahol chvost a viac sa neukáže."

„V to dúfam aj ja."

„Možno ťa bude zas prehovárať, až sa dopočuje, že máš namierené do Austrálie. Dávaj si pozor!" varuje ma Nadia sloganom ako z vojnového plagátu.

„Nechce sa mi veriť, že nás opustíš," povzdychne si Autumn. „Čo si bez teba počneme?"

Priznám sa bez mučenia, ani ja tomu nemôžem uveriť. Ako len vydržím bez svojich najlepších kamarátok? Na koho sa obrátim, ak sa opäť budem topiť v kríze? Nič si nenahováram, pôjdem síce na opačnú stranu sveta, no krízy ma budú sledovať ako svorka hladných vlkov. Za posledné mesiace sa toho prihodilo veľa. Čo si počnem bez pravidelných poradných stretnutí s členkami Čokoládového klubu?

„Zostaneme v kontakte?" ubezpečuje sa Autumn so slzami v očiach.

„To si píš," odvetím. „Zatiaľ nikam nejdem. Tohto sa zbavím až o pár týždňov." Fľochnem na ružovú sadru. „Nejaký čas to so mnou ešte musíte vydržať. Len si pred mojím odchodom dajte životy do poriadku. A keď budem v Austrálii, prosím, pravidelne ma kontaktujte." Kývnem na Autumn. „A ak ti to s Addisonom vyjde, nezabudni mi poslať pozvánku na svadbu. Vrátim sa ako na koni."

Autumn očervenie. „Lucy!"

„Poznám jedno skvelé miesto, kde majú na Valentína voľný termín," podpichnem ju. „Romantickejší hotel neexistuje."

„Nuž, snažím sa vrátiť život do správnych koľají," ozve sa Nadia. „Toby už takmer mesiac nehrá. Tvrdí, že hier sa vzdal nadobro, a tentoraz mu verím. Len si chcem byť stopercentne istá, než sa s Lewisom k nemu vrátime. Kým to s nami Chantal vydrží..." pozrie sa na ňu.

„Ver mi," odvetí Chantal, „lepšie sa ani nemôžem mať. Každý večer ma čaká doma skvelá večera a pohár vína. Asi by som sa mala s Tedom rozviesť a vydať sa za teba. Si skvelá partia."

Všetky sa zasmejeme. Nič by im v tom nebránilo, manželstvá osôb rovnakého pohlavia sú už legálne.

„Navyše," dodá Chantal, „na tvojho drobca som si už zvykla. Ak sa vrátiš k Tobymu, budem si musieť začať kupovať tie balíky čokoládových peniažtekov pre seba!"

„Ako to ide s Tedom?"

„Chodíme na rande," pokrčí Chantal plecami. „Raz či dvakrát za týždeň. Boli sme v kine, na niekoľkých večeriach v luxusných reštauráciách. Čochvíľa sa budem gúľať." Potiahne si pás sukne. Zdá sa, že je ozaj tesnejší než zvyčajne. Potom vzdychne. „Nemôžem si pomôcť, ale mám pocit, akoby sme chodili okolo seba po špičkách."

„Asi to chce čas, tak mu ho dopraj," podotknem.

„Času mám kopu, neboj sa," odvetí. „Vydržím to, kým ho nezdolám. No chcem povedať, že neviem, ako by som to bez vás zvládla. Ste skvelé kamarátky. Najlepšie."

A keďže srdcom je stále Američanka, doprajeme jej prejav emócií a pochytáme sa za ruky. „Na Čokoládový klub," vyhlásim. „Nech nám to dlho vydrží."

„Na Čokoládový klub," zopakujú kamarátky a pripijeme si horúcou čokoládou.

Je pravda, že muži nám do životov prichádzajú aj z neho odchádzajú – prinesú nám radosť, spôsobia bolesť –, no nech sa stane čokoľvek, máme jedna druhú a máme aj čokoládu. To nám nikto nevezme.

Pri pulte práve stojí vysoký podnikateľ vo skvelom obleku a s Clivovou pomocou si vyberá čokoládové bonbóny. Zaletí k nám pohľadom a usmeje sa.

„Fíha," nadchne sa Chantal, „aký fešák!"

Všetky na ňu svorne zagánime. Zdvihne ruky a rýchlo sa ohradí: „Iba konštatujem."

„Autumn," štuchnem do nej. „Je to tvoj typ?"

„Vyzerá, že volí konzervatívcov, nie zelených," zamyslí sa a popritom špúli pery. „Pôsobí ako muž, ktorý umýva a recykluje plechovky?"

„Nie," odvetíme zborovo.

„Tak radšej ostanem pri Addisonovi," usmeje sa spokojne. „On nie je taký očividný alfa samec."

„Len sa ho drž," súhlasím. „Tvojim náročným kritériám vyhovie iba málo mužov."

Chlapík pri pulte sa na nás znova usmeje a než odíde, veselo nám zamáva. Aj my mu zakývame a vzápätí vybuchneme do smiechu.

A už sa k nám ženie Clive. „Dámy, zdá sa, že máte obdivovateľa." Nesie nám tanier s výberom exkluzívnych bonbónov. „Toto vám posiela."

Clive mi podá tanier. „Mne?" začudujem sa. „Alebo všetkým?"

„Všetkým. No pýtal sa zvlášť na teba, Lucy."

„Na mňa?"

„Citujem: ‚Kto je tá pekná blondínka so sadrou?'"

„Ach tak," podotknem. „Pýtal sa preto, lebo so mnou ako kalikou súcitil, alebo som sa mu naozaj páčila?"

„To netuším," odvetí Clive podráždene. „Som chlap a navyše gej. Na to musíš prísť sama."

Odpochoduje a nechá nám našu korisť. Ohromene sa dívame na to množstvo bonbónov. „Mňam," poteším sa. „Nech je to ktokoľvek, má skvelý vkus."

Dám tanier kolovať a všetky si vyberáme svoje najobľúbenejšie bonbóniky. Nadia Spicy Ginger s plnkou z čerstvo strúhaného zázvoru. Ten je vynikajúci počas zimných rán so šálkou silnej kávy. Autumn sa na okamih zamyslí a potom si vyberie English Rose s lahodnou jemnou chuťou, ktorú Clive dotiahol do dokonalosti, naplnil ju krémom s esenciou z destilovaných lupeňov ruží – čistá blaženosť. Chantal siahne po Earl Grey s charakteristickou príchuťou bergamotovej esencie, ktorá sa uvoľňuje v lahodných vlnách a dlho, pomaly doznieva na jazyku, až má človek pocit, že si kúpil dva bonbóny za cenu jedného. Konečne som na rade ja. Čo si len dám? Ako vždy, neviem sa rozhodnúť. Držím ruku nad tanierom a úporne rozmýšľam – zbožňujem všetky príchute. Citrónový s tymianom? So sečuánskym korením? Napokon sa rozhodnem pre špecialitu podniku – slaný karamel.

Uvelebím sa na vankúšoch a doprajem si chvíľku očakávania. Potom si vložím bonbón do úst a vychutnávam jemnú, žuvaciu textúru karamelu a krém z mliečnej čokolády, až kým nenastane prekvapujúci moment a nepreváži chuť surovej morskej soli z Bretónska. Karamel sa mi lahodne rozpúšťa na jazyku. Teraz som naozaj v čokoládovom nebi. Vzdychnem od rozkoše.

Zabudnite na diamanty – najlepším priateľom ženy je čokoláda.

Máte chuť na niečo dobré?

Obráťte list a nájdete
dva chutné recepty od Lucy a Autumn.
Budú sa vám zbiehať slinky!

Lucine
PRIRODZENÉ BLONDÍNKY

Tieto malé krásky sú o čosi ľahšie než tradičné brownies a majú úžasnú karamelovú chuť. Sú veľmi lahodné. Všetky máme právo urobiť si radosť, no nie?

ZÁKLADNÉ INFORMÁCIE:

Príprava:	20 minút
Pečenie:	20 – 25 minút
Teplota rúry:	180 °C, plynová – stupeň 4
Počet kusov:	16
Budete potrebovať:	štvorcovú tortovú formu s rozmermi 20 × 20 cm, papier na pečenie

INGREDIENCIE:

75 g kryštálového cukru

2 PL vody

180 g masla

180 g hnedého cukru

2 zľahka vyšľahané vajcia

200 g samokysnúcej múky (môžete nahradiť 200 g hladkej múky +
    2 čajové lyžičky kypriaceho prášku do pečiva a štipka soli)

0,5 ČL soli

90 g posekaných vlašských orechov

90 g horkej čokolády rozlámanej na kúsky

Pustite sa do toho:

V kastróliku pri miernej teplote rozpustite vo vode kryštálový cukor. Krúťte kastrólikom, a keď cukor stmavne na karamel, stiahnite ho z ohňa. Nechajte vychladnúť.

Do zmäknutého masla pridajte hnedý cukor a vymiešajte dohladka a dopenista.

Postupne pridávajte do maslového krému vajcia. Primiešajte karamel. Ak medzitým trochu stuhol, znova ho mierne zahrejte. Ak je stále teplý, pridávajte ho k maslu po troškách.

Zmiešajte preosiatu múku so soľou a pridajte do maslového krému. Zjedzte kúsok čokolády – musíte sa predsa uistiť, že je dobrá. Pridajte do zmesi orechy a zvyšok čokolády. (Ak orechy nemáte, nič sa nedeje, blondies sú chutné aj bez nich.)

Tortovú formu vyložte papierom na pečenie a vylejte do nej zmes. Pečte 20 – 25 minút. Špajdľou si overte, či je cesto upečené. Pichnite ňou doň – ak ostane suchá, je hotové. Blondies počas chladnutia mierne stuhnú, preto ich nepečte pridlho.

Nechajte vychladnúť vo forme.

Vyberte cesto z formy a nakrájajte ho na štvorčeky.

Môj drahý ich zbožňuje ešte teplé s vanilkovou zmrzlinou.

Autumnine
ROZVÍRENÉ BROWNIES

Vraví sa, že za kúskom týchto vynikajúcich brownies dokážu plakať aj dospelí muži. Sú trochu náročnejšie na prípravu, pretože musíte upiecť aspoň dve dávky, ale verte mi, stojí to za to...

ZÁKLADNÉ INFORMÁCIE:

Príprava: celá večnosť
Pečenie: 35 – 40 minút
Teplota rúry: 180 °C, plynová – stupeň 4
Počet kusov: 16
Budete potrebovať: štvorcovú tortovú formu s rozmermi 20 × 20 cm,
                       papier na pečenie

INGREDIENCIE:

Na hnedé cesto:

125 g mierne slaného masla
45 g kakaového prášku
2 vajcia
250 g krupicového cukru
60 g samokysnúcej múky
1 ČL vanilkového extraktu

Na krémové cesto:

180 g smotanového syra
1 vajce
90 g krupicového cukru
30 g samokysnúcej múky
1 ČL vanilkového extraktu

Pustime sa do výroby tejto dobroty...

Základné cesto na brownies:

V kastróliku pomaly rozpustite maslo. Dôkladne doň vmiešajte kakao. Nechajte vychladnúť.

Vajcia vyšľahajte dopenista. Postupne pridávajte cukor a vmiešajte kakaovú zmes.

Opatrne vmiešajte preosiatu múku a vanilkový extrakt.

Krémové cesto:

V samostatnej miske zmiešajte smotanový syr, vajce a krupicový cukor. Opatrne primiešajte preosiatu múku. Pridajte čajovú lyžičku vanilkového extraktu.

Všetko spojíme:

Tortovú formu vyložte papierom na pečenie a nalejte do nej dve tretiny základného cesta. Rozotrite naň krémové cesto. Má odlišnú konzistenciu, ale nebojte sa, všetko dopadne dobre.

Navrch naukladajte lyžicou zvyšok základného cesta. Teraz sa začína umelecká časť. Nožom urobte v ceste veľké špirály a vytvorte rozvírený efekt.

Pečte 35 – 40 minút, kým nie je povrch cesta pružný na dotyk. Brownies priveľmi neprepečte, chutia lepšie, ak sú trochu vlhké.